Diogenes Taschenbuch 22780

D1374100

Donna Leon

Venezianisches Finale

Commissario Brunettis erster Fall

Roman
Aus dem Amerikanischen von
Monika Elwenspoek

Diogenes

Titel der 1992 bei HarperCollins Publishers,
New York, erschienenen Originalausgabe:
›Death at La Fenice‹
Copyright © 1992 Donna Leon
Die deutsche Erstausgabe erschien 1993
im Diogenes Verlag
Umschlagfoto: Fulvio Roiter
Aus ›Living Venice‹, Magnus Edizioni,
Fagagna (UD)

Für meine Mutter

Veröffentlicht als Diogenes Taschenbuch, 1995
All rights reserved
Alle Rechte vorbehalten
Copyright © 1993
Diogenes Verlag AG Zürich
www.diogenes.ch
200/01/8/33
ISBN 3 257 22780 9

Ah, signor, son rea di morte
E la morte io sol vi chiedo;
Il mio fallo tardi vedo;
Con quel ferro un sen ferite
Che non merita pietà!

Ach, Herr, ich hab' den Tod verdient,
Und ich bitte Euch nur um den Tod;
Ich erkenne spät mein Vergehen;
Stoßt dieses Schwert in mein Herz,
Das kein Mitleid verdient!

COSÌ FAN TUTTE

Der dritte Gong tönte diskret durch die Foyers und Bars des Teatro La Fenice und rief zum letzten Akt der Oper. Zigaretten wurden ausgedrückt, Gläser leergetrunken, Gespräche beendet, und langsam drängte das Publikum zurück ins Theater. Der zwischen den Akten hellerleuchtete Saal war erfüllt von gedämpftem Stimmengewirr. Hier blitzte ein Diamant, dort wurde auf nackter Schulter ein Nerzcape zurechtgerückt, da ein unsichtbares Stäubchen von einem Satinrevers geschnipst. Zuerst füllten sich die Ränge, dann das Parkett, zuletzt die drei Reihen der Logen.

Langsam verloschen die Lichter, bis es ganz dunkel war im Saal, und es breitete sich jene erwartungsvolle Spannung aus, die ein Opernhaus erfüllt, kurz bevor die Vorstellung weitergehen soll und der Dirigent auf sein Podium zurückkehrt. Das Stimmengesumm ebbte allmählich ab, die Orchestermusiker rutschten nicht länger auf ihren Stühlen herum, und die allgemeine Stille verkündete, daß man bereit war für den dritten Akt.

Die Stille dehnte sich, wurde schwer. Aus dem ersten Rang hörte man plötzlich ein Husten, jemand ließ ein Buch oder eine Handtasche fallen, doch die Tür zum Korridor hinter dem Orchestergraben blieb zu.

Die Orchestermusiker waren die ersten, die leise zu reden anfingen. Ein zweiter Geiger lehnte sich zu der Frau neben ihm hinüber und erkundigte sich, wo sie dieses Jahr ihren Urlaub verbringen wolle. In der zweiten Reihe informierte eine Fagottistin ihre Nachbarin, daß bei Benetton morgen der Schlußverkauf beginne. Die Leute in den Seitenlogen schlossen sich dem Getuschel der Musiker als erste an, denn sie konnten direkt in den Orchestergraben sehen und sich ein Beispiel nehmen. Die Ränge zogen nach, dann die ersten Parkettreihen, als wollten die Reichen sich als letzte von solchem Benehmen anstecken lassen.

Das Summen steigerte sich zum Gemurmel. Minuten verstrichen. Plötzlich wurden die Falten des steifen grünen Samtvorhanges energisch auseinandergeschlagen, und Amadeo Fasini, der Intendant des Theaters, trat etwas linkisch durch den schmalen Spalt. Der Beleuchter an seinem Schaltpult über dem zweiten Rang hatte keine Ahnung, was los war, und entschied sich endlich dafür, einen grellen weißen Kreis auf die Gestalt auf der Bühne zu richten. Geblendet hob Fasini den Arm vors Gesicht, und so, den Arm wie zur Abwehr eines Schlages erhoben, begann er zu sprechen: »Meine Damen und Herren –« Er hielt inne und gestikulierte wild mit der Linken zu dem Beleuchter, der seinen Irrtum bemerkte und den Scheinwerfer wieder ausschaltete. Fasini, von seiner vorübergehenden Blindheit erlöst, fing noch einmal von vorn an: »Meine Damen und Herren, leider muß ich Ihnen mitteilen, daß Maestro Wellauer die Vorstellung nicht zu Ende leiten kann.« Fragendes Geraune drang ihm aus dem Publikum entgegen, Köpfe wandten sich unter Seidengeraschel, aber er sprach weiter. »Maestro Longhi wird seinen Platz am Pult einnehmen.« Und schnell, ehe das Raunen so laut werden konnte, daß seine Worte darin untergingen, fragte er mit betont ruhiger Stimme: »Ist ein Arzt im Saal?«

Lange Stille; dann begannen die Leute sich umzusehen, ob jemand sich melden würde. Fast eine Minute verging. Endlich hob vorn im Parkett zögernd jemand die Hand, und eine Frau stand langsam von ihrem Platz auf. »Dottoressa, könnten Sie bitte hinter die Bühne kommen?« Fasini winkte einem der uniformierten Platzanweiser im Hintergrund, und der junge Mann eilte ans Ende der Reihe, wo die Ärztin nun stand. »Wenn Sie so freundlich wären«, sagte Fasini, wobei er einen so schmerzlichen Unterton in seine Stimme legte, als brauchte er selbst den ärztlichen Beistand, »und dem Platzanweiser folgen würden...«

Er warf einen Blick in den hufeisenförmigen, immer noch abgedunkelten Saal, versuchte zu lächeln, erfolglos, und gab es auf. »Bitte entschuldigen Sie die kleine Verzögerung, meine Damen und Herren. Die Vorstellung geht jetzt weiter.«

Er drehte sich um, kämpfte mit den Vorhangfalten und fand die Öffnung nicht mehr. Unsichtbare Hände teilten endlich von hinten den Vorhang für ihn, er schlüpfte hindurch und stand mitten in der kargen Mansarde, wo gleich Violetta sterben sollte. Aus dem Saal hörte er den verhaltenen Applaus, der den neuen Dirigenten begrüßte.

Von allen Seiten bedrängten die Sänger, Chormitglieder und Bühnenarbeiter ihn jetzt ebenso neugierig, aber viel stimmgewaltiger als zuvor das Publikum. Sonst schützte seine Stellung ihn vor Kontakten mit solch minderen Mitgliedern des Ensembles, hier aber konnte er ihnen nicht entgehen, ihren Fragen, ihrem Flüstern. »Es ist nichts weiter«, sagte er zu niemand Bestimmtem und wedelte mit den Armen, um sie von der Bühne zu treiben, auf der sie sich zusammendrängten. Draußen ging das Vorspiel zum dritten Akt seinem Ende entgegen; gleich würde der Vorhang aufgehen und den Blick auf die Violetta des heutigen Abends freigeben, die nervös auf dem Bett in der Bühnenmitte saß. Fasini verdoppelte die Heftigkeit seiner Gebärden, und sie zogen sich langsam zurück, um aber in den Seitenkulissen stehenzubleiben und dort weiter zu tuscheln. Er fauchte ein wütendes »Silenzio« und wartete die Wirkung ab. Als er sah, daß sie still wurden und der Vorhang langsam die Bühne freigab, ging er rasch nach rechts zum Inspizienten, neben dem jetzt die Ärztin stand, eine kleine, dunkelhaarige Frau. Unmittelbar unter dem Schild »Rauchen verboten« hielt sie eine nicht angezündete Zigarette in der Hand.

»Guten Abend, Dottoressa«, sagte er mit einem gezwungenen Lächeln. Sie ließ die Zigarette in ihre Jackentasche gleiten und gab ihm die Hand. Falls sie sich wunderte, wie wenig eilig er es auf einmal hatte, so ließ sie es sich jedenfalls nicht anmerken.

»Worum geht es?« fragte sie schließlich, während Violetta hinter ihnen Germonts Brief zu lesen begann.

Fasini rieb sich, bevor er antwortete, energisch die Hände, als könnte ihm dies bei der Suche nach dem richtigen Wort helfen. »Maestro Wellauer ist...« begann er, wußte dann aber nicht, wie er den Satz passend beenden sollte.

»Ist er krank?« fragte die Ärztin mit kaum verhohlenem Unmut über sein Verhalten.

»Nein, nein, krank ist er nicht«, erwiderte Fasini, und wieder fehlten ihm die Worte. Er rieb sich erneut die Hände.

»Ich sollte vielleicht besser zu ihm gehen«, sagte sie, ließ es aber wie eine Frage klingen. »Ist er hier im Theater?«

Und als Fasini stumm blieb, fragte sie: »Hat man ihn irgendwohin gebracht?«

Da fand Fasini seine Sprache wieder. »Nein, nein. Er ist in der Garderobe.«

»Sollten wir dann nicht hingehen?«

»Ja, natürlich, Dottoressa«, stimmte er zu und schien dankbar für den Vorschlag. Er führte sie nach rechts, vorbei an einem Flügel und einer Harfe, die mit einem mattgrünen Tuch abgedeckt war, in einen schmalen Gang. An dessen Ende blieb er vor der Tür zur Garderobe des Dirigenten stehen. Die Tür war geschlossen, und davor stand ein großer Mann.

»Matteo«, sagte Fasini, »der Hilfsinspizient...« und wandte sich dann höflich der Ärztin zu. »Das ist Dottoressa...«

»Zorzi«, sagte sie knapp. Es schien kaum der rechte Moment für förmliche Vorstellungen zu sein.

Bei der Ankunft seines Vorgesetzten und dieser Frau, die offenbar eine Ärztin war, trat der Hilfsinspizient nur allzugern beiseite. Fasini ging an ihm vorbei, stieß die Tür ein Stück weit auf, blickte über die Schulter und trat zur Seite, um die Ärztin an sich vorbei in das kleine Zimmer zu lassen.

Der Tod hatte die Züge des Mannes verzerrt, der in dem Sessel mitten im Zimmer lag. Seine Augen waren starr ins Leere gerichtet und die Lippen zu einer häßlichen Grimasse verzogen. Der Körper hing schwer zur einen Seite, der Kopf war gegen den Sesselrücken gepreßt. Auf der gestärkten, blendendweißen Hemdbrust waren Spritzer einer dunklen Flüssigkeit. Einen Augenblick dachte die Ärztin, es sei Blut. Sie trat näher und roch mehr, als daß sie es sah, den Kaffee. Der andere Geruch, der sich mit dem des Kaffees vermischte, war ebenso eindeutig. Es war der durchdringende, säuerliche Geruch nach bitteren Mandeln, über den sie bislang nur gelesen hatte.

Sie hatte so oft mit dem Tod zu tun gehabt, daß sie nicht erst nach dem Puls des Mannes tasten mußte, dennoch legte sie die Finger ihrer rechten Hand unter sein hochgerecktes Kinn. Nichts, aber die Haut war noch warm. Sie trat zurück und sah sich um. Vor ihm auf dem Boden lagen die Untertasse und die kleine Tasse, worin der Kaffee gewesen war, der ihm auf die Hemdbrust gespritzt war. Sie hockte sich hin und berührte mit der Rückseite ihrer Finger die Tasse, doch die fühlte sich kalt an.

Dann erhob sie sich wieder und wandte sich an die beiden Männer, die noch immer an der Tür standen und die Beschäftigung mit dem Tod gern ihr zu überlassen schienen. »Haben Sie schon die Polizei verständigt?« fragte sie.

»Ja, ja«, murmelte Fasini, als habe er die Frage gar nicht aufgenommen.

»Signore«, sagte sie, nun mit klarer lauter Stimme, damit er sie auch richtig verstand. »Ich kann hier nichts machen. Das ist eine Angelegenheit für die Polizei. Ist sie schon benachrichtigt?«

»Ja«, wiederholte Fasini, ließ aber noch immer nicht erkennen, daß er sie gehört oder verstanden hatte. Er starrte auf den Toten hinunter und versuchte zu begreifen, welchen Schrecken und Skandal das bedeutete, was er da sah.

Abrupt drängte die Ärztin sich an ihm vorbei in den Korridor. Der Hilfsinspizient folgte ihr. »Rufen Sie die Polizei«, wies sie ihn energisch an. Als er nickte und ging, griff sie in ihre Jackentasche, holte die Zigarette heraus, drückte sie zurecht und zündete sie an. Sie tat einen tiefen Zug und sah auf ihre Armbanduhr. Mickeys linke Hand stand zwischen der Zehn und der Elf, seine rechte genau auf der Sieben. Sie lehnte sich an die Wand und wartete auf die Polizei.

2

Da man hier in Venedig war, kam die Polizei mit dem Boot, das Blaulicht blitzte auf dem vorderen Kabinendach. Das Boot legte in einem kleinen Seitenkanal hinter dem Theater an, und vier Männer sprangen heraus, drei in blauer Uniform und einer in Zivil. Rasch gingen sie die enge Gasse am Theater entlang zum Bühneneingang, wo der Portier, der über ihre Ankunft informiert war, mit einem Knopfdruck das Drehkreuz freigab, das ihnen Zugang zum hinteren Teil des Theaters verschaffte. Schweigend deutete er auf eine Treppe.

Oben empfing sie der noch immer wie betäubt wirkende Fasini. Er streckte schon die Hand aus, um den Mann in Zivil zu begrüßen, der offenbar das Kommando führte, vergaß es aber dann wieder, drehte sich rasch um, murmelte: »Hier entlang« und ging durch den schmalen Korridor voraus. An der Garderobentür hielt er inne und deutete wortlos nach drinnen.

Guido Brunetti, ein Commissario aus der Questura, trat als erster ein. Als er den leblosen Körper im Sessel sah, hob er die Hand und bedeutete den Uniformierten, zurückzubleiben. Der Mann im Sessel war eindeutig tot. Nach einem Lebenszeichen mußte man an diesem verkrampft nach hinten gereckten Körper mit den grausig verzerrten Gesichtszügen nicht mehr suchen.

Das Gesicht des Toten war Brunetti so vertraut wie den meisten Menschen der westlichen Welt. Auch wer diesen

Mann nie selbst am Pult gesehen hatte, kannte sein Gesicht mit dem gemeißelten germanischen Kinn und dem etwas zu langen, auch mit über sechzig noch rabenschwarzen Haar seit vier Jahrzehnten von den Titelseiten der Zeitschriften und Zeitungen. Brunetti hatte ihn vor Jahren zweimal dirigieren sehen und dabei statt des Orchesters fasziniert den Dirigenten beobachtet. Wie von einem Dämon besessen – oder einer Gottheit – zuckte Wellauers Körper über dem Pult hin und her, die Linke halb zur Faust geballt, als wollte er den Violinen die Töne entreißen, während die Rechte den Stab gleich einer Waffe hier und dort niedersausen ließ; ein Donnerkeil, der Wogen von Klängen auslöste. Doch jetzt, im Tod, hatte alles Göttliche ihn verlassen, und nur die boshafte Maske des Dämons war geblieben.

Brunetti wandte den Blick ab und sah sich im Zimmer um. Da lag die Tasse auf dem Boden und nicht weit davon die Untertasse. Daraus ließen sich die dunklen Flecken auf dem Hemd und wahrscheinlich auch das gräßlich verzerrte Gesicht erklären.

Reglos blieb Brunetti stehen, immer noch nicht weiter im Zimmer, ließ den Blick umherwandern und registrierte jedes Detail, unsicher noch, was sich daraus ergeben würde, neugierig. Er war ein überraschend gepflegter Mann: seine Krawatte war sorgfältig gebunden, das Haar kürzer als derzeit Mode, und selbst seine Ohren lagen eng am Kopf, als wollten sie nur ja nicht auffallen. Die Kleidung wies ihn eindeutig als Italiener aus. Der Akzent war unverkennbar venezianisch. Sein Blick war ganz der eines Polizeibeamten.

Er streckte die Hand aus und berührte das Handgelenk des Toten, aber der Körper war kalt, die Haut fühlte sich trocken an. Mit einem letzten prüfenden Blick drehte er sich um und wandte sich einem der Männer zu, die hinter ihm standen. Er wies ihn an, den Polizeiarzt und den Fotografen zu rufen. Den zweiten Beamten schickte er nach unten zum Portier, um herauszufinden, wer heute abend alles hinter der Bühne war, und eine Liste mit den Namen zusammenzustellen. Dem dritten trug er auf, zu erkunden, wer heute vor der Vorstellung oder während der Pausen mit dem Maestro gesprochen hatte.

Dann öffnete er die Tür zu seiner Linken. Sie führte in ein kleines Bad. Das einzige Fenster war geschlossen, wie auch das in der Garderobe. Im Schrank hingen ein dunkler Mantel und drei weiße, gestärkte Hemden.

Brunetti ging zurück in den Garderobenraum und trat zu der Leiche. Mit der Rückseite seiner Finger hielt er das Revers des Toten hoch und griff in die Brusttasche des Jacketts. Er fand ein Taschentuch, das er vorsichtig an einer Ecke herauszog. Sonst war die Tasche leer. Auf dieselbe Weise verfuhr er mit den Seitentaschen, aus denen er die üblichen Dinge zutage förderte: ein paar tausend Lire in kleinen Scheinen, einen Schlüssel mit Plastikanhänger, wahrscheinlich für dieses Zimmer, einen Kamm und noch ein Taschentuch. Er wollte möglichst wenig an dem Toten herumhantieren, bevor er fotografiert war, so verschob er die Untersuchung der Hosentaschen auf später.

Die drei Polizisten, zufrieden, daß ein Opfer festgestellt werden konnte, waren gegangen, um Brunettis Anweisungen auszuführen. Der Intendant des Theaters war nirgends zu sehen. Brunetti trat in den Korridor, wo er ihn zu finden hoffte und fragen wollte, wann man die Leiche entdeckt hatte. Statt dessen fand er eine kleine, dunkelhaarige Frau, die rauchend an der Wand lehnte. Hinter ihnen brausten Wogen volltönender Musik.

»Was ist denn das?« fragte Brunetti.

»*La Traviata*«, antwortete die Frau schlicht.

»Das weiß ich«, sagte er. »Heißt das, man hat die Vorstellung nicht abgebrochen?«

»›Selbst wenn die Welt in Trümmer fällt...‹« antwortete sie mit der übertriebenen Betonung und Emphase, die man sich für Zitate vorbehält.

»Ist das aus *La Traviata*?« wollte er wissen.

»Nein, aus *Turandot*«, entgegnete sie ruhig.

»Ja, aber trotzdem«, meinte er, »schon aus Respekt vor dem Mann.«

Sie zuckte die Achseln, ließ ihre Zigarette auf den Zementboden fallen und trat sie aus.

»Und Sie sind...?« fragte er schließlich.

»Barbara Zorzi«, antwortete sie und ergänzte, obwohl er nicht gefragt hatte: »Dottoressa Barbara Zorzi. Ich war im Theater, als ein Arzt gesucht wurde, also bin ich hinter die Bühne gegangen und habe ihn gefunden. Genau um 10 Uhr 35. Sein Körper war noch warm, so daß er nach meiner Schätzung noch keine halbe Stunde tot gewesen sein kann. Die Kaffeetasse auf dem Fußboden war kalt.«

»Sie haben sie berührt?«

»Nur mit der Außenseite der Finger. Ich dachte, es könnte wichtig sein zu wissen, ob sie noch warm war. Sie war es nicht.« Sie holte eine Schachtel Zigaretten aus der Tasche, bot ihm eine an, schien nicht erstaunt, als er ablehnte, und zündete sich ihre selbst an.

»Sonst noch etwas, Dottoressa?«

»Es riecht wie Zyankali«, meinte sie. »Ich habe darüber gelesen und auch einmal damit gearbeitet, in Pharmakologie. Der Professor wollte uns nicht daran riechen lassen, weil selbst die Dämpfe gefährlich seien.«

»Ist es wirklich so giftig?« fragte er.

»Ja. Ich habe zwar vergessen, welche Dosis einen Menschen töten kann, aber es ist wesentlich weniger als ein Gramm. Und es wirkt sofort. Alles hört einfach auf – Herz, Lunge, alles. Er war tot, oder zumindest bewußtlos, bevor die Tasse auf den Boden schlug.«

»Kannten Sie ihn?« fragte Brunetti.

Sie schüttelte den Kopf. »Nicht besser als jeder andere, der Opern liebt. Oder *Gente* liest«, fügte sie hinzu und nannte damit ein Klatschmagazin, von dem er sich nur schwer vorstellen konnte, daß sie es las.

Sie sah zu ihm auf und fragte: »Wär's das?«

»Ja, Dottoressa, ich denke schon. Wenn Sie einem meiner Leute noch Ihre Adresse geben würden, damit wir Sie, falls nötig, erreichen können.«

»Zorzi, Barbara«, sagte sie, nicht im geringsten beeindruckt von seinem förmlichen Gehabe. »Ich bin die einzige im Telefonbuch.«

Sie warf die Zigarette auf den Boden und trat sie aus, dann streckte sie ihm die Hand hin. »Also dann, Wiedersehen. Ich hoffe, diese Sache wird nicht allzu unschön.« Er wußte nicht, ob sie meinte, für den Maestro, das Theater, die Stadt oder ihn selbst, und so nickte er bloß als Dank und schüttelte ihr die Hand. Als sie ging, kam Brunetti der Gedanke, wie merkwürdig seine eigene Arbeit der ihren glich. Sie trafen sich über Leichen und fragten beide ›Warum?‹. Aber wenn die Antwort auf diese Frage gefunden war, trennten sich ihre Wege, als Ärztin ging sie in der Zeit zurück, um den physischen Auslöser zu finden, und er ging vorwärts, um den Verantwortlichen zu finden.

Eine Viertelstunde später kam der Polizeiarzt zusammen mit dem Fotografen und zwei Sanitätern in weißen Jacken, die später die Leiche ins Bürgerspital bringen sollten. Brunetti begrüßte Dr. Rizzardi herzlich und gab weiter, was Dr. Zorzi ihm über den Zeitpunkt des Todes gesagt hatte. Zusammen gingen sie in die Garderobe des Maestro. Rizzardi, ein anspruchsvoll gekleideter Mann, streifte sich Gummihandschuhe über, warf automatisch einen Blick auf seine Armbanduhr und hockte sich neben die Leiche. Brunetti sah zu, wie er den Körper untersuchte, und war seltsam berührt, als er sah, wie Rizzardi den Toten mit dem gleichen Respekt behandelte, den er einem lebenden Patienten erweisen würde, ihn behutsam anfaßte, vorsichtig umdrehte und notfalls dem erstarrenden Fleisch mit erfahrenen und doch sanften Händen nachhalf.

»Könnten Sie ihm die Sachen aus den Taschen nehmen, Dottore?« fragte Brunetti, der keine Handschuhe bei sich hatte und mit seinen Fingerabdrücken nicht eventuelle Spuren verwischen wollte. Der Doktor kam der Bitte nach, fand aber nur eine dünne Brieftasche, Alligator vielleicht, die er an einer Ecke herauszog und neben sich auf den Tisch legte.

Er stand auf und zog sich die Handschuhe aus. »Gift. Eindeutig. Ich würde sagen, es war Zyankali. Ja, ich bin eigentlich ganz sicher, allerdings ist das vor der Autopsie noch nicht offiziell. Aber so wie sein Körper nach hinten gebogen war, kann es nichts anderes sein.« Brunetti sah, daß der Doktor dem Toten die Augen zugedrückt hatte und nun versuchte, die verzerrten Mundwinkel zu glätten. »Es ist Wellauer, nicht?« fragte der Doktor, obwohl die Frage kaum nötig war.

Als Brunetti nickte, rief Rizzardi: »*Maria Vergine*, der Bürgermeister wird nicht begeistert sein, ganz und gar nicht.«

»Dann soll der Bürgermeister doch den Täter suchen«, schnauzte Brunetti.

»Ja, dumm von mir. Tut mir leid, Guido. Wir sollten lieber an die Familie denken.«

Wie aufs Stichwort kam einer der drei Uniformierten an die Tür und winkte Brunetti heraus. Draußen stand Fasini neben einer hochgewachsenen jungen Frau, die er für die Tochter des Maestro hielt. Sie war sehr groß, größer als der Intendant, ja sogar größer als Brunetti, und ihr hochgestecktes, blondes Haar verstärkte den Eindruck noch. Ihre Wangenknochen hatten, wie die des Maestro, etwas Slawisches, und die Farbe ihrer Augen konnte man schon beinah als Eisblau bezeichnen.

Als sie Brunetti herauskommen sah, trat sie mit zwei raschen Schritten auf ihn zu. »Was ist passiert?« fragte sie auf Italienisch mit starkem ausländischem Akzent. »Was ist passiert?«

»Es tut mir sehr leid, Signorina«, fing er an.

Sie hörte gar nicht hin, sondern unterbrach ihn energisch. »Was ist mit meinem Mann?«

Trotz aller Überraschung hatte Brunetti doch die Geistesgegenwart, mit einem Schritt nach rechts den Eingang zur Garderobe zu versperren. »Signora, es tut mir leid, aber es wäre besser, wenn Sie nicht hineingehen.« Warum wußten sie nur immer schon, was man ihnen sagen mußte? War es der Tonfall, oder gab es so etwas wie einen animalischen Instinkt, der sie den Tod aus der Stimme desjenigen heraushören ließ, der die Nachricht überbrachte?

Die Frau kippte zur Seite, als hätte man ihr einen Schlag versetzt. Sie stieß mit der Hüfte auf die Tasten des Flügels, und eine Dissonanz hallte durch den Korridor. Sie stützte sich mit einer Hand auf der Klaviatur ab und produzierte weitere unkoordinierte Töne. Dann sagte sie etwas in einer Sprache, die Brunetti nicht verstand, und hob die Hand in einer Geste vor den Mund, die so melodramatisch wirkte, daß sie nicht gespielt sein konnte.

In dem Augenblick schien es Brunetti, als habe er sein ganzes Leben damit verbracht, Menschen dies anzutun, ihnen zu sagen, daß ein geliebter Mensch tot war, oder schlimmer, umgebracht worden war. Sein Bruder Sergio war Röntgentechniker und mußte eine kleine Karte aus Metall am Revers tragen, die sich verfärbte, wenn sie gefährlichen Strahlenmengen ausgesetzt war. Hätte er etwas Ähnliches an sich gehabt, das auf Schmerz, Trauer oder Tod reagierte, die Farbe hätte sich schon längst verändert.

Sie öffnete die Augen und sah ihn an. »Ich möchte ihn sehen.«

»Ich glaube, es wäre besser, wenn Sie es nicht täten«, antwortete er, wohl wissend, daß es stimmte.

»Was ist passiert?« Sie bemühte sich, ruhig zu bleiben, und es gelang ihr.

»Ich glaube, es war Gift«, sagte er, obwohl er es genau wußte.

»Jemand hat ihn umgebracht?« fragte sie, und ihr Erstaunen schien echt zu sein. Oder einstudiert.

»Entschuldigen Sie, Signora, aber ich kann Ihnen im Moment keine Antworten geben. Ist jemand hier, der Sie nach Hause bringen kann?« Hinter sich hörten sie plötzlich Beifall losbrechen, dem dann Welle auf Welle folgte. Ihr war nicht anzumerken, ob sie es hörte, oder ob sie seine Frage gehört hatte, sie starrte ihn nur an und bewegte lautlos die Lippen.

»Ist jemand hier im Theater, der Sie nach Hause bringen kann, Signora?«

Sie nickte, hatte ihn endlich verstanden. »Ja, ja«, sagte sie, und dann mit etwas sanfterer Stimme: »Ich muß mich hinsetzen.« Er war schon vorbereitet auf den plötzlichen Realitätsschub, der auf den ersten Schock folgt. Der war es, der die Leute umwarf.

Er schob seinen Arm unter ihren und führte sie in den offenen Bereich hinter der Bühne. Sie war zwar groß, dabei aber so schmal, daß ihr Gewicht leicht zu stützen war. Der einzige geeignete Platz war eine kleine Nische linkerhand, voller Schaltbretter und anderer Utensilien, die ihm nichts sagten. Er half ihr auf den Stuhl davor und winkte einem seiner uniformierten Polizisten, der gerade aus den Kulissen kam, wo es jetzt von kostümierten Mitwirkenden wimmelte, die sich verbeugten und, sobald der Vorhang geschlossen war, wieder zu Gruppen zusammenfanden.

»Gehen Sie in die Bar runter, und holen Sie ein Glas Cognac und ein Glas Wasser«, wies er den Polizisten an.

Signora Wellauer saß indessen auf dem einfachen Holzstuhl mit der geraden Lehne, ihre Hände umklammerten den Sitz rechts und links, und sie starrte auf den Boden. Sie schüttelte den Kopf, verneinend, oder als Antwort auf ein inneres Gespräch.

»Signora –, Signora, sind Ihre Freunde hier im Theater?«

Sie beachtete ihn nicht und setzte ihr inneres Gespräch fort.

»Signora«, wiederholte er und legte ihr diesmal dabei die Hand auf die Schulter. »Ihre Freunde, sind sie hier?«

»Welti«, sagte sie, ohne aufzusehen. »Wir haben uns nach der Vorstellung hinter der Bühne verabredet.«

Der Polizist kam mit zwei Gläsern zurück. Brunetti nahm das kleinere und gab es ihr. »Trinken Sie das, Signora«, sagte er. Sie trank abwesend zuerst den Cognac und anschließend das Wasser, als sei kein Unterschied zwischen beidem.

Brunetti stellte die Gläser beiseite.

»Wann haben Sie ihn gesehen, Signora?«

»Wie bitte?«

»Wann Sie ihn gesehen haben.«

»Helmut?«

»Ja, Signora. Wann haben Sie ihn gesehen?«

»Wir sind zusammen hergekommen. Heute abend. Dann bin ich nach dem ...« ihre Stimme verebbte.

»Was, Signora?« fragte er.

Sie betrachtete einen Augenblick sein Gesicht, bevor sie weitersprach. »Nach dem zweiten Akt bin ich zu ihm gegangen. Aber wir haben nicht miteinander gesprochen. Ich kam zu spät. Er sagte nur – nein, er hat gar nichts gesagt.«

Brunetti war nicht sicher, ob ihre Verwirrung dem Schock oder den Schwierigkeiten mit der Sprache zuzuschreiben war, aber ihm war klar, daß sie im Moment keine weiteren Fragen beantworten konnte.

Hinter ihnen brach eine neue Welle von Applaus los, die anschwoll und abebbte, während die Sänger ihre Vorhänge absolvierten. Die Frau vor ihm senkte erneut den Kopf, obwohl sie ihr inneres Gespräch offenbar abgeschlossen hatte.

Er wies den Polizisten an, bei ihr zu bleiben, bis ihre Freunde da wären, und fügte hinzu, danach könne sie mit ihnen das Theater verlassen.

Brunetti verabschiedete sich und ging zurück in die Garderobe des Maestro, wo der Arzt und der Fotograf gerade im Begriff waren zu gehen.

»Gibt es noch etwas?« wollte Rizzardi wissen, als er Brunetti hereinkommen sah.

»Nein. Wann ist die Autopsie?«

»Morgen.«

»Machen Sie die?«

Rizzardi überlegte kurz, bevor er antwortete. »Ich habe keinen Dienst, aber da ich die Leiche untersucht habe, wird der Staatsanwalt mich wahrscheinlich darum bitten.«

»Wann?«

»Gegen elf. Am frühen Nachmittag bin ich dann wohl fertig.«

»Ich komme raus«, sagte Brunetti.

»Das ist nicht nötig, Guido. Sie müssen nicht extra nach San Michele rauskommen. Sie können anrufen, oder ich rufe bei Ihnen im Büro an.«

»Danke, Ettore, aber ich möchte kommen. Ich war schon

lange nicht mehr draußen. Ich würde bei der Gelegenheit gern das Grab meines Vaters besuchen.«

»Gut, wie Sie wollen«, meinte Rizzardi. Sie gaben sich die Hand, und Rizzardi wandte sich zum Gehen. An der Tür blieb er stehen und fügte noch hinzu: »Er war der letzte der ganz Großen, Guido. Diesen Tod hat er nicht verdient. Tut mir leid, daß dies passieren mußte, Guido.«

»Mir auch, Ettore, mir auch.«

Der Doktor ging, und der Fotograf folgte ihm. Sobald sie draußen waren, drehte sich einer der beiden Sanitäter, die bisher rauchend am Fenster gestanden und die Passanten in der Gasse unten beobachtet hatten, um und machte ein paar Schritte zu der Trage hin, auf der die Leiche lag.

»Können wir ihn jetzt wegbringen?« fragte er gleichgültig.

»Nein«, entgegnete Brunetti. »Warten Sie, bis alle Leute das Theater verlassen haben.«

Der andere, der am Fenster stehen geblieben war, warf seine Zigarette hinaus und stellte sich ans andere Ende der Trage. »Das wird aber ne ganze Weile dauern, oder?« meinte er mit unverhohlenem Mißmut. Er war klein und vierschrötig, und sein Akzent war ziemlich eindeutig neapolitanisch.

»Ich weiß nicht, wie lange es dauert, aber warten Sie, bis das Theater leer ist.«

Der zweite Sanitäter schob den Ärmel seiner weißen Jacke zurück und sah betont auf die Uhr. »Also, unser Dienst endet um Mitternacht, und wenn wir noch lange warten, kommen wir erst viel später ins Spital zurück.«

Der erste stimmte mit ein. »Nach den Bestimmungen

unserer Gewerkschaft müssen Überstunden vierundzwanzig Stunden vorher angekündigt werden. Ich weiß nicht, was wir in so einem Fall machen sollen«, fügte er hinzu und deutete dabei mit der Schuhspitze auf die Trage, als sei sie ein Ding, das er auf der Straße gefunden hatte.

Einen Moment war Brunetti versucht, vernünftig mit ihnen zu reden, aber nicht lange. »Ihr beide bleibt hier und macht diese Tür nicht auf, bevor ich es sage.« Als keine Antwort kam, fragte er: »Verstanden? Beide?« Noch immer keine Antwort. »Verstehen Sie mich?« wiederholte er.

»Aber die Gewerkschaft...«

»Zum Henker mit eurer Gewerkschaft und ihren Bestimmungen«, explodierte Brunetti. »Wenn ihr mit dieser Trage hier rausgeht, bevor ich es sage, sitzt ihr sofort im Knast, sowie ihr auf einen Gehweg spuckt oder öffentlich flucht. Ich will keinen Zirkus, wenn ihr ihn raustragt. Ihr müßt also schon warten, bis ich entscheide, daß es soweit ist.« Ohne noch einmal nachzufragen, ob sie ihn jetzt verstanden hatten, drehte Brunetti sich um und schlug die Tür hinter sich zu.

In dem offenen Bereich am Ende des Korridors herrschte Chaos. Mitglieder des Ensembles, zum Teil noch in ihren Kostümen, liefen ziellos durcheinander, und auch ohne zu hören, was sie sagten, merkte er an ihren aufgeregten Blicken zur Garderobentür hin, daß die Nachricht vom Tod sich herumgesprochen hatte. Er beobachtete, wie sie weiterverbreitet wurde, wie zwei die Köpfe zusammensteckten und dann einer sich abrupt drehte, um den Korridor hinunter zu stieren, zu der Tür, hinter der sich verbarg, was sie nur ahnen konnten. Wollten sie die Leiche sehen? Oder brauchten sie nur ein Gesprächsthema für morgen, an der Theke ihrer Bars?

Als er zu Signora Wellauer zurückkam, waren ein Mann und eine Frau bei ihr, beide erheblich älter als sie. Die Frau kniete neben ihr und hatte die Arme um die Witwe gelegt, die jetzt heftig schluchzte. Als er Brunetti sah, kam der Uniformierte zu ihm. »Ich habe doch gesagt, Sie können sie gehen lassen«, sagte Brunetti zu ihm.

»Soll ich mitgehen, Commissario?«

»Ja, tun Sie das. Wissen Sie, wo sie wohnt?«

»In der Nähe von San Moisè.«

»Gut, das ist ja nicht weit«, meinte Brunetti und fügte hinzu: »Sie sollen mit niemandem sprechen«, denn ihm fielen die Reporter ein, die inzwischen sicher Wind bekommen hatten. »Nehmen Sie nicht den Bühnenausgang. Vielleicht gibt es ja einen Weg durchs Theater.«

»Ja, Commissario«, antwortete der Mann und salutierte dabei so zackig, daß Brunetti wünschte, die Sanitäter hätten es sehen können.

»Commissario?« ertönte es plötzlich hinter ihm, und als er sich umdrehte, sah er Corporal Miotti auf sich zukommen, den jüngsten der drei Polizisten, die er mitgebracht hatte.

»Was ist, Miotti?«

»Ich habe eine Liste der Leute, die heute abend hier waren, Chor, Orchester, Bühnenpersonal, Sänger.«

»Wie viele sind es denn?«

»Über hundert, Commissario«, antwortete er seufzend, als wollte er sich für die vielen hundert Stunden Arbeit entschuldigen, die das bedeutete.

»Na ja«, meinte Brunetti und tat es achselzuckend ab. »Gehen Sie mal zum Portier runter, und bringen Sie in Erfahrung, wie man durch diese Drehkreuze kommt. Und wie man sich ausweisen muß.« Der Caporale kritzelte in sein Notizbuch, während Brunetti weiterredete. »Wie kommt man sonst noch hier herein? Gibt es einen direkten Zugang vom Zuschauerraum aus nach hier hinten? Mit wem ist er heute abend gekommen und wann? Ist während der Vorstellung jemand in seine Garderobe gegangen? Und der Kaffee, ist er von unten aus der Bar, oder wurde er von außerhalb gebracht?« Er hielt inne und dachte nach. »Und versuchen Sie herauszukriegen, ob er irgendwelche Nachrichten, Briefe oder Telefonate bekommen hat.«

»Ist das alles, Commissario?« wollte Miotti wissen.

»Rufen Sie in der Questura an. Die sollen die deutsche Polizei benachrichtigen.« Und bevor Miotti noch etwas entgegnen konnte: »Sagen Sie denen, sie sollen diese Dolmetscherin für Deutsch holen lassen, wie hieß sie noch?«

»Boldacci, Commissario.«

»Genau. Die sollen sie holen, und sie soll bei der deutschen Polizei anrufen. Es ist mir egal, wie spät es ist. Sie soll ein vollständiges Dossier über Wellauer anfordern. Am liebsten hätte ich es gleich morgen früh, wenn es geht.«

»Ja, Commissario.«

Brunetti nickte. Der Caporale salutierte und stiefelte mit seinem Notizbuch in der Hand zur Treppe, die zum Bühneneingang hinunterführte.

»Und, Caporale«, rief Brunetti ihm hinterher.

»Ja, Commissario?«

»Seien Sie höflich.«

Miotti nickte, drehte sich um und verschwand. Daß er so mit einem seiner Untergebenen reden konnte, ohne daß der gleich einschnappte, erinnerte Brunetti wieder einmal daran, wie dankbar er war, nach fünf Jahren in Neapel wieder nach Venedig versetzt worden zu sein.

Obwohl seit dem letzten Vorhang schon mehr als zwanzig Minuten vergangen waren, machten die Leute auf der Bühne keine Anstalten zu gehen. Einige, die offenbar mehr praktischen Verstand hatten, gingen herum und sammelten Requisiten ein: Kostümteile, Gürtel, Spazierstöcke, Perücken. Direkt vor Brunetti kam einer vorbei, der offenbar ein totes Tier über dem Arm trug, aber als Brunetti genauer hinsah, waren es lauter Frauenperücken. Hinter dem Vorhang tauchte Follin auf, den Brunetti vorhin losgeschickt hatte, den Arzt zu rufen.

Er kam auf Brunetti zu und sagte: »Ich dachte, Sie wollen vielleicht mit den Sängern sprechen, Commissario. Da habe ich sie gebeten, oben zu warten. Und den Regisseur auch. Es schien ihnen nicht zu gefallen, aber ich habe erklärt, was passiert ist, und danach waren sie einverstanden. Gefallen hat es ihnen trotzdem nicht.«

Opernsänger, dachte Brunetti, und wiederholte es noch einmal: Opernsänger. »Gute Arbeit, Follin. Wo sind sie?«

»Oben, hier die Treppe rauf.« Er deutete auf eine kurze Treppe, die zu den oberen Stockwerken des Theaters führte. Dann drückte er Brunetti ein Programmheft in die Hand. Der warf einen Blick darauf, erkannte ein oder zwei Namen und begann die Treppe hinaufzusteigen.

»Wer war am ungeduldigsten, Follin?« fragte Brunetti, als sie oben angelangt waren.

»Die Sopranistin, Signora Petrelli«, antwortete Follin und deutete rechts den Korridor hinunter auf eine Tür ganz am Ende.

»Gut«, sagte Brunetti und wandte sich nach links. »Dann heben wir uns Signora Petrelli bis zum Schluß auf.« Follins Lächeln machte Brunetti neugierig, wie das Zusammentreffen zwischen der widerwilligen Primadonna und dem eifrigen jungen Polizisten wohl verlaufen sein mochte.

›Francesco Dardi – Giorgio Germont‹, stand auf der maschinengeschriebenen Karte an der ersten Garderobentür links. Brunetti klopfte zweimal, und die Antwort kam sofort: »*Avanti!*«

An dem kleinen Frisiertisch drinnen war der Bariton, dessen Namen Brunetti erkannt hatte, damit beschäftigt, sein Make-up zu entfernen. Dardi war ein kleiner Mann, der seinen üppigen Bauch gegen die Tischkante preßte, um sich besser im Spiegel sehen zu können. »Entschuldigen Sie, meine Herren, wenn ich nicht aufstehe, um Sie zu begrüßen«, sagte er, während er sorgsam schwarzes Make-up unter seinem rechten Auge wegwischte.

Brunetti nickte, sagte aber nichts.

Kurz darauf wandte Dardi sich vom Spiegel ab und blickte zu den beiden Männern auf. »Nun?« fragte er und kehrte zu seinem Make-up zurück.

»Haben Sie gehört, was heute abend geschehen ist?« fragte Brunetti.

»Sie meinen mit Wellauer?«

»Ja.«

Nachdem seine Frage nichts weiter als diese einsilbige Antwort auslöste, legte Dardi sein Handtuch hin und sah

die beiden Polizisten an. »Kann ich Ihnen irgendwie behilflich sein, meine Herren?« fragte er an Brunetti gewandt.

Schon besser, dachte der, lächelte und antwortete
freundlich: »Ja, vielleicht.« Er blickte in sein Programm, als
müsse er den Namen des Mannes ablesen. »Signor Dardi,
wie Sie inzwischen sicher gehört haben, ist Maestro Wellauer heute abend gestorben.«

Der Sänger nahm die Nachricht mit einem leichten Neigen des Kopfes auf, nichts weiter.

Brunetti fuhr fort: »Ich wüßte gern alles, was Sie mir
über heute abend erzählen können, alles, was während der
beiden ersten Akte vorgefallen ist.« Er hielt inne, und
Dardi nickte wieder, sagte jedoch immer noch nichts.

»Haben Sie heute abend mit dem Maestro gesprochen?«

»Ich habe ihn kurz gesehen«, antwortete Dardi, schwang
sich auf seinem Stuhl herum und widmete sich wieder dem
Entfernen seines Make-ups. »Als ich ankam, sprach er gerade mit einem der Beleuchter, irgend etwas über den ersten
Akt. Ich habe ›Buona sera‹ gesagt und bin dann hier in
meine Garderobe gegangen, um mit meinem Make-up
anzufangen. Wie Sie vielleicht sehen«, er deutete auf sein
Spiegelbild, »dauert es ziemlich lange.«

»Wann war das?« fragte Brunetti.

»Gegen sieben, würde ich sagen. Vielleicht etwas später.
Viertel nach, aber sicher nicht danach.«

»Und haben Sie ihn dann noch einmal gesehen?«

»Meinen Sie hier oben oder hinter der Bühne?«

»Beides.«

»Danach habe ich ihn nur noch von der Bühne aus an
seinem Pult gesehen.«

»War jemand bei Wellauer, als Sie ihn sahen?«

»Wie gesagt, er war im Gespräch mit einem der Beleuchter.«

»Ja, ich weiß. Aber vielleicht noch jemand anderes?«

»Franco Santore. In der Bar. Sie wechselten ein paar Worte. Aber da war ich schon im Begriff zu gehen.«

Obwohl er den Namen des Mannes kannte, fragte Brunetti: »Und wer ist dieser Signor Santore?«

Brunettis Unwissenheit schien Dardi nicht zu überraschen. Warum sollte ein Polizist auch den Namen eines der berühmtesten Theaterregisseure Italiens kennen?

»Er ist der Regisseur«, erklärte Dardi. Er wischte sich noch einmal mit dem Handtuch übers Gesicht und warf es dann auf den Schminktisch. »Es ist seine Inszenierung.« Der Sänger griff nach einer Seidenkrawatte ganz rechts auf dem Tisch, schob sie unter seinen Hemdkragen und band sie sorgfältig. »Haben Sie noch weitere Fragen?« Sein Tonfall war neutral.

»Nein, ich glaube, das ist alles. Vielen Dank für Ihre Hilfe. Wo können wir Sie erreichen, falls wir doch noch einmal mit Ihnen sprechen müssen, Signor Dardi?«

»Im Gritti«, antwortete der Sänger, und diesmal war er sichtlich überrascht. Er warf Brunetti einen kurzen, erstaunten Blick zu, als hätte er gern gefragt, ob es wirklich noch andere Hotels in Venedig gab, traute sich aber nicht.

Brunetti dankte ihm und ging mit Follin hinaus. »Als nächstes den Tenor, ja?« fragte er mit einem Blick auf das Programmheft.

Follin nickte und ging durch den Korridor voraus zu einer Tür am anderen Ende.

Brunetti klopfte, wartete einen Augenblick, hörte nichts. Er klopfte noch einmal, worauf von drinnen ein Geräusch kam, das er kurzerhand als Aufforderung zum Eintreten nahm. Als er die Tür öffnete, sah er einen kleinen, schmalen Mann fertig umgezogen dasitzen. Sein Mantel war über die Armlehne eines Sessels geworfen, und in seiner Haltung kam das zum Ausdruck, was man ihm auf der Schauspielschule wahrscheinlich als ›verärgerte Ungeduld‹ beigebracht hatte.

»Ah, Signor Echeveste«, rief Brunetti überschwenglich und ging mit ausgestreckter Hand rasch auf ihn zu, so daß der andere nicht aufstehen mußte. »Welch ungeheure Ehre, Sie kennenzulernen.« Hätte Brunetti die gleiche Schauspielklasse besucht, hätte seine Übung wahrscheinlich den Titel ›Ehrfurcht in Gegenwart eines überwältigenden Talents‹ gehabt.

Wie ein Eisstrom im Frühling schmolz Echevestes Ärger unter der Wärme von Brunettis Schmeichelei dahin. Etwas mühsam erhob er sich und deutete eine kleine, förmliche Verbeugung an.

»Und mit wem habe ich die Ehre?« fragte er auf Italienisch mit leichtem Akzent.

»Commissario Brunetti, Signore. Ich vertrete in dieser höchst unglückseligen Angelegenheit die Polizei.«

»Ah ja«, antwortete der andere, als hätte er einmal vor langer Zeit etwas von Polizei gehört, aber vergessen, was sie eigentlich tat. »Sie sind also wegen dieser – dieser«, er hielt inne, machte eine matte Handbewegung und wartete, daß ihm jemand das richtige Wort eingab. Und es kam: »...dieser unglückseligen Sache mit dem Maestro hier.«

»Ja, so ist es. Sehr unglücklich, sehr bedauerlich«, plapperte Brunetti drauflos und ließ den Blick nicht vom Gesicht des Tenors. »Würde es Ihnen sehr viel Mühe bereiten, mir einige Fragen zu beantworten?«

»Nein, natürlich nicht«, antwortete Echeveste und ließ sich elegant wieder in seinen Sessel sinken, allerdings nicht, ohne sorgfältig seine Hosenbeine am Knie hochzuziehen, um die messerscharfen Bügelfalten nicht zu gefährden. »Ich würde gern behilflich sein. Sein Tod ist ein großer Verlust für die Musikwelt.«

Angesichts solch überwältigender Platitüde konnte Brunetti nur kurz und ehrerbietig den Kopf neigen. Als er ihn wieder hob, fragte er: »Um welche Zeit sind Sie ins Theater gekommen?«

Echeveste dachte einen Augenblick nach. »Gegen halb acht, glaube ich. Ich war spät dran. Wurde aufgehalten. Sie verstehen?« Durch den Ton der Frage gewann man unwillkürlich den Eindruck, er habe sich nur widerwillig aus einem zerwühlten Bett und verführerischen weiblichen Umarmungen losgerissen.

»Und warum waren Sie spät dran?« wollte Brunetti wissen, obwohl ihm klar war, daß diese Frage nicht vorgesehen war, aber es reizte ihn zu sehen, inwieweit sie die Fantasie anregte.

»Ich habe mir die Haare schneiden lassen«, antwortete der Tenor.

»Und wie heißt Ihr Friseur?« fragte Brunetti höflich.

Echeveste nannte einen, dessen Geschäft nicht weit vom Theater entfernt lag. Brunetti sah kurz zu Follin hinüber, der sich Notizen machte. Er würde es morgen überprüfen.

»Und als Sie hier ankamen, haben Sie den Maestro da gesehen?«

»Nein, nein, ich habe niemanden gesehen.«

»Und das war gegen halb acht?«

»Ja. Soweit ich mich erinnere.«

»Haben Sie sonst beim Hereinkommen jemanden gesehen oder gesprochen?«

»Nein. Niemanden.«

Noch bevor Brunetti sich darüber wundern konnte, erklärte Echeveste: »Wissen Sie, ich bin nicht durch den Bühneneingang gekommen. Ich bin durchs Orchester gegangen.«

»Ich wußte nicht, daß man das kann«, sagte Brunetti, den es sehr interessierte, daß man auf diesem Weg hinter die Bühne gelangen konnte.

»Nun ja«, Echeveste betrachtete seine Hände. »Normalerweise geht das auch nicht, aber ich bin mit einem der Platzanweiser befreundet, und er hat mich hereingelassen, damit ich nicht durch den Bühneneingang mußte.«

»Könnten Sie mir erklären, warum Sie das getan haben, Signor Echeveste?«

Der Tenor hob ungeduldig die Hand und ließ sie einen Moment in der Luft hängen, als hoffte er, die Frage damit wegwischen oder beantworten zu können. Es gelang beides nicht. Schließlich legte er eine Hand auf die andere und sagte schlicht: »Ich hatte Angst.«

»Angst?«

»Vor dem Maestro. Ich war schon bei zwei Proben zu spät gekommen, und er reagierte ziemlich wütend darauf, schrie herum. Er konnte sehr unangenehm werden, wenn er

ärgerlich war. Das wollte ich mir nicht noch einmal antun.«
Brunetti hatte den Eindruck, nur der Respekt vor dem
Toten hinderte den Tenor daran, einen stärkeren Ausdruck
als »unangenehm« zu benutzen.

»Sie sind also auf diesem Weg hereingekommen, damit
Sie ihm nicht begegnen?«

»Ja.«

»Haben Sie ihn außer von der Bühne zu einem anderen
Zeitpunkt noch einmal gesehen oder mit ihm gesprochen?«

»Nein.«

Brunetti stand auf und lächelte wieder bühnenreif. »Vielen Dank, daß Sie uns so viel Zeit geopfert haben, Signor
Echeveste.«

»Es war mir ein Vergnügen«, antwortete der andere und
erhob sich von seinem Sessel. Er sah Follin, dann wieder
Brunetti an. »Kann ich jetzt gehen?«

»Aber natürlich. Wenn Sie mir nur noch sagen würden,
wo Sie wohnen?«

»Im Gritti«, war die Antwort, begleitet von dem gleichen
verwunderten Blick, den Brunetti von Dardi geerntet hatte.
Langsam mußte er sich fragen, ob es wirklich noch andere
Hotels in der Stadt gab.

3

Als Brunetti aus der Garderobe des Tenors kam, erwartete Miotti ihn schon. Wie der junge Polizist berichtete, hatte der Regisseur Franco Santore sich geweigert zu warten. Wer mit ihm sprechen wolle, könne ihn im Hotel Fenice, direkt gegenüber dem Theater finden, habe er gesagt. Brunetti nickte, fast froh zu hören, daß es doch noch andere Hotels in der Stadt gab.

»Bleibt uns noch der Sopran«, sagte Brunetti, während sie den Korridor entlanggingen. An der Tür hing das übliche Schild: ›Flavia Petrelli – Violetta Valery‹. Darunter war, mit feinem schwarzem Stift gezeichnet, eine Zeile, die aussah wie chinesische Schriftzeichen.

Er klopfte an die Tür und bedeutete seinen beiden Begleitern mit einem Kopfnicken, draußen zu bleiben.

»*Avanti!*« hörte er und machte die Tür auf.

Zwei Frauen erwarteten ihn in der Garderobe, und es überraschte ihn, daß er nicht gleich wußte, welche von beiden die Sopranistin war. Wie jeder in Italien kannte er »La Petrelli«. Aber auf der Bühne hatte er sie nur einmal vor etlichen Jahren singen hören, und er erinnerte sich nur sehr undeutlich an Zeitungsbilder von ihr.

Die dunklere der beiden Frauen stand mit dem Rücken zum Frisiertisch, die andere saß auf einem schlichten Holzstuhl, an der gegenüberliegenden Wand. Keine sagte etwas, als er eintrat, und Brunetti nutzte das Schweigen, um beide eingehend zu betrachten.

Die stehende Frau schätzte er auf Ende Zwanzig, Anfang Dreißig. Sie trug einen purpurfarbenen Pullover und einen langen, schwarzen Rock, der über ihre schwarzen Stiefel fiel. Die Stiefel hatten flache Absätze und waren aus handschuhweichem Leder. Brunetti erinnerte sich dunkel, wie er vor noch nicht allzu langer Zeit mit seiner Frau am Schaufenster von Fratelli Rossetti vorbeigegangen war und sie sich über den Irrsinn ereifert hatte, eine halbe Million Lire für ein Paar Stiefel auszugeben. Genau diese Stiefel, da war er sicher. Sie hatte schulterlanges, schwarzes Haar, naturgewellt, das selbst mit dem Löffel geschnitten noch perfekt aussehen würde. Ihre Augen paßten nicht ganz zu dem olivefarbenen Teint, das blasse Grün ließ ihn an Glas denken, aber als die Stiefel ihm wieder einfielen, doch eher an Smaragde.

Die sitzende Frau schien etwas älter zu sein und trug ihr Haar, in dem schon ein paar graue Strähnen waren, kurzgeschnitten wie die römischen Kaiser in den Jahrhunderten des Niedergangs. Die strenge Frisur betonte ihre feingeschnittenen Züge.

Er tat ein paar Schritte auf die sitzende Frau zu und deutete eine Verbeugung an. »Signora Petrelli?« fragte er. Sie nickte, sagte aber nichts. »Ich freue mich, Sie kennenzulernen, und bedaure nur, daß es unter so unglücklichen Umständen sein muß.« Angesichts eines so berühmten Opernstars konnte Brunetti der Versuchung nicht widerstehen, sich der blumigen Sprache der Oper zu bedienen, als ob er eine Rolle spielte.

Sie nickte wieder und tat nichts, um ihm die Bürde des Redens abzunehmen.

»Ich würde gern über den Tod von Maestro Wellauer mit Ihnen sprechen.« Er blickte zu der anderen Frau hinüber, fügte hinzu: »Und mit Ihnen auch«, und überließ es den Frauen, ihm den Namen der zweiten zu nennen.

»Brett Lynch«, warf die Sängerin ein, »meine Freundin und Sekretärin.«

»Ist das amerikanisch?« fragte er die Namensträgerin.

»Ja«, antwortete Signora Petrelli für sie.

»Dann wäre es besser, wenn wir uns auf Englisch unterhielten?« fragte er, nicht wenig stolz auf die Leichtigkeit, mit der er von einer Sprache in die andere wechseln konnte.

»Es wäre einfacher, wenn wir Italienisch sprechen würden«, sagte die Amerikanerin. Es waren ihre ersten Worte, und ihr Italienisch war absolut akzentfrei. Sein verblüffter Blick war ganz und gar ungewollt und wurde von beiden Frauen bemerkt. »Es sei denn, Sie möchten Venezianisch reden«, fügte sie hinzu, wobei sie ganz natürlich in den örtlichen Dialekt fiel, den sie offenbar ebenfalls perfekt beherrschte. »Aber vielleicht hat Flavia dann Schwierigkeiten, uns zu folgen.« Das kam völlig ausdruckslos, aber Brunetti war klar, daß er noch lange warten mußte, bis er mit seinem Englisch angeben konnte.

»Gut, dann also Italienisch«, sagte er und wandte sich wieder an Signora Petrelli. »Beantworten Sie mir ein paar Fragen?«

»Natürlich«, meinte sie. »Möchten Sie sich setzen, Signor...«

»Brunetti«, ergänzte er. »Commissario della Polizia.«

Der Titel schien sie nicht im mindesten zu beeindrucken. »Hätten Sie gern einen Stuhl, Dottor Brunetti?«

»Nein, danke.« Er holte sein Notizbuch aus der Tasche und zog einen Stift zwischen den Seiten hervor, als ob er sich Notizen machen wollte, was er höchst selten tat, da er bei einer ersten Vernehmung Augen und Gedanken lieber frei schweifen ließ.

Signora Petrelli wartete, bis er die Kappe von seinem Stift abgeschraubt hatte, dann fragte sie: »Was möchten Sie denn gern wissen?«

»Haben Sie den Maestro heute abend gesehen oder gesprochen?« Und bevor sie die Einschränkung selbst machen konnte, fuhr er fort: »Außer während der Vorstellung natürlich.«

»Nur auf ein ›Buona sera‹, als ich ins Theater kam, und dann noch das übliche ›Hals- und Beinbruch‹. Mehr nicht.«

»Und sonst haben Sie nicht weiter mit ihm gesprochen?«

Bevor sie antwortete, blickte sie zu Brett Lynch hinüber. Er behielt die Sopranistin im Auge und konnte den Gesichtsausdruck der anderen nicht sehen. Die Pause dehnte sich aus, aber bevor er seine Frage wiederholen konnte, kam die Antwort: »Nein, danach nicht mehr. Natürlich habe ich ihn von der Bühne aus gesehen, wie Sie schon sagten, aber gesprochen haben wir nicht miteinander.«

»Gar nicht?«

»Nein, gar nicht«, war die unverzügliche Antwort.

»Und in den Pausen? Wo waren Sie da?«

»Hier. Zusammen mit Signorina Lynch.«

»Und Sie, Signorina Lynch?« fragte er und sprach den Namen völlig akzentfrei aus, obwohl ihn das einige Konzentration kostete. »Wo waren Sie während der Vorstellung?«

»Während des ersten Aktes meist hier in der Garderobe. Ich bin nach unten gegangen, um ›Sempre libera‹ zu hören, aber danach war ich wieder hier oben. Und für den Rest der Vorstellung bin ich hier geblieben«, antwortete sie ruhig.

Er sah sich in dem kahlen Zimmer um, auf der Suche nach etwas, womit sie sich so lange hätte beschäftigen können. Sie fing seinen Blick auf und zog ein schmales Bändchen aus ihrer Rocktasche. Darauf waren die gleichen chinesischen Schriftzeichen zu erkennen wie auf dem Schild an der Tür.

»Ich habe gelesen«, erklärte sie und hielt ihm das Buch hin. Dabei lächelte sie ihn unbefangen und freundlich an, als sei sie jetzt bereit, sich über das Buch zu unterhalten, wenn er wollte.

»Und haben Sie im Verlauf des Abends mit Maestro Wellauer gesprochen?«

»Wie Flavia schon sagte, haben wir beim Hereinkommen ein paar Worte mit ihm gewechselt, aber danach habe ich ihn nicht mehr gesehen.« Brunetti unterdrückte den Impuls, einzuwerfen, daß Signora Petrelli gar nicht erwähnt hatte, sie wären zusammen gekommen, und ließ sie weiterreden. »Von meinem Platz hinter der Bühne konnte ich ihn nicht sehen, und während beider Pausen war ich hier in der Garderobe.«

»Mit Signora Petrelli?«

Diesmal war es die Amerikanerin, die ihrer Freundin einen Blick zuwarf, bevor sie antwortete. »Ja, mit Signora Petrelli, wie sie Ihnen schon sagte.«

Brunetti klappte sein Notizbuch zu, in das er nichts weiter als den Nachnamen der Amerikanerin gekritzelt hatte, als wollte er den ganzen Horror eines Wortes einfangen, das aus fünf Konsonanten bestand. »Falls sich noch Fragen ergeben sollten, hätte ich gern Ihre Adresse, Signora Petrelli.«

»Cannaregio 6134«, sagte sie zu seiner Überraschung; denn das lag in einem reinen Wohnviertel der Stadt.

»Ist das Ihre Wohnung, Signora?«

»Nein, meine«, unterbrach die zweite Frau. »Ich bin auch dort zu erreichen.«

Er schlug sein Notizbuch noch einmal auf und schrieb die Adresse hinein.

Ohne mit der Wimper zu zucken, fragte er: »Telefon?«

Sie gab ihm die Nummer, fügte hinzu, sie stehe nicht im Telefonbuch, und erklärte, ihre Wohnung liege in der Nähe der Basilica SS. Giovanni e Paolo.

Brunetti nahm seine förmliche Haltung an, verbeugte sich leicht und sagte: »Ich danke Ihnen, Signore, und bedauere sehr Ihre derzeitigen Unannehmlichkeiten.«

Wenn seine Worte den beiden seltsam vorkamen, so ließ es sich keine von ihnen anmerken. Nach dem Austausch weiterer Höflichkeiten verließ er die Garderobe und führte die beiden jungen Polizisten, die ihn im Flur erwarteten, über die schmale Treppe in den hinter der Bühne gelegenen Teil des Theaters hinunter.

Der dritte seiner Leute wartete am Fuß der Treppe auf sie.

»Nun?« fragte Brunetti.

Der Mann lächelte, froh, etwas zu berichten zu haben. »Santore, der Regisseur, und La Petrelli haben beide in seiner Garderobe mit ihm gesprochen. Santore war vor Beginn der Vorstellung bei ihm, und sie nach dem ersten Akt.«

»Wer hat Ihnen das erzählt?«

»Einer der Bühnenarbeiter. Er sagte, Santore sei offenbar wütend gewesen, als er herauskam, aber das war nur so ein Eindruck, den der Mann hatte. Er hat sie sich nicht anschreien hören oder so etwas.«

»Und Signora Petrelli?«

»Also, der Mann sagt, er sei nicht ganz sicher, ob sie es war, aber sie habe ein blaues Kostüm angehabt.«

Hier unterbrach Miotti: »Sie trägt ein blaues Kleid im ersten Akt.«

Brunetti sah ihn fragend an.

Konnte es sein, daß Miotti den Kopf etwas einzog, bevor er sprach? »Ich habe sie letzte Woche gesehen, Commissario. Die Vorstellung, meine ich. Und im ersten Akt trägt sie ein blaues Kleid.«

»Danke, Miotti«, sagte Brunetti, und seine Stimme verriet nichts.

»Danken Sie meiner Freundin, Commissario. Ihr Vetter singt im Chor mit und besorgt uns Karten.«

Brunetti nickte lächelnd, wobei es ihm eigentlich lieber gewesen wäre, wenn er das nicht gesagt hätte.

Miottis Kollege schob den Ärmel hoch und sah auf die Uhr. »Erzählen Sie weiter«, forderte Brunetti ihn auf.

»Gegen Ende der Pause sei sie herausgekommen, und der Mann meinte, sie hätte ganz schön geschäumt.«

»Am Ende der ersten Pause?«

»Ja. Das wußte er genau.«

Brunetti beschloß, sich den kleinen Hinweis seines Untergebenen zu Herzen zu nehmen, und sagte: »Es ist spät geworden, und ich weiß nicht, ob wir heute noch viel ausrichten können.« Die anderen sahen sich in dem inzwischen leeren Theater um. »Versuchen Sie morgen noch jemanden zu finden, der sie gesehen oder vielleicht beobachtet hat, ob noch andere in der Garderobe des Maestro waren.« Daß er von morgen sprach, schien ihre Stimmung zu heben. »Das wäre dann alles für heute. Sie können Schluß machen.« Aber als sie sich zum Gehen wandten, rief er Miotti zurück. »Ist die Leiche schon ins Bürgerspital gebracht worden?«

»Ich weiß es nicht, Commissario«, antwortete Miotti beinah schuldbewußt, als habe er Bedenken, dadurch könne das Lob zunichte gemacht werden, das er eben bekommen hatte.

»Warten Sie hier. Ich gehe mal nachsehen«, sagte Brunetti.

Er ging zurück und stieß ohne zu klopfen die Tür zu der Garderobe auf. Die beiden Sanitäter saßen in den Sesseln und hatten die Füße auf das Tischchen zwischen sich gelegt. Neben ihnen auf dem Boden lag, von einem Laken bedeckt und völlig unbeachtet, einer der größten Musiker des Jahrhunderts.

Sie blickten auf, als Brunetti hereinkam, schenkten ihm aber sonst keine Beachtung. »Sie können ihn jetzt ins Spital bringen«, sagte er, dann drehte er sich um und verließ das Zimmer, wobei er sorgsam die Tür hinter sich zuzog.

Miotti stand noch an derselben Stelle wie vorhin und blätterte in einem Notizbuch, das Brunettis eigenem sehr ähnlich war. »Gehen wir noch einen trinken«, sagte Brunetti. »Das Hotel ist wahrscheinlich als einziges offen um diese Zeit.« Er seufzte, merkte plötzlich, wie müde er war. »Ich könnte ein Gläschen vertragen.« Er wandte sich nach links und merkte, daß er auf die Bühne zu ging. Die Treppe schien verschwunden zu sein. Er war so lange in diesem Theater herumgelaufen, treppauf, treppab, durch Korridore und wieder zurück, daß er völlig die Orientierung verloren hatte und nicht mehr wußte, wie man herauskam.

Miotti berührte ihn leicht am Arm und sagte: »Hier entlang, Commissario.« Dann ging er voraus und führte ihn nach rechts zu der Treppe, die sie vor mehr als zwei Stunden heraufgekommen waren.

Unten griff der Portier beim Anblick von Miottis Uniform unter seinen Tresen und bedeutete ihnen, daß sie jetzt das Drehkreuz passieren könnten, das den Ausgang blokkierte. Brunetti wußte, daß Miotti den Mann schon gefragt hatte, wer heute abend hier ein und aus gegangen war, und so sparte er sich weitere Fragen, nickte nur und ging direkt nach draußen auf den menschenleeren Campo jenseits der Tür.

Bevor sie die schmale Straße hinuntergingen, die zum Hotel führte, fragte Miotti: »Brauchen Sie mich dabei, Commissario?«

»Wenn Sie Bedenken haben, einen zu trinken, während Sie in Uniform sind, dann kann ich Sie beruhigen«, versicherte Brunetti ihm.

»Nein, das ist es nicht.« Vielleicht war der Junge einfach nur müde.

»Was ist es dann?«

»Also, der Portier ist ein Freund meines Vaters, und da dachte ich, wenn ich jetzt zurückgehe und ihn zu einem Gläschen einlade, erzählt er mir vielleicht etwas, das er mir vorher nicht erzählt hat.« Und als Brunetti nicht reagierte, fügte er rasch hinzu: »Es war nur so ein Gedanke, Commissario. Ich wollte nicht...«

»Nein, es ist eine gute Idee. Sehr gut. Gehen Sie und reden Sie mit ihm. Wir sehen uns morgen. Ich denke, vor neun brauchen Sie nicht da zu sein.«

»Danke, Commissario«, sagte der junge Mann mit einem eifrigen Lächeln. Er salutierte zackig, und Brunetti antwortete mit einer flüchtigen Handbewegung, woraufhin der Junge sich wieder dem Theater und seiner Arbeit als Polizist zuwandte.

4

Brunetti ging auf das Hotel zu, das selbst um diese Zeit, da die Stadt im Dunkel lag und schlief, noch erleuchtet war. Venedig, einst Hauptstadt der Ausschweifungen eines ganzen Kontinents, war zur verschlafenen Provinzstadt geworden, die nach neun oder zehn Uhr abends buchstäblich aufhörte zu existieren. Im Sommer erinnerte sie sich ihrer Kurtisanenvergangenheit und glänzte, solange die Touristen zahlten und das schöne Wetter anhielt, im Winter aber wurde sie zu einer müden alten Matrone, die darauf bedacht war, möglichst früh ins Bett zu kriechen, und ihre verlassenen Gassen den Katzen und den Erinnerungen an vergangene Zeiten überließ.

In diesen Stunden war die Stadt für Brunetti am schönsten, denn gerade dann konnte er, der durch und durch Venezianer war, etwas von ihrer früheren Pracht erahnen. Die Dunkelheit verbarg das Moos, das über die Stufen der Palazzi entlang des Canal Grande heraufkroch, machte die Risse in Kirchenmauern unsichtbar und deckte die Stellen zu, wo der Putz von öffentlichen Gebäuden blätterte. Wie so viele Frauen in gewissem Alter konnte die Stadt nur mit Hilfe trügerischen Lichts ihre verschwundene Schönheit wiedererlangen. Ein Boot, das am Tage schlicht eine Ladung Seifenpulver und Kohl transportierte, wurde bei Nacht zu einem mysteriösen Gefährt, das einem geheimnisvollen Ziel entgegenglitt. Der Nebel, der in diesen Wintertagen so häufig war, verwandelte Menschen und Dinge;

selbst langhaarige Teenager, die an einer Gassenecke herumhingen und sich eine Zigarette teilten, wurden zu geheimnisvollen Phantomen aus der Vergangenheit.

Er blickte hinauf zu den Sternen, die über dem Dunkel der unbeleuchteten Calli klar zu erkennen waren, und freute sich an ihrer Schönheit. Ihr Bild noch vor seinem inneren Auge, ging er weiter zum Hotel.

Die Eingangshalle war leer und wirkte so verlassen wie alle öffentlichen Räume bei Nacht. Hinter dem Empfangstresen saß der Nachtportier, den Stuhl gegen die Wand gekippt, vor sich die rosafarbene Sportzeitung des Tages. Ein alter Mann mit grün-schwarz gestreifter Schürze verteilte Sägemehl auf dem Marmorboden und fegte anschließend zusammen. Als Brunetti merkte, daß er auf seinem Weg durch die Halle schon eine Spur durch die Späne gezogen hatte und sie nun auf dem bereits gefegten Teil wieder verteilen würde, sah er den alten Mann an und sagte: »*Scusi.*«

»Macht nichts«, meinte der und fegte mit seinem Besen hinter ihm her. Der Portier hinter seiner Zeitung sah nicht einmal hoch.

Brunetti ging weiter in die Halle, wo in sechs oder sieben Gruppen große Sessel um niedrige Tische standen, zu dem Mann, der als einziger Gast auf der rechten Seite saß. Wenn man den Zeitungen glauben konnte, war er der beste Regisseur, den es zur Zeit in Italien gab. Vor zwei Jahren hatte Brunetti seine Inszenierung eines Pirandellostückes im Goldoni-Theater gesehen und war sehr beeindruckt gewesen, weit mehr von der Inszenierung als von den Schauspielern, die höchstens Mittelmaß geboten hatten. Es war bekannt, daß Santore homosexuell war, aber beim Theater, wo man unter einer Mischehe die zwischen Mann und Frau verstand, hatte sein Privatleben nie seinen Erfolg behindert. Und nun war er dem Vernehmen nach wütend aus der Garderobe eines Mannes gekommen, der kurz darauf eines gewaltsamen Todes gestorben war.

Santore stand auf, als Brunetti an seinen Tisch trat. Sie gaben sich die Hand und stellten sich vor. Santore war mittelgroß und hatte eine durchschnittliche Figur, aber sein Gesicht sah aus wie das eines Boxers am Ende einer unglücklichen Laufbahn. Er hatte eine platte Nase und großporige Haut. Sein Mund war breit mit wulstigen feuchten Lippen, und als er Brunetti fragte, ob er etwas trinken wolle, kamen aus diesem Mund Worte in reinstem Florentinisch, artikuliert mit der Klarheit und Grazie eines Schauspielers. Mein Gott, dachte Brunetti, so muß Dante gesprochen haben.

Als Brunetti dem Vorschlag zustimmte, einen Cognac zu trinken, ging Santore ihn holen. Alleingelassen, schaute Brunetti auf das Buch, das der andere aufgeschlagen auf dem Tisch hatte liegen lassen, und zog es dann zu sich herüber.

Santore kam mit zwei großzügig gefüllten Cognacschwenkern zurück.

»Danke«, sagte Brunetti, nahm das Glas entgegen und trank einen großen Schluck. Er deutete auf das Buch und beschloß, es als Aufhänger zu nehmen, statt mit den gewöhnlichen und naheliegenden Fragen zu beginnen, wo er gewesen sei und was er gemacht habe. »Aischylos?«

Santore lächelte, und falls er erstaunt war, daß ein Polizist den Titel auf griechisch lesen konnte, ließ er es sich nicht anmerken.

»Lesen Sie das zum Vergnügen oder für die Arbeit?«

»Vermutlich könnte man es Arbeit nennen«, antwortete Santore und nippte an seinem Cognac. »Ich soll in drei Wochen mit einer Neuinszenierung des *Agamemnon* in Rom anfangen.«

»Auf griechisch?« wollte Brunetti wissen, aber es war klar, daß er es nicht ernst meinte.

»Nein, in einer Übersetzung.« Santore schwieg einen Augenblick, doch dann gewann seine Neugier die Oberhand. »Wie kommt es, daß ein Commissario Griechisch liest?«

Brunetti ließ die Flüssigkeit in seinem Glas kreisen. »Ich habe es mal vier Jahre gelernt. Aber das ist lange her. Ich habe fast alles vergessen.«

»Aber Sie können immer noch Aischylos erkennen?«

»Ich kann die Schrift lesen. Aber das ist leider alles, was noch übrig ist.« Er nahm einen Schluck aus seinem Glas und fügte hinzu: »Bei den Griechen hat mir immer gefallen, daß sie die Gewalt von der Bühne ferngehalten haben.«

»Im Gegensatz zu uns?« fragte Santore, und dann noch einmal: »Im Gegensatz zu dem jetzt?«

»Ja, im Gegensatz zu dem jetzt«, bestätigte Brunetti und fragte sich nicht einmal, woher Santore wohl wußte, daß es ein gewaltsamer Tod gewesen war. Aber das Theater war klein, und wahrscheinlich hatte er es schon vor der Polizei gewußt, wahrscheinlich sogar, bevor man sie gerufen hatte.

»Haben Sie heute abend mit ihm gesprochen?« Es war nicht nötig, Namen zu nennen.

»Ja, wir hatten eine Auseinandersetzung vor dem ersten Akt. Wir haben uns in der Bar getroffen und sind dann in seine Garderobe gegangen«, sagte Santore ohne zu zögern. »Ich weiß nicht mehr, ob wir uns angeschrieen haben, aber mit erhobener Stimme haben wir sicher beide gesprochen.«

»Und worum ging es bei dem Streit«, fragte Brunetti so ruhig, als rede er mit einem alten Freund, und ebenso sicher, daß er die Wahrheit hören würde.

»Wir hatten eine mündliche Absprache über diese Inszenierung getroffen. Ich habe meinen Teil erfüllt. Helmut weigerte sich, seinen zu erfüllen.«

Statt Santore zu bitten, das näher zu erklären, trank Brunetti seinen Cognac aus, stellte das Glas auf den Tisch und wartete.

Santore legte die Hände um sein Glas und rollte es langsam hin und her. »Ich hatte eingewilligt, diese Inszenierung zu machen, weil er versprach, dafür einem Freund von mir eine Rolle zu besorgen, bei den diesjährigen Händelfestspielen in Halle. Es sind keine bedeutenden Festspiele, und es war keine große Rolle, aber Helmut hatte sich bereit erklärt, mit den entsprechenden Leuten zu reden und sich dafür einzusetzen, daß mein Freund die Rolle bekam. Helmut sollte dort nur die eine Oper dirigieren.« Santore hob sein Glas an die Lippen und trank. »Darum ging es bei dem Streit.«

»Und was haben Sie gesagt?«

»Ich bin nicht sicher, ob ich noch genau weiß, was ich alles gesagt habe – oder er –, ich weiß nur, daß ich sagte, da ich meinen Teil getan hätte, fände ich sein Verhalten unaufrichtig und unmoralisch.« Beim letzten Wort seufzte er. »Wenn man mit Helmut sprach, redete man zum Schluß immer wie er.«

»Was hat er dazu gesagt?«

»Er hat gelacht.«

»Warum?«

Statt zu antworten, fragte Santore: »Möchten Sie noch einen Cognac? Ich hole mir noch einen.«

Brunetti nickte dankbar. Diesmal legte er, solange Santore fort war, den Kopf an die Rückenlehne seines Sessels und schloß die Augen.

Er öffnete sie wieder, als er Santores Schritte näher kommen hörte. Er nahm das Glas, das der andere ihm reichte, und fragte, als hätten sie ihr Gespräch nicht unterbrochen: »Warum hat er gelacht?«

Santore ließ sich in den Sessel sinken, diesmal hielt er sein Glas mit einer Hand am Fuß fest. »Einmal wahrscheinlich, weil Helmut immer glaubte, über der gewöhnlichen Moral zu stehen. Oder vielleicht dachte er, es sei ihm gelungen, seine eigene zu schaffen, eine andere als unsere, eine bessere.« Brunetti schwieg, und er fuhr fort: »Beinah, als habe er allein das Recht zu definieren, was Moral war, beinah als glaubte er, niemand sonst habe das Recht, den Begriff zu benutzen. Er fand jedenfalls sicher, daß ich kein Recht dazu hätte.« Er zuckte die Achseln, nippte.

»Warum sollte er so denken?«

»Meiner Homosexualität wegen«, antwortete der andere schlicht, als habe das für ihn ungefähr soviel Bedeutung wie die Frage, welche Zeitung man lese.

»Ist das der Grund, warum er sich weigerte, Ihrem Freund zu helfen?«

»Es läuft darauf hinaus, ja«, meinte Santore. »Anfangs behauptete er, Saverio sei nicht gut genug, habe nicht genügend Bühnenerfahrung. Aber der wahre Grund kam später, als er mir vorwarf, Begünstigungen für meinen Liebhaber zu wollen.« Er beugte sich vor und stellte sein Glas auf den Tisch. »Helmut sieht sich immer als so etwas wie einen Hüter öffentlicher Moral«, sagte er und korrigierte dann: »sah sich.«

»Und, ist er das?« fragte Brunetti.

»Ist wer was?« fragte Santore verwirrt zurück.

»Ist er Ihr Liebhaber, dieser Sänger?«

»Ach – nein. Ist er nicht. Leider.«

»Ist er homosexuell?«

»Nein, auch das nicht.«

»Warum hat sich Wellauer dann geweigert?«

Santore sah ihn direkt an und fragte dann: »Wieviel wissen Sie über ihn?«

»Sehr wenig, und auch nur über sein Leben als Musiker, und nur das, was man all die Jahre in den Zeitungen und Zeitschriften lesen konnte. Wie er als Mensch war, darüber weiß ich gar nichts.« Und das interessierte Brunetti langsam immer mehr, wie er merkte, denn dort mußte die Antwort auf seinen Tod liegen. Das war immer so.

Santore sagte nichts darauf, also machte Brunetti einen Vorstoß. »Von Toten soll man nicht schlecht reden, *vero*? Ist es das?«

»Und auch nicht von jemandem, mit dem man vielleicht einmal wieder arbeiten muß«, fügte Santore hinzu.

Brunetti war selbst ganz überrascht, als er sich sagen hörte: »Das scheint hier kaum der Fall zu sein. Was gäbe es denn Schlechtes zu reden?«

Santore maß sein Gegenüber mit Blicken, wie er vielleicht einen Schauspieler oder Sänger taxieren würde, wenn er überlegte, wie er ihn bei einer Inszenierung einsetzen sollte. »Es sind in erster Linie Gerüchte«, meinte er endlich.

»Was für Gerüchte?«

»Über seine Nazivergangenheit. Keiner weiß etwas Genaues, und wenn, dann sagt es keiner, oder was immer einmal geredet wurde, ist vergessen, dahin verdrängt, wohin die Erinnerung nicht folgt. Er hat jedenfalls für die damaligen Machthaber dirigiert. Es heißt sogar, er habe für den Führer dirigiert. Aber er behauptete, er habe es tun müssen, um einige seiner Orchestermitglieder zu retten, die Juden waren. Und sie haben den Krieg auch überlebt und sind die ganzen Kriegsjahre hindurch in seinem Orchester geblieben. Und er ebenso; nach dem Motto: Spielen und Überleben. Und irgendwie haben sie seinem Ruf nicht geschadet, die Jahre nicht und auch nicht die kleinen Privatkonzerte für den Führer. Nach dem Krieg«, fuhr Santore mit seltsam ruhiger Stimme fort, »sagte er, er sei in der ›moralischen Opposition‹ gewesen und habe gegen seinen Willen dirigiert.« Er trank einen kleinen Schluck. »Ich habe keine Ahnung, was davon stimmt, ob er Parteimitglied war oder nicht, oder wie weit er überhaupt verwickelt war. Und ich glaube, es ist mir auch egal.«

»Warum erwähnen Sie es dann?« fragte Brunetti.

Santore lachte laut auf, und seine Stimme hallte in dem leeren Raum. »Wahrscheinlich, weil ich glaube, daß es stimmt.«

Brunetti lächelte. »Das könnte sein.«

»Und wahrscheinlich, weil es mir nicht egal ist.«

»Auch das«, stimmte Brunetti zu.

Daraufhin schwiegen beide, bis Brunetti schließlich fragte: »Wieviel wissen Sie wirklich?«

»Ich weiß, daß er tatsächlich den ganzen Krieg über diese Konzerte gegeben hat. Und ich weiß auch, daß in einem Fall die Tochter eines seiner Musiker zu ihm gegangen ist und ihn gebeten hat, ihrem Vater zu helfen. Und daß dieser Musiker den Krieg überlebt hat.«

»Und die Tochter?«

»Auch.«

»Nun, also?« fragte Brunetti.

»Nichts weiter.« Santore zuckte die Achseln. »Außerdem ist es immer leicht gewesen, seine Vergangenheit zu vergessen und nur sein Genie zu sehen. Es gab keinen wie ihn, und ich fürchte, es gibt derzeit auch keinen mehr.«

»Haben Sie darum die Regie für diese Produktion übernommen, weil es praktisch war, seine Vergangenheit zu vergessen?« Das war als Frage gemeint, nicht als Beleidigung, und Santore faßte es auch eindeutig so auf.

»Ja«, antwortete er leise. »Ich habe diese Regiearbeit übernommen, um meinem Freund die Gelegenheit zu geben, bei ihm zu singen. Insofern war es für mich praktisch, alles zu vergessen, was ich wußte oder vermutete, oder es zumindest zu ignorieren. Ich bin nicht sicher, ob es so wichtig ist, jetzt nicht mehr.«

Brunetti sah an Santores Gesicht, daß ihm ein Gedanke gekommen war. »Aber jetzt wird er nie mehr unter Helmut singen können«, sagte er, und um Brunetti wissen zu lassen, daß ihr Gespräch sich nie weit von seinem eigentlichen Zweck entfernt hatte, fügte er hinzu: »was der Beweis dafür sein könnte, daß ich eigentlich keinen Grund hatte, ihn umzubringen.«

»Ja, das könnte man daraus schließen«, stimmte Brunetti scheinbar gleichmütig zu und fragte dann: »Hatten Sie schon früher einmal mit ihm zusammengearbeitet?«

»Ja. Vor sechs Jahren in Berlin.«

»Und Ihre Homosexualität gab damals keinen Anlaß zu Differenzen?«

»Nein, nachdem ich erst einmal so berühmt war, daß er gern mit mir arbeiten wollte, war das kein Problem. Helmuts Rolle als eine Art Schutzengel westlicher Moral oder biblischer Vorstellungen war bekannt, aber man kann in diesen Kreisen nicht lange überleben, wenn man sich weigert, mit Homosexuellen zu arbeiten. Helmut hat einfach seine eigene Art von Burgfrieden mit uns gemacht.«

»Und Sie mit ihm?«

»Sicher. Als Musiker war er der Perfektion so nah, wie ein Mensch es nur sein kann. Es lohnte sich, den Menschen in Kauf zu nehmen, um mit dem Musiker arbeiten zu können.«

»Gab es noch irgend etwas, was Ihnen an dem Menschen nicht gefiel?«

Santore dachte lange nach, bevor er antwortete. »Nein, sonst gibt es nichts, was ich über ihn weiß und was ihn mir unsympathisch hätte machen können. Ich mag die Deutschen nicht sonderlich, und er kam mir sehr deutsch vor. Aber ich rede nicht so sehr von mögen oder nicht mögen. Es ist diese Art moralischer Überheblichkeit, die er ausstrahlte, als sei es – als sei er – ein Licht in finsteren Zeiten.« Santore verzog das Gesicht bei seinem letzten Satz. »Nein, das ist nicht richtig. Es muß an der späten Stunde liegen, oder am Cognac. Außerdem war er ein alter Mann, und jetzt ist er tot.«

Brunetti bezog sich noch einmal auf eine Frage von vorhin und wollte wissen: »Was haben Sie ihm bei Ihrer Auseinandersetzung gesagt?«

»Das Übliche, was man in so einer Situation sagt«, antwortete Santore müde. »Ich nannte ihn einen Lügner, und er mich einen Schwuli. Dann habe ich ein paar unschöne Dinge über die Produktion, über die Musik und über sein Dirigat gesagt, und er dieselben Dinge über meine Regiearbeit. Das Übliche.« Er ließ sich matt in seinem Sessel nach hinten sinken.

»Haben Sie ihm gedroht?«

Santore warf Brunetti einen abrupten Blick zu. Der Schreck über diese Frage war ihm deutlich anzusehen. »Er war ein alter Mann.«

»Tut es Ihnen leid, daß er tot ist?«

Wieder eine Frage, auf die der Regisseur nicht vorbereitet war. Er überlegte, bevor er sie beantwortete. »Nein, daß dieser Mann tot ist, sicher nicht. Für seine Frau tut es mir leid, ja. Es wird...« er beendete den Satz nicht. »Daß der Musiker tot ist, ja, das tut mir sehr leid. Er war alt, und er stand am Ende seiner Laufbahn. Ich glaube, das wußte er.«

»Wie meinen Sie das?«

»Seine Art zu dirigieren, sie hatte irgendwie nicht den alten Glanz, nicht das alte Feuer. Ich bin ja kein Musiker, ich kann nicht genau sagen, was es war. Aber es fehlte etwas.« Er hielt inne und schüttelte den Kopf. »Aber nein, vielleicht ist es nur meine Verärgerung.«

»Haben Sie mit jemandem darüber gesprochen?«

»Nein, man beschwert sich nicht über Gott.« Wieder hielt er inne, dann meinte er: »Ja, doch, Flavia gegenüber habe ich es erwähnt.«

»La Signora Petrelli?«

»Ja.«

»Und was meinte sie dazu?«

»Sie hat schon früher häufig mit ihm zusammengearbeitet. Sie war beunruhigt darüber, wie er sich verändert hatte, und hat das auch einmal mir gegenüber geäußert.«

»Was hat sie gesagt?«

»Nichts Besonderes, nur, daß es ihr vorkäme wie bei der Arbeit mit einem jüngeren Dirigenten, einem mit wenig Erfahrung.«

»Hat sonst noch jemand diese Beobachtung gemacht?«

»Ich glaube nicht. Jedenfalls hat niemand etwas zu mir gesagt.«

»War Ihr Freund Saverio heute abend im Theater?«

»Saverio ist in Neapel«, entgegnete Santore kühl.

»Ich verstehe.« Es war die falsche Frage gewesen. Die selbstverständliche Vertrautheit zwischen ihnen war verflogen. »Wie lange bleiben Sie noch in Venedig, Signor Santore?«

»Ich fahre normalerweise dann ab, wenn die Premiere erfolgreich über die Bühne gegangen ist. Aber Helmuts Tod ändert die Situation. Wahrscheinlich werde ich noch ein paar Tage bleiben, bis der neue Dirigent ganz mit der Inszenierung vertraut ist.« Als Brunetti schwieg, fragte er: »Kann ich nach Florenz zurückfahren?«

»Wann?«

»In drei oder vier Tagen. Ich muß mir mindestens noch eine Vorstellung mit dem neuen Dirigenten ansehen. Aber dann würde ich gern nach Hause fahren.«

»Ich sehe keinen Grund, warum Sie nicht fahren sollten«, sagte Brunetti und stand auf. »Wir brauchen nur eine Anschrift, unter der wir Sie erreichen können, aber die können Sie morgen im Theater einem meiner Leute geben.« Er streckte die Hand aus. Santore erhob sich ebenfalls und ergriff sie. »Vielen Dank für den Cognac«, sagte Brunetti, »und viel Glück mit dem *Agamemnon*.« Santore bedankte sich mit einem Lächeln, und Brunetti ging ohne ein weiteres Wort.

5

Brunetti beschloß, zu Fuß nach Hause zu gehen, um den sternenübersäten Himmel und die verlassenen Calli zu genießen. Er blieb einen Augenblick vor dem Hotel stehen und überlegte, welches der kürzeste Weg sei. Wie jeder Venezianer hatte er den Stadtplan im Kopf und er erkannte, daß der kürzeste Weg für ihn über die Rialtobrücke führte. Er ging über den Campo San Fantin und in das Labyrinth der kleinen Gäßchen, die auf die Brücke zuführten. Unterwegs begegnete er keinem Menschen, und er hatte das seltsame Gefühl, die schlafende Stadt für sich zu haben. Bei San Luca kam er an der Apotheke vorbei, einer der wenigen Einrichtungen, die auch nachts offen hatten, bis auf den Bahnhof, Schlafstätte der Obdachlosen und Verrückten.

Dann war er am Wasser, die Brücke lag zu seiner Rechten. Wie typisch venezianisch sie doch war, leicht und fast ätherisch von weitem, aber bei näherer Betrachtung fest verankert im schlammigen Untergrund der Stadt.

Er überquerte die Brücke und ging über den jetzt verlassenen Markt. Sonst war es ein Kreuz, sich durch diese Gasse zu drängen, durch die Schwärme von Touristen, eingezwängt zwischen Gemüseständen auf der einen und Andenkenläden mit den abartigsten Scheußlichkeiten auf der anderen Seite, aber in dieser Nacht konnte er frei ausschreiten. Vor ihm stand mitten auf der Calle ein Liebespärchen, eng aneinandergeschmiegt und blind für die Schönheit ringsum, aber vielleicht immerhin davon inspiriert.

An der Uhr bog er links ab, froh, gleich zu Hause zu sein. Fünf Minuten später kam er an seinem Lieblingsgeschäft vorbei, dem Blumenladen Biancat, in dessen Schaufenstern der Stadt täglich ein buntes Feuerwerk der Schönheit geboten wurde. In dieser Nacht hatten sich hinter der beschlagenen Scheibe gelbe Rosenknospen herausgeputzt, und dahinter leuchtete eine Wolke aus blassem Jasmin. Schnell schritt er am zweiten Schaufenster vorbei, das mit grellen Orchideen dekoriert war; sie muteten ihn immer etwas kannibalisch an.

Er schloß die Tür zu dem Palazzo auf, in dem er wohnte, und wappnete sich, wie immer, wenn er müde war, für die vierundneunzig Stufen zu seiner Wohnung im vierten Stock. Der frühere Besitzer hatte sie vor mehr als dreißig Jahren illegal gebaut, indem er einfach ein weiteres Stockwerk auf das Gebäude setzte, ohne sich um irgendeine offizielle Erlaubnis zu kümmern. Diese Situation war, als Brunetti die Wohnung vor zehn Jahren gekauft hatte, irgendwie verschleiert worden, und seitdem lebte er in der ständig wiederkehrenden Sorge, eines Tages plötzlich mit der offiziellen Aufforderung konfrontiert zu werden, das Offensichtliche legalisieren lassen zu müssen. Ihn schauderte, wenn er an die Herkulesarbeit dachte, die nötigen Genehmigungen zu beschaffen, mit denen zum einen bestätigt wurde, daß die Wohnung existierte, und zum anderen, daß er ein Recht hatte, darin zu wohnen. Die schlichte Tatsache, daß da Wände waren und er in ihnen lebte, würde kaum ausreichen. Und die Schmiergelder würden ihn wahrscheinlich ruinieren.

Er schloß die Tür auf und überließ sich dankbar der

Wärme und den Düften, die für ihn mit dieser Wohnung verbunden waren: Lavendel, Bohnerwachs und das Aroma irgendeiner Speise, die in der Küche am anderen Ende köchelte; es war eine Mischung, die ihm auf unerklärliche Weise das Vorhandensein von Normalität in dem täglichen Irrsinn vor Augen führte, aus dem seine Arbeit bestand.

»Bist du's, Guido?« rief Paola aus dem Wohnzimmer. Er überlegte, wen sie wohl sonst um zwei Uhr nachts erwartete, fragte aber nicht nach.

»Ja«, rief er nur, streifte seine Schuhe ab und zog den Mantel aus, wobei er sich erst jetzt eingestand, wie müde er war.

»Möchtest du einen Tee?« Sie kam in die Diele und küßte ihn leicht auf die Wange.

Er nickte und versuchte erst gar nicht, seine Erschöpfung vor ihr zu verbergen. Dann tapste er hinter ihr her in die Küche und setzte sich, während sie den Kessel mit Wasser füllte und auf den Herd stellte. Aus einem Hängeschränkchen holte sie eine Tüte mit getrockneten Blättern, machte sie auf und schnüffelte daran: »Eisenkraut?« fragte sie.

»Ja, ja«, antwortete er, zu müde, um sich dafür zu interessieren.

Sie warf eine Handvoll Teeblätter in die Keramikkanne, die schon seiner Großmutter gehört hatte. Dann kam sie zu ihm, stellte sich hinter seinen Stuhl und küßte ihn auf den Hinterkopf, genau auf die Stelle, wo sein Haar sich etwas zu lichten begann. »Was ist denn?«

»Im La Fenice. Jemand hat den Dirigenten vergiftet.«

»Wellauer?«

»Ja.«

Sie legte ihm die Hände auf die Schultern und drückte sanft. Er fand es ermutigend. Jeder Kommentar war überflüssig. Sie wußten beide, daß die Presse eine Sensation aus dem Tod machen und lauthals nach einer schnellstmöglichen Ergreifung des Täters verlangen würde. Er oder Paola hätten die Leitartikel schreiben können, die am Morgen erscheinen würden, die wahrscheinlich in diesem Moment gerade geschrieben wurden.

Aus dem Kessel schoß eine Dampfsäule, und Paola schüttete das Wasser in die angeschlagene Kanne. Wie immer empfand er schon ihre bloße Anwesenheit als wohltuend, und es wirkte beruhigend auf ihn, wenn er zusehen konnte, mit welch sicherer Gewandtheit sie sich bewegte und arbeitete. Wie viele venezianische Frauen hatte Paola einen hellen Teint und das rotblonde Haar, das man so oft auf Porträts aus dem siebzehnten Jahrhundert sieht. Sie war nicht im eigentlichen Sinne schön mit ihrer etwas zu langen Nase und dem mehr als etwas zu energischen Kinn. Aber ihm war beides lieb.

»Schon irgendeinen Anhaltspunkt?« fragte sie und stellte die Teekanne und zwei Becher auf den Tisch. Dann setzte sie sich ihm gegenüber, goß den aromatischen Tee ein, stand wieder auf und holte noch einen großen Topf Honig aus dem Schrank.

»Es ist noch zu früh«, sagte er, während er Honig in seinen Becher löffelte. Er rührte um, klickte dabei mit dem Löffel gegen den Becher und fügte im Rhythmus seines Klickens hinzu: »Da ist einmal die junge Ehefrau, dann eine Sopranistin, die mich belogen hat, sie hätte ihn nicht mehr gesehen, bevor er starb, und ein schwuler Regisseur, der kurz vor seinem Tod eine Auseinandersetzung mit ihm hatte.«

»Vielleicht solltest du versuchen, die Geschichte zu verkaufen. Das hört sich ja an wie ein Fernsehkrimi.«

»Und ein totes Genie«, fügte er hinzu.

»Ja, das wäre hilfreich«, meinte Paola, nippte an ihrem Tee und blies in den Becher, um ihn abzukühlen. »Wieviel jünger ist sie denn, die Frau?«

»Sie könnte seine Tochter sein. Dreißig Jahre, würde ich sagen.«

»Okay«, sagte sie. Es war einer dieser Amerikanismen, mit denen ihr Vokabular durchsetzt war. »Dann war es die Ehefrau.«

Obwohl er sie schon oft gebeten hatte, es nicht zu tun, bestand sie darauf, gleich zu Beginn jeder seiner Ermittlungen einen Verdächtigen herauszupicken, und meist irrte sie sich, denn sie entschied sich fast immer für die nächstliegende Person. Er hatte sie zweimal entnervt gefragt, warum sie das tat, und sie hatte erklärt, daß sie sich seit ihrer Dissertation über Henry James berechtigt fühlte, das Offensichtliche im wirklichen Leben zu suchen, denn in seinen Büchern habe sie es nie gefunden. Brunetti konnte tun, was er wollte, sie traf ihre Wahl und war durch nichts zu bewegen, dabei etwas bedachtsamer vorzugehen.

»Das heißt«, meinte er, während er noch immer den Löffel im Becher kreisen ließ, »es wird sich herausstellen, daß jemand aus dem Chor es getan hat.«

»Oder der Butler.«

»Hmm«, räumte er ein und trank. Sie saßen noch ein Weilchen in geselligem Schweigen, bis der Tee ausgetrunken war. Dann trug er beide Becher zur Spüle und stellte die Teekanne vorsichtig daneben, damit sie nicht zu Schaden kam.

6

Am Morgen nach dem Tod des Dirigenten kam Brunetti kurz vor neun ins Büro und stellte fest, daß sich dort etwas beinah ebenso Ungeheuerliches ereignet hatte: sein unmittelbarer Vorgesetzter, Polizeivizepräsident Giuseppe Patta, war bereits im Präsidium und verlangte schon seit einer halben Stunde nach ihm. Das teilte Brunetti zuerst der Portier am Eingang mit, dann ein Beamter auf der Treppe und schließlich die Sekretärin, die für ihn und die beiden anderen Commissari der Stadt arbeitete. Ohne sich sonderlich zu beeilen, sah Brunetti seine Post durch, rief bei der Telefonzentrale an, um zu hören, ob Anrufe für ihn gekommen seien, und schritt dann die Treppe zum Büro seines Vorgesetzten hinunter.

Cavaliere Giuseppe Patta war vor drei Jahren nach Venedig geschickt worden, um neues Blut ins System der Kriminalpolizei zu bringen. In seinem Fall war das Blut sizilianisch und hatte sich als unvereinbar mit dem venezianischen erwiesen. Patta benutzte eine Zigarettenspitze aus Onyx und war gelegentlich mit einem Spazierstock mit silberner Krücke gesehen worden. Obwohl Brunetti erstere nur bestaunen und über letzteren nur lachen konnte, hatte er versucht, sein endgültiges Urteil zurückzustellen, bis er lange genug mit dem Mann zusammengearbeitet hatte, um zu entscheiden, ob er ein Recht auf diese Manieriertheiten hatte. Er hatte keinen Monat gebraucht, um zu dem Schluß zu kommen, daß die Manieriertheiten zwar zu dem

Mann paßten, er aber kaum ein Recht darauf hatte. Zum Arbeitstag des Vizepräsidenten gehörte allmorgendlich eine lange Kaffeestunde, im Sommer auf der Terrasse des Gritti, im Winter bei Florian. Das Mittagsmahl nahm er gewöhnlich am Pool des Cipriani oder in Harry's Bar ein, und gegen vier beschloß er meist, seinen »verdienten Feierabend« zu machen. Kaum ein anderer hätte das so genannt. Brunetti hatte auch schnell gelernt, daß Patta stets als »Vice-Questore« anzureden war, oder noch besser als »Cavaliere«, wobei die Herkunft letzteren Titels im dunkel blieb. Außerdem bestand Patta nicht nur auf seinem Titel, sondern auch auf dem förmlichen *lei*, und überließ es dem Fußvolk, sich mit *tu* anzureden.

Patta ließ sich nicht gern durch die unschönen Einzelheiten von Verbrechen oder anderen derartigen Unappetitlichkeiten stören. Zu den wenigen Dingen, die ihn dazu bringen konnten, mit den Fingern durch die anmutigen Löckchen an seinen Schläfen zu fahren, gehörten Hinweise in der Presse, daß die Polizei ihre Pflichten in irgendeiner Weise lax handhabe. Was die Presse dabei für kommentierenswert hielt, spielte keine Rolle, sei es, daß ein Kind beim Besuch eines Würdenträgers durch den Polizeikordon geschlüpft war und dem Besucher eine Blume überreicht hatte, oder daß ihr der offene Drogenhandel afrikanischer Straßenverkäufer auffiel. Jede noch so kleine Andeutung, daß die Polizei die Stadt nicht mindestens im Würgegriff hätte, löste bei Patta eine Flut von Beschuldigungen aus, die sich hauptsächlich auf seine drei Commissarii ergoß. Sein Zorn machte sich gewöhnlich in langen Aktennotizen Luft, in denen Unterlassungssünden der

Polizei sich unendlich viel schrecklicher ausnahmen, als von der kriminellen Bevölkerung tatsächlich begangene.

Patta hatte einen Vorschlag in der Presse aufgegriffen und eine Art ›Verbrechen mit Vorrang‹ eingeführt, wie er sich etwa einen besonders kalorienreichen Nachtisch vom Dessertwagen im Restaurant aussuchen würde. Er verkündete den Journalisten dann, dieses spezielle Verbrechen würde innerhalb der Woche ausgemerzt oder zumindest eingeschränkt. Brunetti mußte immer, wenn er vom neuesten ›Verbrechen mit Vorrang‹ las – die Information entnahm er meist erst der Presse – an eine Szene aus *Casablanca* denken, in der befohlen wird, sich die »üblichen Verdächtigen« vorzunehmen. Und so lief es dann auch: ein paar Jugendliche wurden zu einem Monat Gefängnis verurteilt, danach ging alles wieder seinen normalen Gang, bis die Presse erneut ihr Augenmerk auf etwas richtete und wieder ein ›Verbrechen mit Vorrang‹ provozierte.

Brunetti dachte oft darüber nach, daß die Kriminalitätsrate in Venedig wohl nur darum so niedrig war – sie gehörte zu den niedrigsten in Europa und war sicher die niedrigste in ganz Italien –, weil die Verbrecher, bei denen es sich fast immer um Diebe handelte, schlicht nicht wußten, wie sie entkommen konnten. Nur ein Ortskundiger konnte sich in dem Spinnennetz aus schmalen Gassen zurechtfinden und schon vorher wissen, daß diese eine Sackgasse war oder jene an einem Kanal endete. Und die Venezianer, die Einheimischen, neigten zur Gesetzestreue, und sei es nur, weil ihre Tradition und Geschichte ihnen großen Respekt vor Privatbesitz überliefert hatte, den es unter allen Umständen zu schützen und zu wahren galt. So gab es also wenig Verbrechen, und wenn es zu einer Gewalttat oder sehr selten sogar zu einem Mord kam, war der Täter meist schnell und leicht gefunden: der Ehemann, der Nachbar, die Geschäftspartner. Man mußte sich tatsächlich meist nur die üblichen Verdächtigen vornehmen.

Aber Wellauers Tod war etwas anderes, wie Brunetti sehr wohl wußte. Ein berühmter Mann, zweifellos der berühmteste Dirigent seiner Zeit, war in Venedigs schmuckem kleinem Opernhaus umgebracht worden. Und weil es Brunettis Fall war, würde der Vice-Questore ihn persönlich für jede schlechte Publicity verantwortlich machen, die der Polizei eventuell zuteil wurde.

Brunetti klopfte und wartete. Als von drinnen die Aufforderung zum Eintreten ertönte, stieß er die Tür auf und sah Patta, wie er es nicht anders erwartet hatte, hinter seinem riesigen Schreibtisch sitzen, über ein Schriftstück gebeugt, dem er durch seine Aufmerksamkeit Bedeutung verlieh. Selbst im Land der gutaussehenden Männer war Patta ein auffallend gutaussehender Mann. Er hatte ein gemeißeltes Römerprofil, weit auseinanderstehende dunkle Augen und einen athletischen Körper, obwohl er schon Mitte fünfzig war. Für Pressefotos ließ er sich am liebsten im Linksprofil aufnehmen.

»Da sind Sie ja endlich«, sagte er, als käme Brunetti um Stunden zu spät statt auf die Minute pünktlich. »Ich dachte schon, ich müßte den ganzen Vormittag auf Sie warten«, fügte er hinzu, was Brunetti etwas übertrieben fand. Als Brunetti zu beiden Bemerkungen schwieg, wollte Patta wissen: »Was gibt's?«

Brunetti zog den *Gazzettino* vom Morgen aus der Tasche

und antwortete: »Die Zeitung, Signore. Es steht gleich auf der ersten Seite.« Und bevor Patta etwas einwenden konnte, las er vor: »»Berühmter Dirigent tot aufgefunden. Mordverdacht‹«. Dann hielt er seinem Vorgesetzten das Blatt hin.

Patta blieb ruhig, wies aber die Zeitung mit einer Handbewegung ab. »Das habe ich schon gelesen. Ich meinte, was Sie herausgefunden haben.«

Brunetti griff in seine Jackentasche und holte sein Notizbuch hervor. Außer Adresse und Telefonnummer der Amerikanerin stand nichts drin, aber solange er vor dem sitzenden Patta stehen mußte, konnte der andere nicht sehen, daß die Seiten leer waren. Er leckte betont einen Finger an und blätterte langsam die Seiten um. »Das Zimmer war unverschlossen, es steckte kein Schlüssel. Das heißt, es hätte während der Vorstellung jedermann jederzeit ein und aus gehen können.«

»Wo war das Gift?«

»Wahrscheinlich im Kaffee. Aber das kann ich erst nach der Autopsie und den Laboruntersuchungen genau sagen.«

»Wann ist die Autopsie angesetzt?«

»Heute vormittag, glaube ich. Um elf.«

»Gut. Was noch?«

Brunetti blätterte eine Seite um und schaute auf das leere Blatt. »Ich habe mit den Sängern im Theater gesprochen. Der Bariton hat ihn gesehen, ihm aber bloß ›Hallo‹ gesagt. Der Tenor behauptet, ihn gar nicht gesehen zu haben, und die Sopranistin sagt, sie habe ihn nur bei ihrer Ankunft im Theater gesehen.« Er blickte auf und sah Patta an, der wartete. »Der Tenor sagt die Wahrheit. Die Sopranistin lügt.«

»Warum sagen Sie das?« schnauzte Patta.

»Weil ich denke, daß es so ist.«

Mit übertriebener Geduld, als spräche er mit einem besonders begriffsstutzigen Kind, fragte Patta: »Und warum, Commissario, denken Sie, daß es so ist?«

»Weil jemand beobachtet hat, wie sie nach dem ersten Akt in seine Garderobe ging.« Brunetti machte sich nicht die Mühe klarzustellen, daß es sich dabei bisher nur um die Angaben eines einzelnen Zeugen handelte, die noch nicht bestätigt waren. Er hatte bei seinem Gespräch mit ihr den Eindruck gehabt, daß sie nicht die Wahrheit sagte, vielleicht in diesem Punkt, vielleicht in einem anderen.

»Dann habe ich noch mit dem Regisseur gesprochen«, fuhr Brunetti fort. »Er hatte eine Auseinandersetzung mit dem Dirigenten, bevor die Vorstellung anfing. Aber danach hat er ihn nicht mehr gesehen. Meiner Ansicht nach sagt er die Wahrheit.« Patta fragte nicht, warum er dieser Ansicht sei.

»Noch was?«

»Ich habe heute nacht noch bei der Polizei in Berlin anrufen lassen.« Er blätterte umständlich in seinem Notizbuch. »Das war um ...«

»Lassen Sie das beiseite«, unterbrach Patta ihn. »Was hatten die zu sagen?«

»Sie wollen uns heute noch einen ausführlichen Bericht über Wellauer faxen. Alles, was sie über Wellauer und seine Frau haben.«

»Seine Frau. Haben Sie mit ihr gesprochen?«

»Nur ein paar Worte. Sie war sehr mitgenommen. Ich glaube nicht, daß man mit ihr hätte reden können.«

»Wo war sie?«

»Als ich mit ihr gesprochen habe?«

»Nein, während der Aufführung.«

»Im Publikum, vorn im Parkett. Sie sagt, daß sie nach dem zweiten Akt zu ihm hinter die Bühne gegangen sei, aber zu spät kam, um mit ihm zu reden, so daß sie gar nicht miteinander gesprochen hätten.«

»Wollen Sie damit sagen, sie war hinter der Bühne, als er starb?« fragte Patta so begierig, daß Brunetti fast glaubte, er würde sie schon allein dafür am liebsten gleich verhaften lassen.

»Ja, aber ich weiß nicht, ob sie ihn gesehen hat, ob sie überhaupt in seine Garderobe gegangen ist.«

»Nun, dann sehen Sie zu, daß Sie das herausbekommen.« Selbst Patta merkte, daß sein Ton etwas zu barsch gewesen war. »Setzen Sie sich, Brunetti«, fügte er hinzu.

»Danke«, sagte Brunetti, klappte sein Notizbuch zu und steckte es in die Tasche, bevor er sich seinem Vorgesetzten gegenüber niederließ. Pattas Stuhl war, wie er wußte, ein paar Zentimeter höher als dieser, was der Vice-Questore zweifellos als subtilen psychologischen Vorteil betrachtete.

»Wie lange war sie dort?«

»Ich weiß es nicht. Sie war sehr durcheinander, als ich mit ihr gesprochen habe, und hat sich nicht sehr klar ausgedrückt.«

»Hätte sie in die Garderobe gehen können?« wollte Patta wissen.

»Vielleicht. Ich weiß es nicht.«

»Das klingt, als wollten Sie die Dame entschuldigen«,

meinte Patta und fragte gleich darauf: »Ist sie hübsch?« Er hatte also offenbar von dem Altersunterschied zwischen dem Toten und seiner Witwe gehört, dachte Brunetti.

»Wenn man große Blondinen mag«, antwortete er.

»Sie nicht?«

»Meine Frau erlaubt es mir nicht.«

Patta versuchte mühsam, das Gespräch wieder aufs Thema zurückzuführen. »Ist während der Vorstellung sonst noch wer in der Garderobe gewesen? Woher kam der Kaffee?«

»Im Erdgeschoß des Theaters ist eine Bar. Wahrscheinlich daher.«

»Klären Sie das.«

»Ja. Signore.«

»Und nun passen Sie auf, Brunetti.« Brunetti nickte. »Ich möchte wissen, wer gestern abend alles in dieser Garderobe war, oder in der Nähe. Und ich möchte mehr über die Frau wissen. Wie lange sie verheiratet waren, woher sie kommt, all diese Dinge.« Brunetti nickte.

»Brunetti?« fragte Patta unvermittelt.

»Ja?«

»Warum machen Sie keine Notizen?«

Brunetti erlaubte sich die Andeutung eines Lächelns. »Oh, ich vergesse nie etwas von dem, was Sie sagen, Signore.«

Aus Gründen, die nur er kannte, beschloß Patta, ihn beim Wort zu nehmen. »Ich glaube übrigens nicht, daß sie ihn nicht gesehen hat, wie sie Ihnen sagte. Die Leute fangen nicht etwas an und ändern dann ihre Meinung. Ich bin sicher, da steckt mehr dahinter. Wahrscheinlich hat es mit dem Altersunterschied zu tun.« Wie man hörte, hatte Patta zwei Jahre Psychologie an der Universität von Palermo studiert, bevor er zu Jura wechselte. Eindeutige Tatsache aber war, daß er nach einer sehr unauffälligen Karriere als Student seinen Abschluß gemacht und bald danach, als direkte Folge der sehr auffälligen Karriere seines Vaters in der *Democrazia Cristiana*, zum Vice-Commissario avanciert war. Und heute, nach mehr als zwanzig Jahren, war er Vice-Questore der venezianischen Polizei.

Da Patta offensichtlich mit seinen Anweisungen fertig war, bereitete Brunetti sich auf das Unvermeidliche vor: die Rede über die Ehre der Stadt. Und wie die Nacht dem Tag, so folgten dem Gedanken Pattas Worte. »Sie verstehen das vielleicht nicht, Commissario, aber es handelt sich um einen der berühmtesten Künstler unserer Zeit. Und er ist hier in Venedig, in unserer Stadt, umgebracht worden.« Der Name Venedig klang mit Pattas sizilianischem Akzent immer etwas lächerlich. »Wir müssen alles in unserer Macht Stehende tun, um dieses Verbrechen aufzuklären; wir können nicht dulden, daß es den Ruf, ja die Ehre unserer Stadt schädigt.« Es gab Zeiten, da war Brunetti versucht, sich aufzuschreiben, was der Mann sagte.

Und während Patta auf diesem Gleis fortfuhr, beschloß Brunetti, Paola einen Blumenstrauß mitzubringen, falls er die glorreiche musikalische Geschichte Venedigs erwähnte. »Dies ist die Stadt Vivaldis, Mozart hat hier gewirkt. Wir haben eine Verpflichtung gegenüber der Musikwelt.« Iris, dachte er, die mochte sie am liebsten. Sie würde sie in die hohe blaue Muranovase stellen.

»Ich möchte, daß Sie alles andere liegenlassen und sich

ganz diesem Fall widmen. Ich habe mir die Einsatzpläne angesehen«, meinte Patta und überraschte Brunetti dadurch,
daß er überhaupt von der Existenz solcher Pläne wußte,
»und zwei Leute zu Ihrer Hilfe eingeteilt.« Bitte nicht
Alvise und Riverre, dann bringe ich ihr zwei Dutzend
mit. »Alvise und Riverre. Gute, solide Leute.« Was grob
übersetzt bedeutete, daß sie zu Pattas Getreuen gehörten.

»Und ich möchte Fortschritte sehen bei dieser Sache.
Verstehen Sie?«

»Ja, Signore«, antwortete Brunetti ausdruckslos.

»Gut. Das ist dann alles. Ich habe noch viel zu tun, und
Sie wahrscheinlich auch.«

»Ja, Signore«, wiederholte Brunetti, während er aufstand
und zur Tür ging. Er war gespannt, was er wohl als Ab-
schiedswort mit auf den Weg bekommen würde. Hatte
Patta nicht seinen letzten Urlaub in London verbracht?

»Und: ›good hunting‹, Brunetti.«

Ja, London. »Thank you, Sir«, sagte er leise und zog die
Tür hinter sich zu.

7

In der folgenden Stunde beschäftigte Brunetti sich damit, in den vier wichtigsten Zeitungen die Berichte über das Verbrechen zu lesen. *Il Gazzettino* widmete, wie nicht anders zu erwarten, der Geschichte die ganze erste Seite und sah durch diese Tat den Ruf der Stadt aufs Spiel gesetzt. Im Leitartikel hieß es, die Polizei müsse alles daransetzen, den Täter schnell zu finden, nicht so sehr um der Gerechtigkeit Genüge zu tun, sondern um die Ehre der Stadt wieder herzustellen. Beim Lesen dachte Brunetti, daß Patta sich wohl dieses Blatt zu Gemüte geführt hatte, statt seinen üblichen *Osservatore Romano*, der nicht vor zehn an den Kiosken zu haben war.

La Repubblica betrachtete das Ereignis im Lichte der jüngsten politischen Entwicklung und deutete den Zusammenhang so zart an, daß nur der Verfasser oder ein Psychologe ihn begreifen konnte. *Corriere della Sera* tat so, als sei der Mann in seinem Bett gestorben, und brachte eine ganzseitige Analyse seines Beitrags zur Musikgeschichte unter besonderer Berücksichtigung seines Engagements für einige moderne Komponisten.

L'Unità hob er sich bis zum Schluß auf. Wie nicht anders zu erwarten, wurde da nach dem ersten geschrieen, was der Redaktion in den Sinn kam, in diesem Fall Rache, die sie, ebenso vorhersehbar, mit Gerechtigkeit verwechselte. Ein Leitartikel wies plump auf die immer gleichen alten Geheimnisse in höchsten Kreisen hin und zerrte, nicht überraschend, den armen alten Sindona ans Licht, den man tot in seiner Gefängniszelle gefunden hatte, um dann die auf der Hand liegende rhetorische Frage zu stellen, ob es nicht eine dunkle Verbindung zwischen diesen beiden ›erschrekkend ähnlichen‹ Fällen gebe. Abgesehen von der Tatsache, daß beide Männer alt und an Zyankalivergiftung gestorben waren, gab es Brunettis Ansicht nach wenig Ähnlichkeiten, erschreckend oder nicht.

Nicht zum erstenmal machte Brunetti sich Gedanken über die möglichen Vorteile einer Pressezensur. Die Deutschen waren in der Vergangenheit ganz gut mit einer Regierung zurechtgekommen, die Zensur verlangte, und die amerikanische Regierung schien ähnlich gut mit einer Bevölkerung zu fahren, die sie wollte.

Er wandte sich wieder dem langen Artikel im *Corriere* zu und warf die drei anderen Zeitungen in den Papierkorb. Er las den Beitrag ein zweites Mal durch und machte sich ein paar Notizen. Wenn er auch nicht der berühmteste Dirigent der Welt war, so nahm Wellauer offenbar doch einen Spitzenplatz ein. Er hatte als Wunderkind des Berliner Konservatoriums vor dem letzten Krieg seine Dirigentenlaufbahn begonnen. Über die Kriegsjahre wurde nicht viel gesagt, außer daß er weiterhin in seinem Heimatland Deutschland dirigiert hatte. Erst in den fünfziger Jahren hatte seine Karriere ihren Aufschwung genommen, er hatte sich dem internationalen Glitzerset angeschlossen, war für ein einziges Konzert von einem Kontinent zum anderen geflogen und dann weiter zu einem dritten, um eine Oper zu dirigieren.

Und inmitten von Flitter und Ruhm war er der vollendete Musiker geblieben, der jedem Orchester, das er dirigierte, äußerste Präzision und Empfindsamkeit abverlangte und gleichzeitig auf absoluter Werktreue bestand. Selbst sein Ruf, herrisch oder schwierig zu sein, verblaßte vor dem umfassenden Lob über die absolute Hingabe an seine Kunst.

Der Artikel befaßte sich wenig mit seinem Privatleben. Es wurde lediglich erwähnt, daß seine derzeitige Frau seine dritte war und die zweite sich vor zwanzig Jahren das Leben genommen hatte. Als seine Wohnorte wurden Berlin, Gstaad, New York und Venedig angegeben.

Das Foto auf der Titelseite war älteren Datums. Wellauer war darauf von der Seite zu sehen, im Gespräch mit der kostümierten Maria Callas, die offensichtlich Hauptgegenstand des Bildes war. Brunetti fand es etwas merkwürdig, daß man ein mindestens dreißig Jahre altes Foto abgedruckt hatte.

Er griff in den Papierkorb und holte den *Gazzettino* wieder heraus. Wie gewöhnlich brachten sie ein Foto vom Tatort, dem Teatro La Fenice mit seiner langweiligen, symmetrischen Fassade. Daneben war ein kleineres Bild vom Bühneneingang, aus dem zwei uniformierte Männer etwas heraustrugen. Das Foto darunter war ein neueres Porträt des Maestro mit weißer Krawatte und noch immer dunklem, vollem Haar, das über dem kantigen Gesicht nach hinten gekämmt war. Die Augen wirkten leicht slawisch und seltsam hell unter den dunklen Brauen. Die Nase war viel zu lang für das Gesicht, doch die Wirkung der Augen war so stark, daß der kleine Makel kaum ins Gewicht fiel. Der Mund war breit, die Lippen voll und fleischig, ein seltsam sinnlicher Kontrast zu dem strengen Augenausdruck. Er versuchte sich an das Gesicht zu erinnern, wie er es gestern abend gesehen hatte, verzerrt vom Tod, aber dieses Foto hatte eine solche Kraft, daß es den Eindruck verwischte. Er betrachtete die hellen Augen und versuchte sich einen Haß vorzustellen, der so intensiv war, daß er jemanden dazu bringen würde, diesen Mann zu zerstören.

Seine Spekulationen wurden von einer der Sekretärinnen unterbrochen, die den Polizeibericht aus Berlin brachte, der inzwischen gekommen und schon ins Italienische übersetzt war.

Bevor er anfing zu lesen, sagte Brunetti sich, daß Wellauer so etwas wie ein lebendes Denkmal gewesen war und die Deutschen stets nach Helden suchten, er also bei der Lektüre mit beidem rechnen mußte. Das hieß, einige Wahrheiten würde er nur angedeutet, andere in dem Weggelassenen finden. Hatten nicht viele Künstler der Nazipartei angehört? Aber wer erinnerte sich schon heute nach all den Jahren noch daran?

Er schlug die Mappe auf und begann den italienischen Text zu lesen. Deutsch konnte er nicht. Wellauer hatte sich keines Vergehens schuldig gemacht, nicht einmal eines Verkehrsdelikts. In seiner Wohnung in Gstaad war zweimal eingebrochen worden; beide Male war von dem Diebesgut nichts wieder aufgetaucht und niemand festgenommen worden. In beiden Fällen war die Versicherung für den Schaden aufgekommen, obgleich es sich um horrende Summen gehandelt hatte.

Brunetti kämpfte sich durch zwei weitere Absätze germanischer Genauigkeit, bis er zum Selbstmord der zweiten

Ehefrau kam. Sie hatte sich nach einer langanhaltenden Depression, wie es im Bericht hieß, am 30. April 1968 im Keller ihrer Münchener Wohnung erhängt. Einen Abschiedsbrief hatte man nicht gefunden. Sie hinterließ drei Kinder, Zwillingsbrüder und ein Mädchen, die damals sieben und zwölf Jahre alt waren. Wellauer selbst hatte die Leiche gefunden und sich nach der Beerdigung ein halbes Jahr völlig aus der Öffentlichkeit zurückgezogen.

Die Polizei hatte ihm keine Aufmerksamkeit gewidmet, bis er vor zwei Jahren Elisabeth Balintffy geheiratet hatte. Sie war gebürtige Ungarin, Ärztin und Deutsche durch ihre erste Ehe, die drei Jahre vor ihrer Heirat mit Wellauer geschieden wurde. Auch sie war weder in Deutschland noch in Ungarn vorbestraft. Aus ihrer ersten Ehe hatte sie eine dreizehnjährige Tochter, Alexandra.

Brunetti suchte nach einem Hinweis auf Wellauers Aktivitäten während des Krieges, aber vergeblich. Seine erste Ehe mit der Tochter eines deutschen Industriellen, geschlossen 1936, wurde erwähnt, ebenso die Scheidung nach dem Krieg. Dazwischen schien der Mann nicht existiert zu haben, was Brunetti durchaus als Zeichen dafür deutete, was der Mann getan oder zumindest unterstützt hatte. Diesen Verdacht würde er allerdings kaum bestätigt finden, jedenfalls nicht in einem offiziellen Bericht der deutschen Polizei.

Kurz und gut, Wellauer hatte eine so saubere Weste, wie es sich ein Mann nur wünschen konnte. Dennoch hatte ihm jemand Zyankali in den Kaffee getan. Die Erfahrung hatte Brunetti gelehrt, daß Menschen sich vor allem aus zwei Gründen gegenseitig umbrachten: Geld oder Sex. Die Reihenfolge war nicht wichtig, und letzterer wurde oft Liebe genannt, aber in fünfzehn Jahren der Beschäftigung mit Mörderischem hatte er nur wenige Ausnahmen von dieser Regel erlebt.

Noch vor elf Uhr hatte er den Bericht der deutschen Polizei fertiggelesen. Er rief im Labor an, nur um zu erfahren, daß nichts unternommen worden war. Man hatte keine Fingerabdrücke von der Tasse oder von anderen Flächen in der Garderobe des Toten genommen, die versiegelt blieb, eine Tatsache, die offenbar schon drei Anrufe der Theaterleitung nach sich gezogen hatte. Brunetti ereiferte sich ein Weilchen, aber er wußte, daß es zwecklos war. Danach sprach er kurz mit Miotti, der ihm erzählte, er habe gestern abend nichts Neues von dem Portier erfahren, außer daß der Dirigent »ein kühler Genosse«, die Frau sehr nett und freundlich und La Petrelli ganz und gar nicht sein Fall sei. Genauer konnte der Portier das nicht begründen, er zog sich auf die Erklärung zurück, sie sei einfach *antipatica*. Für ihn genügte das.

Es hatte keinen Zweck, Alvise und Riverre hinzuschikken, um Fingerabdrücke zu nehmen, jedenfalls nicht, bevor das Labor wußte, ob auf der Kaffeetasse noch andere als die des Dirigenten waren. Da bestand kein Grund zur Hast.

Verstimmt, daß er darüber sein Mittagessen verpassen würde, verließ Brunetti kurz nach zwölf sein Büro und ging zur Bar an der Ecke, wo er ein Sandwich und ein Glas Wein bestellte, weder das eine noch das andere nach seinem Geschmack. Obwohl alle in der Bar wußten, wer er war, fragte keiner ihn nach dem Tod des Dirigenten, wenn auch ein alter Mann bedeutungsvoll mit der Zeitung raschelte.

Brunetti ging zum Anleger San Zaccaria und bestieg ein Vaporetto Nummer fünf, das ihn durch den Arsenale und an der Rückseite der Insel entlang zur Friedhofsinsel San Michele brachte. Er ging selten auf den Friedhof; aus irgendeinem Grund hatte er den Kult, den so viele Italiener mit ihren Toten betreiben, nicht angenommen.

Früher war er öfter hier gewesen, genaugenommen gehörte es zu seinen frühesten Erinnerungen, daß man ihn als Kind mitgenommen hatte, um das Grab seiner Großmutter zu pflegen, die im Krieg bei einem Bombenangriff der Alliierten auf Treviso ums Leben gekommen war. Er wußte noch, wie bunt die Gräber waren, richtige Blumenteppiche, und wie ordentlich, jedes saubere Rechteck vom nächsten abgegrenzt durch messerscharfe Kanten und kleine Grünstreifen. Und wie trist die Menschen dazwischen – fast alles Frauen –, die mit diesen Bergen von Blumen kamen. Wie grau und schäbig sie ausgesehen hatten, als ob sie all ihren Sinn für Farbe und Adrettheit diesen Geistern in der Erde geopfert hätten, und für sie selbst wäre nichts übriggeblieben.

Und heute, über fünfunddreißig Jahre später, waren die Gräber noch genauso ordentlich, die Blumen immer noch von explosiver Farbenvielfalt, aber die Menschen, die dazwischen herumgingen, sahen eher aus, als ob sie zur Welt der Lebenden gehörten, es waren nicht mehr die grauen Gespenster der Nachkriegsjahre. Das Grab seines Vaters war leicht zu finden, es lag ganz in der Nähe von Strawinskys. Der Russe war sicher; er würde bleiben, unangetastet, solange der Friedhof bestand oder sich Menschen seiner Musik erinnerten. Für Brunettis Vater war die Zukunft ungewisser, denn es dauerte nicht mehr lange, bis sein Grab geöffnet und seine Gebeine herausgenommen würden, um in einem Beinhaus in einer der langen, überfüllten Mauern des Friedhofs untergebracht zu werden.

Das Grab war jedoch gut gepflegt; sein Bruder war verantwortungsbewußter als er. Die Nelken in der im Boden steckenden Glasvase waren frisch; den Nachtfrost vor drei Tagen hätten sie sonst nicht überlebt. Brunetti bückte sich und schob ein paar Blätter beiseite, die der Wind gegen die Vase geweht hatte. Als er sich aufrichtete, hob er noch eine Zigarettenkippe neben dem Grabstein auf. Dann stand er da und betrachtete das Foto auf dem Stein. Er sah seine eigenen Augen, sein Kinn und die zu großen Ohren, die ihn und seinen Bruder übersprungen und sich statt dessen auf ihre Söhne vererbt hatten.

»*Ciao, Papà*«, sagte er, aber dann fiel ihm nichts weiter ein. Er ging die Gräberreihe entlang und warf die Kippe in einen großen in die Erde eingelassenen Metallbehälter am Ende.

Im Friedhofsbüro gab er seinen Namen und Rang an, worauf ihn ein Angestellter in ein kleines Wartezimmer führte und ihn bat, sich zu gedulden, der Dottore käme gleich. In dem Zimmer gab es nichts zu lesen, so begnügte er sich damit, aus dem einzigen Fenster auf das umfriedete Kloster zu schauen, um das man die Friedhofsgebäude gebaut hatte.

Zu Beginn seiner Laufbahn hatte Brunetti einmal darum gebeten, der Autopsie des Opfers in seinem ersten Mordfall beizuwohnen – einer Prostituierten, die von ihrem Zuhälter umgebracht worden war. Er hatte genau zugesehen, wie die Leiche in den Autopsiesaal gerollt wurde, und fasziniert beobachtet, wie das weiße Tuch von dem nahezu perfekten Körper gezogen wurde. Und als der Arzt das Skalpell erhoben hatte, um den langen Y-Schnitt anzusetzen, war Brunetti nach vorn gesackt und mitten zwischen den um ihn sitzenden Medizinstudenten in Ohnmacht gefallen. Gelassen hatten sie ihn in den Vorraum hinausgetragen und den halb Betäubten auf einen Stuhl gesetzt, bevor sie zurückeilten, um weiter zuzusehen. Viele Mordopfer waren ihm seit damals unter die Augen gekommen, zerfetzt von Messern, Kugeln, sogar Bomben, aber nie hatte er gelernt, sie teilnahmslos zu betrachten, und nie wieder hatte er sich dazu durchringen können, der kalkulierten Verletzung durch eine Autopsie zuzusehen.

Die Tür zu dem kleinen Wartezimmer ging auf, und Rizzardi, ebenso untadelig gekleidet wie letzte Nacht, trat ein. Er roch nach teurer Seife, nicht nach dem Karbol, das Brunetti unwillkürlich mit seinem Beruf in Verbindung brachte.

»Guten Tag, Guido«, sagte er und streckte die Hand aus. »Tut mir leid, daß Sie sich die Mühe gemacht haben, extra herzukommen. Ich hätte Ihnen das wenige, was ich habe, auch telefonisch durchgeben können.«

»Ist schon in Ordnung, Ettore, ich wollte sowieso herausfahren. Bevor diese Trottel im Labor mir einen Bericht schicken, kann ich nichts unternehmen. Und um mit der Witwe zu sprechen, ist es auch noch zu früh.«

»Dann will ich Ihnen mal sagen, was ich gefunden habe«, meinte der Arzt, schloß die Augen und begann aus dem Gedächtnis aufzuzählen. Brunetti zog sein Notizbuch heraus und notierte sich, was er vernahm. »Der Mann war kerngesund. Wenn ich nicht wüßte, daß er vierundsiebzig war, hätte ich ihn für mindestens zehn Jahre jünger gehalten, Anfang Sechzig, vielleicht sogar Ende Fünfzig. Muskeltonus hervorragend in Form, wahrscheinlich durch Training bei einem allgemein gesunden Körper. Keine Anzeichen von Krankheit an den inneren Organen. Trinker kann er nicht gewesen sein, die Leber war perfekt. Selten bei einem Mann seines Alters. Geraucht hat er auch nicht, und falls früher mal, hat er vor Jahren damit aufgehört. Meiner Einschätzung nach hätte er noch gut und gern seine zehn bis zwanzig Jahre leben können.« Damit öffnete er die Augen und sah Brunetti an.

»Und die Todesursache?« fragte er.

»Kaliumcyanid. Zyankali. Im Kaffee. Ich schätze, er hat ungefähr dreißig Milligramm aufgenommen, mehr als genug, um ihn zu töten.« Er hielt einen Moment inne, dann fügte er hinzu: »Ich hatte es noch nie gesehen. Bemerkenswerte Wirkung.« Seine Stimme verebbte, und er verfiel in eine Art Träumerei, die Brunetti beunruhigend fand.

Nach einem Weilchen fragte Brunetti: »Stimmt es, daß es so schnell wirkt? Ich habe das mal gelesen.«

»Ja, ich glaube schon«, antwortete Rizzardi. »Wie gesagt, ich hatte noch nie einen Fall gesehen, keinen richtigen. Ich hatte auch nur darüber gelesen.«

»Auf der Stelle?«

Der Arzt dachte kurz nach, bevor er antwortete. »Ja, ich nehme es an, oder jedenfalls so nahe daran, daß es auf dasselbe herauskommt. Vielleicht hatte er einen Moment Zeit, um zu merken, was geschah, aber er hat wahrscheinlich geglaubt, es sei ein Schlaganfall oder eine Herzattacke. Auf jeden Fall war er tot, bevor ihm recht klar wurde, was es war.«

»Was ist denn die eigentliche Todesursache?«

»Alles hört auf. Hört schlicht auf zu arbeiten: Herz, Lunge, Hirn.«

»Innerhalb von Sekunden?«

»Ja. Fünf. Höchstens zehn.«

»Kein Wunder, daß sie es nehmen«, sagte Brunetti.

»Wer?«

»Spione, in Spionageromanen. Sie haben Kapseln in hohlen Zähnen versteckt.«

»Hm«, machte Rizzardi. Falls ihn Brunettis Vergleich seltsam anmutete, ließ er sich das nicht anmerken. »Ja, es wirkt sehr schnell, aber es gibt viel Tödlicheres.« Auf Brunettis erhobene Brauen hin erklärte er: »Botulismus. Bakterielle Lebensmittelvergiftung. Dieselbe Menge, die ihn umgebracht hat, könnte wahrscheinlich halb Italien umbringen.«

Damit war nicht viel anzufangen, auch wenn sich der Doktor offensichtlich für das Thema begeistern konnte, darum fragte Brunetti: »Ist Ihnen noch irgend etwas aufgefallen?«

»Es sieht aus, als sei er in den letzten Wochen behandelt worden. Wissen Sie, ob er vielleicht eine Erkältung hatte oder so etwas?«

»Nein.« Brunetti schüttelte den Kopf. »Wir wissen noch gar nichts. Wieso?«

»Es gibt Injektionsspuren. Und da nichts auf Drogen-mißbrauch hinweist, nehme ich an, es war ein Antibiotikum, vielleicht ein Vitamin, irgendeine normale Sache. Genaugenommen waren die Spuren so schwach, daß sie vielleicht gar nicht von Injektionen stammten; es könnten auch andere kleine Verletzungen sein.«

»Aber keine Drogen?«

»Nein, wahrscheinlich nicht«, sagte der Doktor. »Er hätte sich leicht in die rechte Hüfte spritzen können – er war Rechtshänder –, aber ein Rechtshänder kann sich keine Spritze in den rechten Arm oder die linke Gesäßhälfte geben, jedenfalls nicht an der Stelle, wo ich den Einstich gefunden habe. Und, wie gesagt, er war bei bester Gesundheit. Wenn er irgendwelche Drogen genommen hätte, dann hätte ich es gemerkt.« Er hielt inne, um dann fortzufahren: »Abgesehen davon bin ich nicht einmal sicher, daß es sich um Einstiche handelt. In meinem Bericht werde ich sie einfach als subkutane Blutungen bezeichnen.« Brunetti hörte an seinem Tonfall, daß er diese Stellen für unwichtig hielt und schon bedauerte, sie erwähnt zu haben.

»Noch etwas?«

»Nein, nichts weiter. Wer immer es war, hat ihn mit Sicherheit um mindestens zehn Jahre seines Lebens gebracht.«

Wie immer zeigte Rizzardi keinerlei Neugier, wer das Verbrechen begangen haben könnte – und wahrscheinlich entsprach das sogar seinem Empfinden. In all den Jahren, die sie sich kannten, hatte Brunetti nie erlebt, daß der Doktor nach dem Verbrecher fragte. Manchmal hatte er sich interessiert oder sogar fasziniert bei einer besonders einfallsreichen Tötungsart gezeigt, aber nie schien es ihn zu kümmern, wer der Täter war oder ob man ihn gefaßt hatte.

»Danke, Ettore«, sagte Brunetti und schüttelte dem Arzt die Hand. »Ich wünschte, unser Labor würde genauso schnell arbeiten.«

»Wahrscheinlich ist ihre Neugier nicht so ausgeprägt wie meine«, sagte Rizzardi und bestätigte damit Brunettis Meinung, daß er diesen Mann nie verstehen würde.

8

Auf dem Boot zurück in die Stadt beschloß er, unangemeldet bei Flavia Petrelli vorbeizugehen, um zu sehen, ob sie sich inzwischen vielleicht erinnert hatte, daß sie gestern abend in der Garderobe des Maestro gewesen war. Die Vorstellung, etwas zu tun zu haben, belebte ihn, und er stieg an den Fondamenta Nuove aus und ging zum Krankenhaus, das eine gemeinsame Mauer mit der Basilica SS. Giovanni e Paolo hatte. Wie alle venezianischen Adressen war die Anschrift, die ihm die Amerikanerin gegeben hatte, wenig aussagekräftig in einer Stadt, die nur die Namen der sechs Stadtteile für Straßenadressen hatte, und dazu ein Numerierungssystem ohne Sinn und Plan. Die einzige Möglichkeit war, bis zur Kirche zu gehen und jemanden zu fragen, der in der Nähe wohnte. Brett Lynch war sicher nicht allzu schwer zu finden. Ausländer zogen eher in die schikkeren Viertel der Stadt, nicht in diese solide Mittelschichtsgegend, und nur wenige Fremde sprachen, als seien sie hier aufgewachsen, wie Brett Lynch es tat.

Vor der Kirche fragte er eine Frau erst nach der Hausnummer und dann nach der Amerikanerin, aber sie konnte ihm weder über die eine noch die andere etwas sagen. Sie meinte, er solle Maria fragen, und schien zu erwarten, daß er genau wußte, welche Maria sie meinte. Maria betrieb, wie sich herausstellte, den Zeitungskiosk vor der nahegelegenen Schule, und wenn Maria nicht wußte, wo die Amerikanerin wohnte, dann wohnte sie auch nicht in dieser Gegend.

Am anderen Ende der Brücke vor der Kirche fand er Maria, eine weißhaarige Frau unbestimmten Alters, in ihrem Kiosk hinter den Zeitungen sitzen, als seien es Prophezeiungen und sie die Sibylle. Er nannte ihr die Hausnummer, nach der er suchte, und sie antwortete lächelnd: »Ah, Signorina Lynch«, und gab dem Namen die zwei Silben, die er italienisch ausgesprochen forderte. Die Calle della Testa hinunter, das erste Haus rechts, vierte Klingel, und würde es ihm etwas ausmachen, ihre Zeitungen mitzunehmen?

Brunetti fand die Tür ohne Schwierigkeiten. Der Name war in ein verkratztes altes Messingschild neben der Klingel eingraviert. Er klingelte, und kurz danach wurde er durchs Haustelefon gefragt, wer er sei. Er widerstand der Versuchung zu sagen, daß er gekommen sei, um die Zeitungen zu bringen, und nannte nur Namen und Rang. Wer immer am anderen Ende gewesen war, sagte nichts darauf, aber die Tür sprang auf, und er trat ein. Rechts führte eine Treppe nach oben, und er begann hinaufzusteigen, wobei er mit Wohlgefallen die leichte Höhlung registrierte, die Jahrhunderte der Benutzung in jede Marmorstufe gewetzt hatten. Er mochte es, wie die Ausbuchtung seine Füße in die Mitte zwang. Zwei Stockwerke stieg er nach oben, und ein drittes. Bei der vierten Wende wurde das Treppenhaus plötzlich breiter, und die alten, ausgetretenen Marmorstufen waren durch gerade geschnittene Stücke istrischen Marmors ersetzt. Dieser Teil des Gebäudes war vor nicht allzu langer Zeit gründlich restauriert worden.

Die Treppe endete vor einer schwarzen Metalltür. Als er darauf zuging, ahnte er, daß er durch den winzigen Spion über dem oberen Schloß beobachtet wurde. Bevor er noch klopfen konnte, wurde die Tür von Brett Lynch geöffnet, die zur Seite trat und ihn hereinbat.

Er murmelte das rituelle »*Permesso*«, ohne das ein Italiener nie das Haus eines anderen betrat. Sie lächelte, bot ihm aber nicht die Hand zur Begrüßung, sondern drehte sich um und ging ihm durch einen Flur voraus in den Wohnraum.

Er war überrascht, als er in dem großen, hellen Raum stand, der sicher zehn mal fünfzehn Meter maß. Der Holzfußboden war aus jenen dicken Eichenbalken, die auch die ältesten Dächer der Stadt stützten. Von den Wänden waren Farbe und Putz abgeklopft, so daß der ursprüngliche Backstein zum Vorschein kam. Am bemerkenswertesten war die ungeheure Helligkeit, die durch sechs Oberlichter hereinströmte, die in Dreierpaaren auf beiden Seiten der hohen spitzwinkligen Decke eingelassen waren. Wer immer die Erlaubnis bekommen hatte, ein so altes Gebäude derart zu verändern, mußte entweder einflußreiche Freunde oder Bürgermeister und Stadtplaner gleichermaßen erpreßt haben, dachte Brunetti. Und alles war erst kürzlich geschehen, das sagte ihm der Geruch nach frischem Holz.

Er lenkte seine Aufmerksamkeit von der Wohnung auf die Besitzerin. Gestern abend war ihm nicht aufgefallen, wie groß sie war, diese eckige Größe, die Amerikaner offenbar attraktiv fanden. Aber ihr Körper hatte nichts von der Zerbrechlichkeit, die oft mit Größe einhergeht. Sie sah gesund und fit aus, ein Eindruck, der durch ihre reine Haut und die klaren Augen noch unterstrichen wurde. Er merkte, wie er sie anstarrte, beeindruckt von der Intelligenz in ihrem Blick und gleichzeitig irritiert, daß er darin nach

Gerissenheit suchte. Er wunderte sich, daß er sie nicht als das akzeptieren konnte, was sie zu sein schien, eine attraktive, kluge Frau.

Flavia Petrelli saß, etwas gekünstelt, wie er fand, links neben einem der hohen Fenster, durch die man in der Ferne den Glockenturm von San Marco sehen konnte. Ihre Begrüßung bestand lediglich in einem kurzen Kopfnicken, das er erwiderte, bevor er sich an ihre Freundin wandte und sagte: »Ich habe Ihre Zeitungen mitgebracht.«

Er achtete darauf, sie ihr mit der Titelseite nach oben zu geben, damit sie die Bilder sehen und die schreienden Schlagzeilen lesen konnte. Sie warf einen Blick darauf, faltete sie rasch zusammen und sagte: »Danke«, bevor sie sich umdrehte und sie auf ein niedriges Tischchen warf.

»Darf ich Ihnen zu Ihrer Wohnung gratulieren, Miss Lynch?«

»Danke«, war die kurze Antwort.

»So viel Licht, so viele Dachfenster, das ist ungewöhnlich in einem so alten Haus«, bemerkte er neugierig.

»Ja, nicht wahr?« meinte sie nichtssagend.

»Kommen Sie schon, Commissario«, unterbrach Flavia Petrelli, »Sie sind doch sicher nicht hier, um über Innenarchitektur zu reden.«

Als wollte sie die brüske Bemerkung ihrer Freundin abschwächen, sagte Miss Lynch: »Setzen Sie sich doch, Dottor Brunetti«, und deutete auf einen niedrigen Diwan, der vor einem langen Glastisch mitten im Zimmer stand. »Hätten Sie gern einen Kaffee?« fragte sie, ganz artige Gastgeberin, als sei dies ein rein privater Besuch.

Obwohl er eigentlich gar keinen Kaffee wollte, sagte er

ja, nur um zu sehen, wie die Sängerin darauf reagieren würde, daß er ein Weilchen zu bleiben gedachte und keine Eile hatte. Sie wandte ihre Aufmerksamkeit wieder einer Partitur zu, die sie auf dem Schoß liegen hatte, und beachtete ihn nicht, während ihre Freundin den Kaffee machen ging.

Solange die eine beschäftigt war, Kaffee zu machen, und die andere ihn ignorierte, sah Brunetti sich in der Wohnung um. Die Wand vor ihm war von oben bis unten voller Bücher. Die italienischen erkannte er leicht daran, daß man den Titel von unten nach oben lesen konnte, bei den englischen war es umgekehrt. Aber über die Hälfte der Bände waren mit Zeichen bedruckt, die er für Chinesisch hielt. Alle sahen aus, als seien sie mehr als einmal gelesen. Dazwischen standen überall kleine Keramiken – Schalen und menschliche Figuren –, die auf ihn höchstens entfernt orientalisch wirkten. Ein Regalbrett wurde von CD-Kassetten eingenommen, Gesamtaufnahmen von Opern wahrscheinlich. Links davon stand eine sehr kompliziert aussehende Stereoanlage, und in den Ecken auf Holzpodesten zwei große Lautsprecherboxen. Die Bilder an den Wänden waren ausschließlich moderne Klecksereien in kräftigen Farben und sprachen ihn nicht an.

Kurz darauf kam Miss Lynch aus der Küche zurück, sie brachte ein silbernes Tablett mit zwei Espressotassen, Löffelchen und einer silbernen Zuckerdose herein. Heute trug sie Jeans, die noch nie etwas von Amerika gehört hatten, und ein anderes Paar Stiefel, diesmal in einem dunklen Rotbraun. Für jeden Wochentag eine andere Farbe? Was irritierte ihn so an dieser Frau? Daß sie als Ausländerin seine

Sprache so gut sprach wie er selbst und in einem Haus wohnte, das er sich auch im Traum nie würde leisten können?

Er bedankte sich, als sie die Tasse vor ihn hinstellte, und wartete, bis sie ihm gegenüber Platz genommen hatte. Er bot ihr Zucker an, aber sie lehnte mit einer Kopfbewegung ab. Er nahm sich zwei Löffel und setzte sich auf dem Sofa zurück. »Ich komme gerade von San Michele«, begann er. »Die Todesursache war Zyankali.« Sie hob ihre Tasse an die Lippen und nippte. »Es war im Kaffee.«

Sie setzte ihre Tasse auf der Untertasse ab und stellte beides auf den Tisch.

Flavia Petrelli sah von ihren Noten auf, doch der Kommentar kam nicht von ihr. »Dann ist es wenigstens schnell gegangen. Wie rücksichtsvoll von dem, der es getan hat«, sagte Brett Lynch, und an ihre Freundin gewandt: »Wolltest du auch Kaffee, Flavia?«

Brunetti fand das alles etwas sehr theatralisch, aber er ging darüber hinweg und stellte die Frage, die sie mit ihrer Bemerkung eindeutig hatte provozieren wollen. »Gehe ich recht in der Annahme, daß Sie den Maestro nicht leiden konnten, Miss Lynch?«

»Ja«, antwortete sie und sah ihm direkt ins Gesicht, »ich mochte ihn nicht, und er mich auch nicht.«

»Gab es dafür einen bestimmten Grund?«

Sie machte eine wegwerfende Handbewegung. »Wir waren in vielen Dingen uneins.« Das sollte wohl als Begründung genügen, nahm Brunetti an.

Er wandte sich an Signora Petrelli. »Hatten Sie eine andere Einstellung dem Maestro gegenüber?«

Sie klappte die Partitur zu und legte sie sorgfältig zu ihren Füßen auf den Boden, bevor sie antwortete. »Ja, schon. Helmut und ich haben immer gut zusammengearbeitet. Wir hatten beruflich großen Respekt füreinander.«

»Und privat?«

»Auch natürlich«, antwortete sie rasch. »Aber unsere Beziehung war in erster Linie beruflicher Natur.«

»Und wie waren Ihre persönlichen Gefühle ihm gegenüber, wenn ich fragen darf?« Wenn sie die Frage erwartet hatte, schien sie ihr dennoch nicht zu gefallen. Sie rutschte auf ihrem Sessel herum, und ihm fiel auf, wie offensichtlich sie es machte, daß die Frage sie unangenehm berührte. Er hatte im Lauf der Jahre viel über sie gelesen und wußte, daß sie eine gute Schauspielerin war. Wenn sie über ihre Beziehung zu Wellauer etwas verbergen wollte, dann konnte sie das auch; sie würde nicht dasitzen und sich winden wie ein Schulmädchen, das man über seinen ersten Freund ausfragt.

Er ließ das Schweigen wachsen und wiederholte seine Frage ganz bewußt nicht.

Schließlich meinte sie etwas zögernd: »Ich mochte ihn nicht.«

Als sie nichts weiter hinzufügte, sagte Brunetti: »Wenn ich meine Frage an Miss Lynch wiederholen darf; gab es dafür irgendwelche besonderen Gründe?« Wie höflich wir doch miteinander umgehen, dachte er. Da liegt dieser alte Mann kalt und ausgeweidet drüben jenseits der Lagune, und wir sitzen hier und ergehen uns in Höflichkeitsfloskeln – würden Sie mir sagen? Darf ich fragen? Einen Augenblick lang wünschte er sich wieder nach Neapel zurück, wo er diese schrecklichen Jahre verbracht und mit Menschen zu tun gehabt hatte, die den Feinheiten der Sprache nicht zugänglich waren und auf Tritte und Schläge reagierten.

Signora Petrelli unterbrach seine Tagträumerei. »Es gab keinen direkten Grund«, meinte sie. »Er war einfach ›antipatico‹.« Aha, dachte Brunetti, als er das Wort schon wieder hörte, wie viel besser als irgendwelche sprachlichen Feinheiten. Für jede zwischenmenschliche Disharmonie mußte diese Erklärung herhalten, daß jemand ›antipatico‹ war, daß irgendein undefinierbarer Kontakt zwischen zwei Menschen nicht zustande gekommen war, und schon sollte auf wundersame Weise alles klar sein. Es war vage, und es war ungenügend, aber es war offenbar alles, was er herausbekommen sollte.

»Beruhte das auf Gegenseitigkeit?« fragte er ruhig. »Hatte der Maestro an Ihnen auch etwas auszusetzen?«

Sie warf einen Blick zu Brett Lynch, die wieder an ihrem Espresso nippte. Wenn zwischen den beiden etwas ausgetauscht wurde, so sah Brunetti es jedenfalls nicht.

Schließlich, als wäre sie unzufrieden mit der Rolle, die sie spielte, hob Signora Petrelli eine Hand, die Finger weit gespreizt, wie es Brunetti heute morgen auf dem Zeitungsfoto gesehen hatte, das sie als Norma zeigte. Sie streckte dramatisch die Hand von sich und sagte: »*Basta*. Genug damit.« Er war fasziniert von dem Wandel, der sich da vollzog, denn mit der Geste hatte sie Jahre abgeworfen. Abrupt stand sie auf, und die Härte verschwand aus ihrem Gesicht.

Sie drehte sich um und sah ihn voll an. »Früher oder später werden Sie sowieso alles erfahren, also erzähle ich es Ihnen besser.« Er hörte das leise Klicken von Porzellan, als die andere Frau ihre Tasse auf dem Tisch absetzte, aber er ließ die Sängerin nicht aus den Augen. »Er hat mir vorgeworfen, ich sei lesbisch und Brett sei meine Geliebte.« Sie hielt inne und wartete auf seine Reaktion. Als keine kam, fuhr sie fort. »Es fing am dritten Probentag an. Nichts Direktes oder Eindeutiges, nur die Art und Weise, wie er mit mir sprach und wie er von Brett sprach.« Wieder eine Pause, in der sie auf seine Reaktion wartete; wieder kam keine. »Am Ende der ersten Woche habe ich etwas zu ihm gesagt, was dann zu einer Auseinandersetzung führte, an deren Ende er sagte, er wolle meinem Mann schreiben.« Sie schwieg kurz und korrigierte sich dann: »Meinem Exmann.« Sie wartete die Wirkung auf Brunetti ab.

Neugierig geworden, fragte er: »Warum hätte er das tun sollen?«

»Mein Mann ist Spanier. Meine Scheidung wurde aber in Italien ausgesprochen. Und in Italien wurde mir auch das Sorgerecht für unsere Kinder zugesprochen. Wenn mein Mann hier in diesem Land so etwas gegen mich vorbringen würde...« Sie ließ den Satz unvollendet und machte damit klar, wie sie die Chancen sah, dann noch ihre Kinder behalten zu können.

»Und die Kinder?« wollte er wissen.

Sie schüttelte verwirrt den Kopf, verstand die Frage nicht.

»Die Kinder, wo sind sie?«

»In der Schule, wo sie hingehören. Wir wohnen in Mailand, und dort gehen sie auch zur Schule. Ich halte es nicht für richtig, sie überallhin mitzuschleppen, wo ich zufällig singe.« Sie kam auf ihn zu und setzte sich ans andere Ende des Sofas. Als er zu ihrer Freundin hinübersah, saß diese mit abgewandtem Gesicht da und sah auf den Glockenturm hinaus, beinahe, als ob dieses Gespräch sie nichts anginge.

Lange Zeit sagte keiner etwas. Brunetti dachte über das nach, was er eben erfahren hatte, und überlegte, ob es der Grund für sein instinktives Zurückweichen vor der Amerikanerin war. Aber er und Paola hatten so viele Freunde verschiedenster sexueller Neigungen, daß er es nicht für möglich hielt, selbst wenn die Anschuldigung stimmte.

»Nun?« fragte die Sängerin endlich.

»Nun was?« fragte er zurück.

»Wollen Sie nicht fragen, ob es stimmt?«

Er tat die Frage mit einem Kopfschütteln ab. »Ob es stimmt oder nicht, ist unwichtig. Wichtig ist, ob er seine Drohung wahrgemacht und es Ihrem Mann mitgeteilt hätte.« Während er sprach, hatte Brett Lynch sich wieder umgedreht und betrachtete ihn jetzt abwägend.

Als sie sprach, klang ihre Stimme ruhig. »Er hätte es getan. Jeder, der ihn gut kannte, weiß das. Und Flavias Mann würde Himmel und Hölle in Bewegung setzen, um das Sorgerecht für die Kinder zu bekommen.« Als sie den Namen ihrer Freundin aussprach, sah sie zu ihr hin, und ihre Blicke trafen sich für einen Moment. Sie rutschte tief in ihren Sessel, steckte die Hände in die Hosentaschen und streckte die Beine aus.

Brunetti betrachtete sie eingehend. Waren es ihre glänzenden Stiefel, das lässige Zurschaustellen von Reichtum in dieser Wohnung, was ihn veranlaßte, sie mit solcher Skepsis zu betrachten? Er versuchte klar zu denken, sie unvoreingenommen zu sehen, eine Frau Anfang dreißig, die ihm ihre Gastfreundschaft angeboten hatte und ihm nun offenbar ihr Vertrauen anbot. Im Gegensatz zu ihrer Arbeitgeberin – wenn es das war, was Flavia Petrelli darstellte – hielt sie nichts von dramatischen Gesten oder versuchte auf irgendeine Weise die herbe angelsächsische Schönheit ihrer Züge hervorzuheben.

Er sah, daß ihr perfekt geschnittenes Haar im Nacken feucht war, als hätte sie vor noch nicht allzu langer Zeit gebadet oder geduscht. Und als er sich wieder Flavia Petrelli zuwandte, merkte er, daß auch sie den frischen Duft einer Frau verströmte, die gerade dem Bad entstiegen war. Und plötzlich war er mitten in einer erotischen Phantasie, in der die beiden Frauen eng umschlungen in der Dusche standen, nackt, die Brüste aneinandergepreßt; und er war erstaunt, wie stark dieses Bild ihn berührte. O Gott, wieviel einfacher war es in Neapel gewesen, mit einem Fußtritt und einem Schubs.

Die Amerikanerin riß ihn aus seiner Träumerei, als sie fragte: »Heißt das, Sie glauben, Flavia könnte es getan haben? Oder ich?«

»Es ist viel zu früh, um darüber zu spekulieren«, antwortete er, obwohl das kaum stimmte. »Es ist viel zu früh, um über Verdächtige zu reden.«

»Aber es ist nicht zu früh, um über Motive zu reden«, sagte die Sängerin.

»Nein, das nicht«, gab er zu. Er mußte wohl kaum darauf hinweisen, daß sie jetzt offenbar eines hatte.

»Das heißt wohl, daß ich auch eins habe«, fügte ihre Freundin hinzu. Eine seltsamere Liebeserklärung hatte

Brunetti noch nie gehört. Oder war es Freundschaft? Oder Loyalität gegenüber der Arbeitgeberin? Und da hieß es immer, die Italiener seien kompliziert.

Er beschloß, sich nicht festzulegen. »Wie gesagt, es ist noch zu früh, um von Verdächtigen zu reden.« Und er beschloß, das Thema zu wechseln. »Wie lange sind Sie noch hier, Signora?«

»Bis wir alle Vorstellungen hinter uns haben«, sagte sie. »Das sind noch zwei Wochen. Bis zum Ende des Monats. Obwohl ich an den Wochenenden gern nach Mailand fahren würde.« Das klang wie eine Feststellung, aber es war klar, daß sie um seine Erlaubnis bat. Er nickte, was gleichzeitig Verständnis und offizielle polizeiliche Erlaubnis bedeutete, die Stadt zu verlassen.

Sie sprach weiter. »Danach weiß ich noch nicht genau. Ich habe keine weiteren Verpflichtungen bis...« Sie sah zu ihrer Freundin hinüber, die ohne Zögern hinzufügte: »Covent Garden, am fünften Januar.«

»Und bis dahin sind Sie in Italien?« fragte er.

»Bestimmt. Entweder hier oder in Mailand.«

»Und Sie, Miss Lynch?«

Ihr Blick war kühl, so kühl wie ihre Antwort. »Ich auch.« Und obwohl es kaum nötig war, fügte sie hinzu: »Bei Flavia.«

Er holte sein Notizbuch aus der Tasche und bat um die Mailänder Adresse. Flavia Petrelli gab sie ihm und, unaufgefordert, auch die Telefonnummer. Er notierte beides, steckte das Notizbuch weg und stand auf.

»Vielen Dank Ihnen beiden für Ihre Zeit«, sagte er förmlich.

»Glauben Sie, daß Sie mich noch einmal sprechen müssen?« fragte die Sängerin.

»Das hängt davon ab, was mir andere erzählen«, antwortete Brunetti, wobei er die Drohung bedauerte, die darin lag, nicht aber die Aufrichtigkeit. Sie hörte nur die Drohung, hob ihre Partitur auf und setzte sich wieder damit in den Sessel. Er interessierte sie nicht mehr.

Er machte einen Schritt auf die Tür zu und trat dabei in den Lichtschein eines der Dachfenster. Er sah nach oben, dann zu der Amerikanerin und fragte endlich: »Wie haben Sie es geschafft, diese Oberlichter zu bekommen?«

Sie ging an ihm vorbei in die Diele, blieb an der Eingangstür stehen und fragte: »Meinen Sie die Fenster oder die Erlaubnis, sie einbauen zu lassen?«

»Die Erlaubnis.«

Lächelnd antwortete sie: »Ich habe den Stadtplaner bestochen.«

»Wieviel?« fragte er automatisch, während er die Fläche berechnete. Sechs waren es, jedes ungefähr einen Meter im Quadrat.

Sie lebte offenbar schon lange genug in Venedig, um durch diese indiskrete Frage nicht gekränkt zu sein. Ihr Lächeln wurde noch breiter, und sie sagte: »Zwölf Millionen Lire«, als gebe sie ihm die Außentemperatur an.

Das hieß, rechnete Brunetti, ungefähr ein halbes Monatsgehalt pro Fenster.

»Aber das war vor zwei Jahren«, erklärte sie. »Wie ich gehört habe, sind die Preise inzwischen gestiegen.«

Er nickte. In Venedig unterlag selbst Bestechung der Inflation.

Sie gaben sich die Hand, und er war überrascht über die Herzlichkeit ihres Lächelns, als ob ihr Gespräch über Bestechung sie irgendwie zu Verschwörern gemacht hätte. Sie bedankte sich für seinen Besuch, obgleich das wohl kaum erforderlich war. Er reagierte mit der gleichen Höflichkeit und hörte in seiner Stimme echte Wärme. War er so leicht umzustimmen? Hatte die eben gezeigte Bereitschaft zur Korruption sie menschlicher gemacht? Er verabschiedete sich und grübelte über diese letzte Frage, während er die Treppen hinunterging und sich wieder über die wellige Unebenheit unter seinen Füßen freute.

9

Ins Präsidium zurückgekehrt, erfuhr er, daß die beiden ihm zugeteilten Beamten, Alvise und Riverre, in der Wohnung des Maestro gewesen waren, um seine persönlichen Sachen durchzusehen, und Dokumente und private Papiere mit zurückgebracht hatten, die jetzt gerade ins Italienische übersetzt wurden. Er rief im Labor an, wo es noch immer keine Ergebnisse über die Fingerabdrücke gab; immerhin konnten sie das Offenkundige bestätigen, nämlich, daß der Kaffee das Gift enthalten hatte. Miotti war nirgends zu finden, vermutlich war er noch im Theater. So rief Brunetti denn, weil er nichts anderes zu tun hatte und sowieso bald mit ihr reden mußte, die Witwe des Maestro an und fragte, ob sie am Nachmittag zu einem Gespräch bereit sei. Nach anfänglichem und durchaus verständlichem Zögern bat sie ihn, um vier zu kommen. Er suchte in der obersten Schublade seines Schreibtisches herum und fand eine halbvolle Tüte mit *bussolai*, den gesalzenen venezianischen Brezeln, die er so gerne aß. Kauend überflog er die Notizen, die er sich beim Lesen des Polizeiberichts aus Deutschland gemacht hatte.

Eine halbe Stunde vor seiner Verabredung mit Signora Wellauer brach er auf und ging langsam zur Piazza San Marco. Unterwegs sah er sich die Schaufenster an, und wie immer, wenn er durch die Innenstadt schlenderte, fand er es erschreckend, wie schnell das Bild sich veränderte. Er hatte den Eindruck, daß alle Geschäfte, die für die Bewohner die-

ser Stadt da waren, wie Apotheken, Schuster- und Gemüse-
läden, langsam und unaufhaltsam verschwanden, während
an ihre Stelle Hochglanzboutiquen und Souvenirläden traten, die nur für die Touristen da waren, vollgestopft mit von
innen beleuchteten Plastikgondeln aus Taiwan und Papier-
masken aus Hongkong. Die Kaufleute der Stadt stellten
sich auf die Wünsche der Durchreisenden ein statt auf die
Bedürfnisse der Einwohner. Er überlegte, wie lange es wohl
dauern würde, bis die ganze Stadt ein lebendes Museum
war, ein Ort, der nur für Besucher geeignet war, nicht aber,
um darin zu wohnen.

Wie zur Bestätigung seiner Überlegungen zog eine nicht
ganz jahreszeitgemäße Touristengruppe an ihm vorbei, an-
geführt von einem emporgehaltenen Regenschirm. Den
Kanal zu seiner Linken, überquerte er die Piazza, erstaunt
über die vielen Leute, denen offenbar die Tauben interes-
santer erschienen als die Basilika.

Hinter dem Campo San Moisè ging er über die Brücke
und bog nach rechts ab, dann wieder rechts in eine schmale
Gasse, die an einer großen Holztür endete.

Er läutete, und eine Lautsprecherstimme fragte nach seinem Namen. Er gab ihn an, und gleich darauf hörte er den
Türöffner. Die Eingangshalle war frisch restauriert, die
Deckenbalken abgezogen bis auf das ursprüngliche Holz
und glänzend lackiert. Auf dem Fußboden waren einge-
legte Marmorfliesen in einem geometrischen Muster aus
Wellen und Spiralen verlegt, wie er mit venezianisch ge-
schultem Auge feststellte. Aus der leichten Unebenheit
schloß er, daß es sich um den Originalboden des Hauses
handelte, vielleicht frühes fünfzehntes Jahrhundert.

Er begann die verschwenderisch breiten Stufen hochzu-
steigen. Auf jedem Treppenabsatz gab es eine einzige me-
tallene Tür, die einzelne Tür kündete von Reichtum, das
Metall von dem Wunsch, diesen Reichtum zu schützen. Die
gravierten Namensschilder sagten ihm, daß er noch weiter
hinaufsteigen mußte. Die Treppe endete im fünften Stock
vor einer weiteren Metalltür. Er drückte auf den Klingel-
knopf und wurde kurz darauf von der Frau begrüßt, mit der
er am Abend vorher im Theater gesprochen hatte, der
Witwe des Maestro.

Er nahm ihre ausgestreckte Hand, murmelte: »Permesso« und trat in die Wohnung.

Falls sie in der Nacht geschlafen hatte, sah man es ihrem
Gesicht nicht an. Sie hatte kein Make-up aufgelegt und sah
sehr blaß aus, was durch die dunklen Ringe unter ihren
Augen noch unterstrichen wurde. Aber selbst unter der
Müdigkeit konnte man die Schönheit durchschimmern sehen. Mit diesen Wangenknochen könnte sie sich noch im
hohen Alter sehen lassen, und ihre Nase gab ihr ein Profil,
nach dem sich die Leute umdrehten.

»Ich bin Commissario Brunetti. Wir haben gestern
abend miteinander gesprochen.«

»Ja, ich erinnere mich«, sagte sie. »Bitte kommen Sie hier
entlang.« Sie ging durch einen Flur voraus in ein großes
Arbeitszimmer. In einer Ecke war ein offener Kamin, in
dem ein Feuerchen brannte. Davor standen, durch einen
Couchtisch getrennt, zwei Sessel. Sie bot ihm mit einer
Handbewegung den einen an und setzte sich in den anderen. Auf dem Tisch stand ein voller Aschenbecher, in dem
eine brennende Zigarette lag. Im Hintergrund sah man

durch ein großes Fenster die ockerfarbenen Dächer der Stadt. An den Wänden hingen Bilder, die seine Kinder als »richtige Bilder« bezeichnet hätten.

»Möchten Sie einen Drink, Dottor Brunetti? Oder lieber Tee?« Ihre italienischen Sätze klangen wie aus dem Sprachführer, aber er fand es interessant, daß sie seinen richtigen Titel kannte.

»Bitte machen Sie sich keine Mühe, Signora«, antwortete er im selben Ton.

»Zwei von Ihren Polizisten waren heute vormittag hier. Sie haben einige Dinge mitgenommen.« Man merkte, daß ihr Italienisch nicht ausreichte, um diese Dinge zu benennen.

»Wäre es vielleicht einfacher für Sie, wenn wir Englisch sprechen würden?« fragte er in dieser Sprache.

»O ja«, sagte sie und lächelte zum ersten Mal, wobei er einen Eindruck von ihrer wahren Schönheit bekam. »Das wäre viel leichter für mich.« Ihr Gesicht wurde weicher, und sie wirkte gelöster. Sogar ihr Körper schien sich zu entspannen, nachdem die Sprachschwierigkeiten beseitigt waren. »Ich bin erst einige Male hier in Venedig gewesen, und es ist mir richtig peinlich, wie schlecht ich Italienisch spreche.«

Unter anderen Umständen hätte es die Situation erfordert, daß er widersprach und ihr ein Kompliment über ihr Italienisch machte. Statt dessen sagte er: »Mir ist klar, wie schwierig dies alles für Sie ist, Signora, und ich möchte Ihnen und Ihrer Familie mein Beileid aussprechen.« Warum klangen die Worte, mit denen wir uns dem Tod stellten, nur immer so unzureichend, so ganz und gar unaufrichtig? »Er war ein großer Musiker, sein Tod ist ein

Verlust für die gesamte Musikwelt. Aber Sie muß er viel schlimmer treffen.« Gestelzt und künstlich, aber besser konnte er es nicht.

Er sah die vielen Telegramme neben dem Aschenbecher, einige geöffnet, andere noch geschlossen. Wahrscheinlich hatte sie den ganzen Tag dasselbe gehört, aber sie ließ es sich nicht anmerken, sondern sagte nur: »Danke.« Dann holte sie eine Schachtel Zigaretten aus der Tasche ihres Pullovers, nahm sich eine und hob sie zum Mund, als ihr Blick auf die noch brennende im Aschenbecher fiel. Sie warf die unangezündete zusammen mit der Schachtel auf den Tisch, griff nach der im Aschenbecher glimmenden und tat einen langen, tiefen Zug, um schließlich zögernd den Rauch auszustoßen.

»Ja, in der Musikwelt wird man ihn vermissen«, meinte sie. Und bevor er zu dieser seltsamen Bemerkung etwas sagen konnte, fügte sie hinzu: »Und hier auch.« An ihrer Zigarette hatte sich noch kaum ein Millimeter Asche gebildet, aber sie schnippte sie ab, beugte sich vor und drehte das Ende an der Innenwand des Aschenbechers, als ob sie einen Bleistift anspitzen wollte.

Er holte sein Notizbuch aus der Tasche und schlug die Seite mit der Liste neuer Bücher auf, die er lesen wollte. Er hatte schon gestern abend festgestellt, daß sie fast schön war und es aus bestimmtem Blickwinkel und in bestimmtem Licht fraglos sein würde. Soviel sah man trotz der Erschöpfung, die ihr Gesicht heute wie ein Schleier überzog. Sie hatte weit auseinanderstehende blaue Augen und naturblondes Haar, das sie heute im Nacken zu einem schlichten Knoten gesteckt hatte.

»Wissen Sie, woran er gestorben ist?« fragte sie.

»Ich habe heute vormittag mit dem Pathologen gesprochen. Es war Zyankali. Im Kaffee.«

»Dann ist es schnell gegangen. Wenigstens das.«

»Ja«, stimmte er zu. »Wahrscheinlich auf der Stelle.« Er kritzelte in sein Buch und fragte: »Kennen Sie das Gift?«

Sie warf ihm einen raschen Blick zu, bevor sie antwortete. »Nicht besser als jeder Arzt.«

Er blätterte die Seite um. »Der Pathologe meinte, man käme nicht so leicht heran, an Zyankali«, log er.

Sie sagte nichts, also fragte er: »Was für einen Eindruck hatten Sie gestern abend von Ihrem Mann, Signora? War sein Verhalten in irgendeiner Weise seltsam oder ungewöhnlich?«

Sie spitzte weiter ihre Zigarette am Rand des Aschenbechers und meinte: »Nein, ich hatte eigentlich den Eindruck, daß er nicht anders war als sonst auch.«

»Und wie war das, wenn ich fragen darf?«

»Ein bißchen angespannt, in sich gekehrt. Er sprach vor der Vorstellung oder während der Pausen nicht gern mit Leuten. Er wollte durch nichts abgelenkt werden.«

Das erschien Brunetti ganz normal. »Kam er Ihnen nervöser vor als sonst?«

Sie überlegte einen Augenblick. »Nein, das kann ich nicht sagen. Wir sind gegen sieben zum Theater gegangen. Es ist ja nicht weit.« Er nickte. »Ich bin zu meinem Platz gegangen, auch wenn es noch früh war. Die Platzanweiser kannten mich von den Proben, sie haben mich eingelassen. Helmut ging hinter die Bühne, um sich umzuziehen und einen Blick auf die Partitur zu werfen.«

»Entschuldigen Sie, Signora, aber war Ihr Mann nicht berühmt dafür, daß er ohne Partitur dirigierte. Ich erinnere mich, so etwas gelesen zu haben.«

Sie lächelte. »O ja, sicher. Aber er hatte sie immer in seiner Garderobe und ging sie vor der Vorstellung noch einmal durch, auch während der Pausen.«

»Wollte er deshalb nicht gestört werden?«

»Ja.«

»Sie sagten, Sie seien gestern hinter die Bühne gegangen, um mit ihm zu sprechen.« Und als sie nicht antwortete, fragte er: »War das normal?«

»Nein, wie ich Ihnen schon sagte, mochte er es nicht, wenn jemand während einer Vorstellung mit ihm sprach. Er sagte immer, es störe seine Konzentration. Aber gestern bat er mich, nach dem zweiten Akt zu ihm zu kommen.«

»War jemand dabei, als er das sagte?«

Ihre Stimme bekam einen scharfen Unterton. »Meinen Sie, ob ich einen Zeugen dafür habe?« Brunetti nickte. »Nein, Signor Brunetti, ich habe keinen Zeugen. Aber es überraschte mich.«

»Warum?«

»Weil Helmut selten etwas tat, was... Ich weiß nicht genau, wie ich es nennen soll... aus dem Rahmen fiel. Er hielt sich fast immer streng an seine Routine. Deshalb war ich erstaunt, daß er mich bat, während einer Vorstellung zu ihm zu kommen.«

»Aber Sie sind gegangen?«

»Ja, das bin ich.«

»Warum wollte er Sie sehen?«

»Das weiß ich nicht. Ich traf Freunde im Foyer und

unterhielt mich ein paar Minuten mit ihnen. Ich hatte vergessen, daß man während einer Vorstellung nicht vom Orchester aus hinter die Bühne kann, daß man nach oben zu den Logen gehen muß. Und als ich schließlich bei seiner Garderobe ankam, gongte es schon zum zweiten Mal.«

»Haben Sie mit ihm gesprochen?«

Sie zögerte lange mit ihrer Antwort. Aber schließlich sagte sie: »Ja, aber ich habe nur hallo gesagt und gefragt, was er mir erzählen wollte. Aber dann hörten wir…« Hier hielt sie inne und drückte ihre Zigarette aus. Sie nahm sich viel Zeit dafür, während sie immer wieder mit der erloschenen Zigarette im Aschenbecher umherfuhr. Endlich ließ sie die Kippe fallen und sprach mit veränderter Stimme weiter. »Wir hörten den zweiten Gong. Es war keine Zeit mehr zum Reden. Ich sagte, ich käme nach der Vorstellung wieder, und ging zu meinem Platz zurück. Die Lichter gingen gerade aus, als ich mich setzte. Ich wartete, daß der Vorhang aufgehen und die Vorstellung weitergehen sollte, aber Sie wissen ja… Sie wissen ja, was dann geschah.«

»Ist Ihnen da zum ersten Mal der Gedanke gekommen, daß etwas nicht stimmen könnte?«

Sie griff nach der Zigarettenschachtel und zog eine heraus. Brunetti nahm das Feuerzeug vom Tisch und gab ihr Feuer. »Danke«, sagte sie und blies den Rauch von ihm weg.

»Ist Ihnen da zum ersten Mal klargeworden, daß etwas nicht stimmte?« wiederholte er.

»Ja.«

»Hat Ihr Mann sich in den letzten Wochen anders verhalten als sonst?« Als sie nicht antwortete, bohrte er weiter: »Nervös vielleicht, oder irgendwie reizbar?«

»Ich habe die Frage verstanden«, meinte sie knapp, dann sah sie ihn unsicher an und sagte: »Tut mir leid.«

Er hielt es für besser zu schweigen, anstatt auf ihre Entschuldigung einzugehen.

Und nach einem Weilchen beantwortete sie seine Frage. »Nein, er schien eigentlich nicht anders als sonst. Er hat die *Traviata* immer sehr geliebt, und er liebte diese Stadt.«

»Und die Proben sind gut verlaufen? Friedlich?«

»Ich bin nicht sicher, ob ich diese Frage verstehe.«

»Hatte Ihr Mann irgendwelche Schwierigkeiten mit den anderen, die an dieser Produktion beteiligt waren?«

»Nein, nicht daß ich wüßte«, antwortete sie nach kurzer Überlegung.

Brunetti fand es an der Zeit, zu ein paar persönlichen Fragen zu kommen. Er blätterte in seinem Notizbuch herum, warf einen Blick auf die leeren Seiten und fragte: »Wer wohnt hier, Signora?«

Falls sie der plötzliche Themenwechsel überraschte, so ließ sie es sich nicht anmerken. »Mein Mann und ich und eine Haushälterin.«

»Wie lange ist diese Haushälterin schon bei Ihnen?«

»Ich glaube, sie arbeitet schon zwanzig Jahre für Helmut. Ich habe sie erst kennengelernt, als wir zum ersten Mal nach Venedig kamen.«

»Und wann war das?«

»Vor zwei Jahren.«

»Ja?« versuchte er nachzuhelfen.

»Sie wohnt das ganze Jahr über hier, auch wenn wir nicht da sind.« Sie korrigierte sich rasch: »Wenn wir nicht da waren.«

»Wie heißt sie?«

»Hilda Breddes.«

»Sie ist keine Italienerin?«

»Nein, Belgierin.«

Er notierte sich das. »Wie lange waren Sie mit dem Maestro verheiratet?«

»Zwei Jahre. Wir haben uns in Berlin kennengelernt, wo ich damals arbeitete.«

»Und wie haben Sie sich kennengelernt?«

»Er dirigierte den *Tristan*. Ich bin mit Freunden, die auch mit ihm befreundet waren, hinter die Bühne gegangen. Nach der Vorstellung waren wir alle zusammen essen.«

»Wie lange haben Sie sich gekannt, bevor Sie heirateten?«

»Ungefähr ein halbes Jahr.« Sie war wieder damit beschäftigt, ihre Zigarette anzuspitzen.

»Sie sagten, Sie hätten in Berlin gearbeitet, aber Sie sind Ungarin.« Als sie schwieg, fragte er: »Stimmt das nicht?«

»Ja, ich bin gebürtige Ungarin. Aber ich habe die deutsche Staatsangehörigkeit. Mein erster Mann war Deutscher, wie Sie sicher inzwischen wissen, und als wir nach unserer Heirat nach Deutschland gingen, habe ich seine Staatsangehörigkeit angenommen.«

Sie drückte ihre Zigarette aus und blickte Brunetti an, als sei sie nun bereit, ihre ganze Aufmerksamkeit seinen Fragen zu widmen. Er wunderte sich, daß sie sich ausgerechnet auf diese Tatsachen konzentrieren wollte, denn sie waren allgemein bekannt. Die Antworten über ihre Ehen stimmten, das wußte er, weil Paola, die hoffnungslos der Regenbogenpresse verfallen war, ihn heute morgen mit den Details versorgt hatte.

»Ist das nicht ungewöhnlich?« fragte er.

»Ist was ungewöhnlich?«

»Daß Sie nach Deutschland gehen und die deutsche Staatsangehörigkeit annehmen durften.«

Sie lächelte, aber es wirkte nicht amüsiert. »Nicht so ungewöhnlich, wie Sie hier im Westen vielleicht annehmen.« War das Spott? »Ich war eine verheiratete Frau, verheiratet mit einem Deutschen. Seine Aufgabe in Ungarn war beendet, und er ging in sein Land zurück. Ich stellte den Antrag, mit meinem Mann gehen zu dürfen, und dem wurde stattgegeben. Selbst unter der alten Regierung waren wir keine Wilden. Die Familie bedeutet den Ungarn sehr viel.« Wie sie das sagte, hatte Brunetti den Eindruck, daß sie glaubte, für Italiener sei sie nur von geringer Bedeutung.

»Ist er der Vater Ihres Kindes?«

Die Frage überraschte sie sichtlich. »Wer?«

»Ihr erster Mann.«

»Ja.« Sie griff nach einer neuen Zigarette.

»Lebt er noch in Deutschland?« fragte Brunetti, während er ihr Feuer gab, und dabei wußte er doch, daß der Mann an der Heidelberger Universität lehrte.

»Ja.«

»Stimmt es, daß Sie vor Ihrer Ehe mit dem Maestro Ärztin waren?«

»Commissario«, sagte sie mit Zorn in der Stimme, den sie kaum zu verbergen suchte, »ich bin noch immer Ärztin und werde es weiter sein. Im Augenblick praktiziere ich nicht, aber glauben Sie mir, Ärztin bin ich trotzdem.«

»Es tut mir leid, Dottoressa«, sagte er mit aufrichtigem Bedauern über seine Dummheit. Rasch ging er zu einem anderen Thema über. »Und Ihre Tochter, lebt sie hier bei Ihnen?«

Er sah den unwillkürlichen Griff zur Zigarettenschachtel, beobachtete, wie sie ihre Hand zu der brennenden Zigarette umlenkte und statt dessen diese nahm. »Nein, sie ist bei ihren Großeltern in München. Es wäre zu kompliziert, sie in eine fremdsprachige Schule zu schicken, solange wir hier sind, darum sind wir übereingekommen, daß es am besten für sie ist, wenn sie in München bleibt.«

»Bei den Eltern Ihres früheren Mannes?«

»Ja.«

»Wie alt ist sie, Ihre Tochter?«

»Dreizehn.«

»Ah ja«, sagte er und verstand. Seine eigene Tochter, Chiara, war genauso alt, und er wußte, wie herzlos es wäre, sie in einem fremden Land zur Schule zu schicken. »Werden Sie jetzt wieder praktizieren?«

Sie dachte ein Weilchen nach, bevor sie darauf antwortete. »Ich weiß es nicht. Vielleicht. Ich würde gern Menschen heilen. Aber es ist noch zu früh, darüber nachzudenken.« Brunetti nickte schweigend.

»Wenn Sie erlauben, Signora, und mir vielleicht im voraus die Frage verzeihen, könnten Sie mir sagen, ob Ihnen bekannt ist, welche Art finanzieller Vorsorge Ihr Mann getroffen hat?«

»Sie meinen, was mit seinem Geld passiert?« Bemerkenswert direkt.

»Ja.«

Ihre Antwort kam ohne Zögern. »Ich weiß nur, was Helmut mir gesagt hat. Wir hatten keine förmliche Vereinbarung, nichts Schriftliches, wie man es heute hat, wenn man heiratet.« Ihr Tonfall schloß solche Denkweise aus. »Meines Wissens erben fünf Personen sein Vermögen.«

»Und die wären?«

»Seine Kinder aus den früheren Ehen. Er hatte eines aus der ersten und drei aus der zweiten. Und ich selbst.«

»Und Ihre Tochter?«

»Nein«, sagte sie rasch. »Nur seine eigenen Kinder.«

Es kam Brunetti ziemlich normal vor, daß ein Mann sein Geld nur den Kindern hinterlassen wollte, die mit ihm blutsverwandt waren. »Haben Sie eine Ahnung, um welche Summen es geht?« Witwen wußten das für gewöhnlich, und ebenso behaupteten sie für gewöhnlich, es nicht zu wissen.

»Ich glaube, es ist sehr viel. Aber sein Agent oder sein Anwalt kann Ihnen da besser Auskunft geben als ich.« Seltsamerweise hatte er das Gefühl, als wisse sie es wirklich nicht. Und noch seltsamer: es klang, als interessiere es sie nicht.

Die Zeichen der Erschöpfung, die ihm schon beim Hereinkommen an ihr aufgefallen waren, hatten sich im Laufe ihres Gesprächs verstärkt. Sie hielt die Schultern nicht mehr so straff, und zu beiden Seiten ihres Mundes verliefen scharfe Falten von der Nase zum Kinn. »Ich habe nur noch ein paar wenige Fragen«, sagte er.

»Möchten Sie etwas trinken?« Es war klar, daß sie nur der Höflichkeit Genüge tat.

»Danke, aber nein. Ich werde meine Fragen stellen und Sie dann allein lassen.« Sie nickte matt, beinah als wüßte sie, daß jetzt die Fragen kamen, derentwegen er hier war.

»Signora, ich wüßte gern etwas über die Beziehung zwi-

schen Ihnen und Ihrem Mann.« Er merkte, wie sie sichtlich zurückhaltender und defensiver wurde. Er bohrte
nach. »Der Altersunterschied zwischen Ihnen war be-
trächtlich.«

»Ja, das war er.«

Er schwieg und wartete. »Helmut war siebenunddreißig
Jahre älter als ich«, sagte sie endlich ganz sachlich, nicht
wie ein Eingeständnis, und es machte sie ihm sympathisch.
Dann war sie ein paar Jahre älter, als er geschätzt hatte, so
alt wie Paola. Wellauer war acht Jahre jünger als Brunettis
Großvater. So seltsam er den Gedanken auch fand, Brunetti versuchte, es sich nicht anmerken zu lassen. Wie
mochte das für diese Frau gewesen sein, mit einem Mann,
der beinah zwei Generationen älter war als sie? Er sah, daß
sie unter seinem eindringlichen Blick unbehaglich hin und
her rutschte, und schaute einen Moment zur Seite, als
überlegte er sich seine nächste Frage.

»Gab es aufgrund dieses Altersunterschiedes Probleme
in Ihrer Ehe?« Wie durchsichtig war doch die Wolke von
Beschönigungen, die solche Verbindungen stets umgab.
So höflich die Frage auch gestellt war, hatte sie doch etwas
Voyeuristisches, und das machte ihn verlegen.

Ihr Schweigen zog sich so lange hin, daß er nicht wußte,
ob es an ihrem Abscheu über seine Neugier oder an der
Gestelztheit seiner Formulierung lag. Plötzlich sagte sie
mit sehr müder Stimme: »Durch den Alters- und Genera-
tionsunterschied sahen wir die Welt verschieden, aber ich
habe ihn geheiratet, weil ich ihn liebte.« Brunettis Instinkt
sagte ihm, daß er eben die Wahrheit gehört hatte, aber derselbe Instinkt sagte ihm auch, daß er in der Aussage über

die Liebe nur den Singular gehört hatte. Sein Feingefühl verbot es ihm, darüber noch weitere Fragen zu stellen.

Zum Zeichen, daß er fertig war, klappte er sein Notizbuch zu und steckte es in die Tasche. »Vielen Dank, Signora. Es war sehr freundlich, daß Sie sich in dieser Situation mit mir unterhalten haben.« Er hielt inne, er wollte nicht wieder in Übertreibungen oder Platitüden verfallen. »Haben Sie schon irgendwelche Vorkehrungen für die Beerdigung getroffen?«

»Morgen. Um zehn. In San Moisè. Helmut hat diese Stadt geliebt und immer gehofft, einmal das Privileg zu haben, hier beerdigt zu werden.«

Das wenige, was Brunetti über den Dirigenten gelesen und gehört hatte, ließ ihn vermuten, daß Privilegien für den Toten etwas waren, was nur er verleihen konnte, aber vielleicht hatte Venedig ja genügend Grandeur, um da eine Ausnahme zu bilden. »Ich hoffe, Sie haben nichts dagegen, wenn ich hinkomme.«

»Nein, natürlich nicht.«

»Nun habe ich noch eine Frage, auch eine schmerzliche. Wissen Sie von irgend jemandem, der Ihrem Mann übelwollte? Gibt es jemanden, mit dem er kürzlich Streit hatte, jemanden, den er aus irgendwelchen Gründen fürchten mußte?«

Sie lächelte nur leicht, aber sie lächelte. »Heißt das«, fragte sie, »ob mir jemand einfällt, der ihn hätte umbringen wollen?«

Brunetti nickte.

»Seine Karriere war sehr lang, und ich bin sicher, daß er in dieser Zeit viele Menschen gekränkt hat. Es gab bestimmt

Leute, die ihn nicht mochten. Aber ich kann mir keinen vorstellen, der so etwas tun würde.« Abwesend fuhr sie mit dem Finger über die Armlehne ihres Sessels. »Und niemand, der Musik liebte, könnte so etwas tun.«

Er stand auf und streckte die Hand aus. »Ich danke Ihnen, Signora, für Ihre Zeit und Ihre Geduld.« Sie stand ebenfalls auf und nahm seine Hand. »Bemühen Sie sich nicht«, sagte er und meinte damit, daß er den Weg nach draußen schon allein finden würde. Sie schüttelte rasch und ablehnend den Kopf und ging voraus zur Tür. Dort gaben sie sich noch einmal schweigend die Hand. Er ging, beunruhigt durch dieses Gespräch, und nicht ganz sicher, ob der Grund nur die Platitüden und übertriebenen Höflichkeiten von seiner Seite waren oder etwas, das er aus Unaufmerksamkeit nicht recht mitbekommen hatte.

10

Inzwischen war die Dunkelheit heraufgezogen, jene unvermittelt einbrechende, frühe Winterdämmerung, die noch zu der Trostlosigkeit beitrug, die auf der Stadt lastete, bis sie durch das Frühjahr erlöst wurde. Er beschloß, nicht ins Büro zurückzugehen. Er hatte keine Lust, sich zu ärgern, falls der Laborbericht immer noch nicht da war, und er wollte auch die Akte aus Deutschland nicht noch einmal lesen. Beim Gehen dachte er darüber nach, wie wenig er eigentlich über den Toten erfahren hatte. Gut, er hatte eine Menge Informationen über den Mann, aber alles war merkwürdig unscharf, zu förmlich und unpersönlich. Ein Genie, ein Homophober, ein Mann, den die Musikwelt anbetete und der von einer Frau geliebt wurde, die halb so alt war wie er, dennoch ein Mann, dessen Wesen nicht zu greifen war. Brunetti kannte Fakten, aber er hatte keine Ahnung von der Wirklichkeit.

Im Weitergehen machte er sich Gedanken darüber, durch welche Mittel er an seine Informationen gekommen war. Die Quellen von Interpol standen ihm zur Verfügung, er hatte die volle Unterstützung der deutschen Polizei, und durch seine Position konnte er die Hilfe des gesamten italienischen Polizeiapparates in Anspruch nehmen. Da lag es doch auf der Hand, daß der verläßlichste Weg zu einem genauen Bild des Mannes über die unfehlbare Quelle aller Informationen führte – den Klatsch.

Es wäre übertrieben, sagen zu wollen, daß Brunetti

Paolas Eltern, den Conte und die Contessa Falier, nicht mochte, aber ebenso übertrieben zu sagen, daß er sie mochte. Sie waren für ihn ebenso rätselhaft wie ein Kranichpaar für jemanden, der gewöhnt ist, den Tauben im Park Brotkrümel zu streuen. Sie gehörten zu einer seltenen und eleganten Spezies, und Brunetti hegte, nachdem er sie fast zwei Jahrzehnte kannte, zugegebenermaßen gemischte Gefühle über die Unvermeidbarkeit ihres Aussterbens.

Der Conte Falier, der mütterlicherseits zwei Dogen zu seinen Vorfahren zählte, konnte seine Familie bis ins zwölfte Jahrhundert zurückverfolgen und tat es auch. In den Zweigen seines Stammbaums hockten Kreuzfahrer, ein oder zwei Kardinäle, ein weniger bedeutender Komponist und der frühere italienische Botschafter am Hof des Königs Zog von Albanien. Paolas Mutter war in Florenz geboren, obwohl ihre Familie kurz nach diesem Ereignis in den Norden gezogen war. Sie berief sich auf Abstammung von den Medici, und in einer Art genealogischem Schachspiel, das auf die Leute aus ihren Kreisen eine seltsame Faszination ausübte, setzte sie den Dogen ihres Mannes einen Papst und einen millionenschweren Tuchhändler entgegen, dem Kardinal einen Cousin Petrarcas, dem Komponisten einen berühmten Kastraten (leider ohne Nachkommen) und dem Botschafter Garibaldis Banker.

Sie bewohnten einen Palazzo, der sich schon mindestens drei Jahrhunderte im Besitz der Falieri befand, ein riesiges, weitläufiges Gemäuer am Canal Grande, das im Winter buchstäblich unheizbar war und vor dem bevorstehenden Kollaps nur durch die Dauerdienste einer Schar von Maurern, Bauunternehmern, Klempnern und Elektrikern be-

wahrt wurde, die dem Conte bei der venezianischen Dauer-
schlacht gegen die unerbittlichen Mächte von Zeit, Gezei-
ten und industrieller Luftverschmutzung bereitwillig zur
Seite standen.

Brunetti hatte die Zimmer des Palazzo nie gezählt und
sich immer gescheut zu fragen, wie viele es eigentlich
waren. Auf drei Seiten umgaben Kanäle die vier Stockwerke, die Rückseite stützte eine säkularisierte Kirche. Er
ging nur bei offiziellen Anlässen hin: Heiligabend, um
Fisch zu essen und Geschenke auszutauschen, am Namens-
tag des Conte Orazio, an dem sie aus irgendeinem Grunde
Fasan aßen und wiederum Geschenke brachten, und zum
Redentorefest, wozu sie *pasta e fagioli* aßen und sich das
Feuerwerk über der Piazza San Marco ansahen. Seine Kinder besuchten ihre Großeltern zu diesen Anlässen mit Begeisterung, und er wußte, daß sie auch sonst öfter hingin-
gen, allein oder mit Paola. Er redete sich gern ein, es seien
vor allem der Palazzo und die unzähligen Erkundungs-
möglichkeiten, die er bot, konnte sich aber des Verdachts
nicht erwehren, daß sie ihre Großeltern schlicht liebten und
sich wohl bei ihnen fühlten, zwei Phänomene, die Brunetti
völlig rätselhaft waren.

Der Conte war »im Finanzgeschäft«. In den siebzehn
Jahren seiner Ehe mit Paola hatte Brunetti nie eine andere
Beschreibung für den Beruf ihres Vaters gehört. Er wurde
nicht als Finanzier bezeichnet, zweifellos, weil man dahinter womöglich etwas Manuelles hätte vermuten können,
wie Geldzählen oder ins Büro Gehen. Nein, der Conte war
»im Finanzgeschäft« wie De Beers »im Diamanten-« oder
Thyssen »im Stahlgeschäft«.

Die Contessa hingegen war »in der Gesellschaft«, was bedeutete, daß sie die Eröffnungsvorstellungen der vier großen Opernhäuser Italiens besuchte, Benefizkonzerte fürs italienische Rote Kreuz organisierte und jedes Jahr zur Karnevalszeit einen Maskenball für vierhundert Gäste gab.

Brunetti seinerseits verdiente als Commissario bei der Polizei etwas über drei Millionen Lire im Monat, seiner Schätzung nach nur wenig mehr als der Betrag, den sein Schwiegervater monatlich dafür hinblätterte, daß sein Boot vor dem Palazzo liegen durfte. Vor zehn Jahren hatte der Conte eine Zeitlang versucht, Brunetti dazu zu überreden, daß er die Polizeiarbeit aufgab und bei ihm ins Bankgeschäft einstieg. Er wies immer wieder darauf hin, daß Brunetti sein Leben nicht in Gesellschaft von Steuerschwindlern, Frauenquälern, Zuhältern, Dieben und Perversen verbringen sollte. Die Angebote hatten an einem Weihnachtsabend ihr plötzliches Ende gefunden, als Brunetti der Geduldsfaden riß und er erklärte, wenn sie auch mit denselben Leuten zu tun hätten, so bleibe ihm doch wenigstens der Trost, sie festnehmen zu können, während der Conte sie zum Essen einladen müsse.

So fragte er Paola denn abends etwas beklommen, ob sie vielleicht zu der Party gehen könnten, die anläßlich der Eröffnung einer Ausstellung französischer Impressionisten im Dogenpalast am nächsten Abend bei ihren Eltern stattfand.

»Aber woher wußtest du denn von dieser Party?« fragte Paola erstaunt.

»Ich habe es in der Zeitung gelesen.«

»Bei meinen Eltern, und du liest davon in der Zeitung?«

Das schien Paolas atavistische Auffassung von der Familie zu kränken.

»Ja, aber fragst du sie?«

»Guido, sonst muß ich dir drohen, damit du wenigstens zum Weihnachtsessen mitgehst, und jetzt willst du plötzlich zu einer ihrer Parties? Warum?«

»Weil ich mit der Sorte von Leuten reden möchte, die zu so was hingehen.«

Paola, die gerade Arbeiten ihrer Studenten korrigierte, als er hereinkam, legte sorgsam den Füller hin und bedachte ihn mit einem Blick, den sie sich sonst für grobe Sprachschnitzer aufhob. Wenn derartiges in den Arbeiten unter ihrer Feder auch nicht ungewöhnlich war, aus dem Munde ihres Mannes war sie es nicht gewohnt. Sie sah ihn lange an, während sie eine jener Antworten formulierte, die er oft ebenso liebte wie fürchtete, und sagte dann: »Ich glaube kaum, daß sie etwas dagegen hätten, wenn du in dieser eleganten Form darum bittest.« Damit nahm sie ihren Füller wieder auf und beugte sich über ihre Arbeit.

Es war spät, und er wußte, daß sie müde war, also machte er sich am Tresen zu schaffen und kochte Kaffee. »Du weißt doch, daß du nicht schlafen kannst, wenn du so spät noch Kaffee trinkst«, sagte sie, nachdem sie den Geräuschen entnommen hatte, was er tat.

Er ging auf dem Weg zum Herd an ihr vorbei und zerwühlte ihr Haar. »Ich finde schon etwas, womit ich mich beschäftigen kann.«

Sie grunzte, strich energisch einen Satz durch und fragte: »Warum willst du diese Leute treffen?«

»Um soviel wie möglich über Wellauer zu erfahren. Ich

habe über sein Genie gelesen, über seine Karriere und seine Ehefrauen, aber ich weiß eigentlich immer noch nicht, was er für ein Mensch war.«

»Und du glaubst«, sagte sie spitz, »daß die Sorte von Leuten, die zu den Parties meiner Eltern geht, etwas über ihn weiß?«

»Ich möchte soviel wie möglich über sein Privatleben erfahren, und diese Leute wissen solche Sachen.«

»Das sind die Dinge, über die du in *Stop* lesen kannst.« Er war immer wieder aufs neue erstaunt, daß ein Mensch, der englische Literatur an der Universität unterrichtete, so vertraut mit der Regenbogenpresse sein konnte.

»Paola«, sagte er. »Ich möchte Dinge über diesen Mann erfahren, die wahr sind. In *Stop* liest man über Mutter Theresas Abtreibung.«

Sie grunzte wieder und blätterte eine Seite um, wobei sie eine ärgerliche Spur blauer Kleckse hinterließ.

Er machte den Kühlschrank auf, holte die Milch heraus, schüttete etwas in einen Topf und stellte ihn zum Heißwerden auf den Herd. Aus langer Erfahrung wußte er, daß sie es ablehnen würde, eine Tasse Kaffee zu trinken, auch wenn er noch so viel Milch hineinschüttete, und steif und fest behaupten würde, sie könnte danach nicht schlafen. Aber sobald er seinen trank, würde sie daran nippen, schließlich den größten Teil trinken und dann schlafen wie ein Stein. Er holte eine Tüte mit Keksen aus dem Schrank, die sie für die Kinder kauften, und sah nach, wie viele noch übrig waren.

Als der Kaffee in den oberen Teil der Maschine gesprudelt war, schüttete er ihn in einen Becher, fügte die dampfende Milch und weniger Zucker hinzu, als er eigentlich mochte, und ging damit zum Tisch, wo er sich Paola gegenübersetzte. Geistesabwesend und ganz in ihre Arbeit vertieft, griff sie nach seinem Becher und nippte, noch bevor er selbst getrunken hatte. Als sie ihn wieder abgestellt hatte, legte er die Hand darum, nahm ihn aber nicht hoch. Sie drehte eine Seite um, griff nach dem Becher und sah auf, als er nicht losließ.

»Hä?« machte sie.

»Nicht, bevor du versprichst, deine Mutter anzurufen.«

Sie versuchte, seine Hand wegzuschieben. Als er nicht losließ, kritzelte sie mit ihrem Stift ein Schimpfwort darauf.

»Du mußt einen Anzug anziehen.«

»Ich ziehe immer einen Anzug an, wenn ich zu deinen Eltern gehe.«

»Schon, aber du siehst nie besonders glücklich aus, wenn du einen anhast.«

»Also gut«, meinte er lächelnd. »Ich verspreche, einen Anzug anzuziehen und glücklich darin auszusehen. Rufst du deine Mutter an?«

»Na schön«, lenkte sie ein. »Aber das mit dem Anzug habe ich ernst gemeint.«

»Ja, mein Schatz.« Er ließ den Kaffeebecher los und schob ihn ihr hin. Als sie einen weiteren Schluck genommen hatte, fischte er einen Keks aus der Tüte und tunkte ihn in den Kaffee.

»Du bist abscheulich«, sagte sie und lächelte dann.

»Ein Bauer eben«, stimmte er zu und steckte den Keks in den Mund.

Paola redete nie viel darüber, wie es gewesen war, in

einem Palazzo aufzuwachsen, mit englischem Kindermädchen und einem Heer dienstbarer Geister, aber wenn er überhaupt etwas über diese Jahre wußte, dann immerhin soviel, daß sie nie hatte eintunken dürfen. Er sah das als großen Fehler in ihrer Erziehung an und bestand darauf, daß ihre Kinder es durften. Sie hatte sich, wenn auch sehr zögernd, einverstanden erklärt. Keines ihrer Kinder zeigte, worauf er nie hinzuweisen versäumte, ernste Anzeichen moralischen oder psychischen Verfalls.

An der Art und Weise, wie sie hastig einen Kommentar ans Ende der Seite kritzelte, merkte er, daß sie für heute mit ihrer Geduld am Ende war.

»Ich habe diese Dummköpfe so satt, Guido«, erklärte sie, während sie ihren Füller zuschraubte und auf den Tisch warf. »Ich hätte es fast lieber mit Mördern zu tun. Die kann man wenigstens bestrafen.«

Der Kaffeebecher war leer, sonst hätte er ihn ihr hingeschoben. Statt dessen stand er auf und holte eine Flasche Grappa aus dem Schrank. Es war der einzige Trost, der ihm im Moment einfiel.

»Wunderbar«, sagte sie. »Erst Kaffee und jetzt Grappa. Wir werden kein Auge zutun.«

»Sollen wir versuchen, uns gegenseitig wachzuhalten?« fragte er. Sie strahlte.

11

Am nächsten Morgen war er um acht Uhr in der Questura, unter dem Arm die Tageszeitungen, die er rasch durchsah. Es gab wenig neue Informationen, das meiste war schon am Tag zuvor gesagt worden. Die Zusammenfassungen über Wellauers Karriere waren länger, die Rufe, der Mörder müsse zur Strecke gebracht werden, schärfer, aber es war nichts dabei, was Brunetti nicht bereits wußte.

Der Laborbericht lag auf seinem Schreibtisch. Die Fingerabdrücke auf der Kaffeetasse, in der man Spuren von Zyankali gefunden hatte, stammten ausschließlich von Wellauer. In seiner Garderobe gab es massenweise andere Abdrücke, viel zu viele, um sie alle zu untersuchen. Er entschied, keine Fingerabdrücke nehmen zu lassen. Da auf der Tasse nur Wellauers waren, schien es nicht sehr sinnvoll, alle anderen im Zimmer identifizieren zu lassen.

Bei dem Bericht über die Fingerabdrücke lag eine Liste der Gegenstände, die sich in der Garderobe befunden hatten. An die meisten erinnerte er sich: Die Partitur von *La Traviata*, jede Seite voller Notizen in der spitzen gotischen Schrift des Dirigenten; ein Kamm, eine Brieftasche, Kleingeld, die Kleidungsstücke, die er getragen hatte und die im Schrank, ein Taschentuch und eine Schachtel Pfefferminz. Außerdem hatte man eine Rolex Oyster, einen Stift und ein kleines Adreßbuch gefunden.

Die Beamten, die sich in der Wohnung des Dirigenten umgesehen hatten – Durchsuchung konnte man es wohl kaum nennen –, hatten auch einen Bericht verfaßt, aber da sie keine Ahnung hatten, wonach sie suchen sollten, machte Brunetti sich wenig Hoffnung, daraus irgend etwas Interessantes oder Wichtiges entnehmen zu können. Dennoch las er ihn sorgfältig durch.

Der Maestro besaß eine bemerkenswert komplette Garderobe für einen Mann, der jedes Jahr nur ein paar Wochen in dieser Stadt verbrachte. Brunetti staunte über die Genauigkeit, mit der die Notizen sich der Kleidung widmeten: »Schwarzes Kaschmir-Jackett, doppelt geschlitzt (Duca D'Aosta), Pullover, kobaltblau und mattbraun, Größe 52 (Missoni).« Einen Moment fragte er sich, ob er sich vielleicht verlaufen hatte und in Valentinos Boutique gelandet war statt im Polizeipräsidium. Er blätterte ans Ende und fand, wie befürchtet, die Unterschriften von Alvise und Riverre. Den beiden Beamten, die vor einem Jahr über eine Leiche, die am Lido aus dem Meer gefischt wurde, ins Protokoll geschrieben hatten: »Allem Anschein nach Erstickungstod.«

Er wandte sich wieder dem Bericht zu. Die Signora teilte offenbar das Interesse ihres verstorbenen Mannes an Kleidung nicht. Und Alvise und Riverre schienen auch keine hohe Meinung von ihrem Geschmack zu haben. »Varesestiefel, nur ein Paar. Schwarzer Wollmantel, ohne Herstelleretikett.« Die Bibliothek hingegen hatte sie anscheinend beeindruckt. Sie wurde als »umfangreich, in drei Sprachen sowie einer vierten, offenbar Ungarisch« bezeichnet.

Brunetti blätterte weiter. In der Wohnung gab es zwei Gästezimmer, jedes mit eigenem Bad. Frische Handtücher, leere Schränke, Dior-Seife.

Von Signora Wellauers Tochter keine Anzeichen. Nichts deutete auf die Anwesenheit des dritten Familienmitglieds hin. Keines der beiden übrigen Zimmer enthielt Garderobe, Bücher oder andere Sachen, die einem Teenager gehören konnten. Angesichts dessen, daß Brunetti über Beweise der Anwesenheit seiner eigenen Tochter ständig stolperte, fand er das merkwürdig. Signora Wellauer hatte ihm gesagt, ihre Tochter gehe in München zur Schule. Aber es mußte schon ein bemerkenswertes Kind sein, das es schaffte, seinen ganzen Krimskrams mitzunehmen.

Es folgte eine Beschreibung des Zimmers der belgischen Haushälterin, das den beiden Beamten anscheinend zu einfach möbliert war, sowie der Angestellten selbst, die sie zurückhaltend, aber hilfsbereit fanden. Zuletzt wurde das Arbeitszimmer des Maestro beschrieben, in dem sie »Dokumente« gefunden hatten. Einige hatten sie offenbar mitgenommen und zum Übersetzen gegeben, auf einem beiliegenden Blatt erklärte die Übersetzerin, es handle sich bei den meisten Papieren um Geschäftliches und Vertragsangelegenheiten. Ein Terminkalender war durchgesehen und für unwichtig befunden worden.

Brunetti beschloß, die beiden Autoren dieses Dokuments zu suchen und sich so den Ärger zu ersparen, darauf warten zu müssen, daß sie seiner Aufforderung Folge leisteten und in sein Büro heraufkamen. Da es fast neun war, wußte er, daß er sie in der Bar auf der anderen Seite des Ponte dei Greci finden würde. Nicht die exakte Stunde, sondern die Tatsache, daß es Vormittag war, machte diesen Schluß zwingend.

Auch wenn Brunetti davor graute, die beiden bei jeder

Ermittlung aufgebürdet zu bekommen, mochte er sie eigentlich ganz gern. Alvise war ein kleiner, vierschrötiger Mann Ende Vierzig, beinah die Karikatur des dunkelhäutigen Sizilianers, allerdings stammte er aus Tarvisio an der österreichischen Grenze. Er war der anerkannte Experte für Volksmusik, weil er einmal, vor fünfzehn Jahren, ein signiertes Programmheft von Mina, der italienischen Königin der *Canzoni*, ergattert hatte. Das Ereignis war im Lauf der Jahre – wie Mina – durch häufiges Erzählen überdimensional angeschwollen, bis Alvise jetzt, das Blitzen befriedigter Sehnsüchte im Blick, auch noch andeutete, es habe sich viel mehr zwischen ihnen abgespielt. Die Geschichte verlor auch nicht dadurch, daß die Sängerin einen Kopf größer als Alvise und inzwischen fast doppelt so dick war.

Riverre, sein Partner, war rothaarig und stammte aus Palermo. Sein Interesse galt einzig dem Fußball und den Frauen, in dieser Reihenfolge. Der Höhepunkt seines bisherigen Lebens war, daß er die Ausschreitungen im Brüsseler Fußballstadion überlebt hatte. Seine Heldentaten bis zum Eintreffen der belgischen Polizei reicherte er mit Geschichten über seine Erfolge bei Frauen an, meist Ausländerinnen, die seiner Darstellung nach reihenweise der Sense seines Charmes zum Opfer fielen.

Brunetti fand die beiden, wie erwartet, am Tresen der Bar. Riverre las die Sportzeitung, und Alvise war in ein Gespräch mit Arianna, der Barbesitzerin, vertieft. Keiner bemerkte sein Eintreten, bis er am Tresen stand und einen Kaffee bestellte. Alvise grinste freundlich, und Riverre riß sich gerade so lange von der Zeitung los, um seinen Vorgesetzten zu begrüßen.

»Noch zwei Kaffee, Arianna«, sagte Alvise, »alle drei auf meine Rechnung.«

Brunetti durchschaute sein Manöver, ihn wegen des Kaffees milde zu stimmen. Als der Kaffee kam, stand Riverre bei ihnen, und die Zeitung hatte sich auf wundersame Weise in einen blauen Aktendeckel verwandelt, der jetzt an ihrer Stelle aufgeschlagen auf dem Tresen lag.

Brunetti nahm sich zwei Stück Zucker und ließ seinen Löffel in der Tasse kreisen. »Haben Sie beide die Wohnung des Maestro durchsucht?«

»Ja, Commissario«, strahlte Alvise.

»Und was für eine Wohnung«, pflichtete Riverre bei.

»Ich habe mir eben Ihren Bericht angesehen.«

»Arianna, ein paar Brioches bitte.«

»Ich habe ihn mit großem Interesse gelesen.«

»Danke, Commissario.«

»Besonders die Kommentare über seine Garderobe. Gehe ich recht in der Annahme, daß Sie die englischen Anzüge nicht sonderlich mochten?«

»Stimmt«, antwortete Riverre, der wie immer nichts begriff. »Ich finde, die Hosenbeine sind zu weit geschnitten.«

Alvise griff über den Tresen, um den Aktendeckel aufzuschlagen, und stieß seinen Partner dabei ganz aus Versehen gegen den Arm, vielleicht etwas härter als nötig. »Sonst noch was, Commissario?« fragte er.

»Ja. Haben Sie bei Ihrem Besuch einen Hinweis auf die Tochter der Signora gefunden?«

»Gibt es da eine Tochter?« Das kam wie vorherzusehen von Riverre.

»Darum frage ich ja. Gab es Hinweise auf ein Kind? Bücher? Kleidungsstücke?«

Beide versanken, ebenfalls vorhersehbar, in tiefes Nachdenken. Riverre starrte ins Nichts, das ihm näher zu sein schien als den meisten Menschen, und Alvise, die Hände tief in den Taschen seiner Uniformhose, starrte auf den Fußboden. Die erforderliche Minute verging, bevor beide wie aus einem Munde antworteten: »Nein, Commissario«, als hätten sie es eingeübt.

»Gar nichts?«

Wieder grübelte jeder für sich, dann die simultane Antwort: »Nein.«

»Haben Sie mit der Haushälterin gesprochen, der Belgierin?«

Riverre rollte bei der Erinnerung daran die Augen, als wollte er sagen, daß jede Minute mit so einem Stockfisch von einer Frau vergeudet sei, selbst wenn sie Ausländerin war. Alvise begnügte sich mit einem kurzen: »Ja.«

»Und hat sie etwas gesagt, was vielleicht wichtig ist?«

Riverre holte tief Luft, aber bevor er antworten konnte, fiel sein Partner ein: »Nicht direkt mit Worten, Commissario. Aber ich hatte das Gefühl, sie kann die Signora nicht leiden.«

Riverre konnte das nicht durchgehen lassen und fragte mit anzüglichem Grinsen: »Was gibt es an der nicht zu leiden?«

Brunetti bedachte ihn mit einem kühlen Blick und wandte sich an seinen Partner: »Wieso?«

»Also, es war nicht direkt greifbar«, meinte der. Riverre schnaubte. So viel zur Effektivität des kühlen Blicks.

»Wie gesagt, Commissario, es war nichts Definitives, aber sie war irgendwie viel förmlicher, solange die Signora dabei war. Wahrscheinlich mühsam für sie, noch förmlicher zu sein als uns gegenüber, aber so kam es mir vor. Sie war einfach, ich weiß nicht recht, kühler, solange die Signora dabei war, besonders, wenn sie mit ihr redete.«

»Und wann war das?«

»Als wir ankamen. Wir fragten, ob wir uns in der Wohnung umsehen und seine Sachen durchgehen dürften. So wie sie uns geantwortet hat, ich meine die Signora, klang es, als ob es ihr nicht recht paßte. Aber sie sagte, wir sollten nur unsere Arbeit tun, und dann hat sie die Haushälterin gerufen und ihr gesagt, sie soll uns zeigen, wo seine Sachen sind. Und wie sie da miteinander redeten, kam mir die Haushälterin, na ja, kalt vor. Später, als sie sich mit uns unterhalten hat, war es ein bißchen besser. Sie wurde nicht gerade herzlich – schließlich ist sie Belgierin –, aber immerhin war sie zu uns etwas freundlicher als zur Signora.«

»Haben Sie später noch einmal mit der Signora gesprochen?«

»Kurz bevor wir gegangen sind. Wir hatten die Papiere bei uns. Es hat ihr nicht gefallen, daß wir sie mitgenommen haben. Es war nur ein Blick, aber wir hatten beide dieses Gefühl. Wir haben gefragt, ob wir die Papiere mitnehmen dürfen. Das mußten wir, es ist Bestimmung.«

»Ja, ich weiß«, knurrte Brunetti. »Noch etwas?«

»Ja«, tönte Riverre.

»Was?«

»Als wir die Schränke und Schubladen durchsucht haben, hatte sie nichts dagegen. Da hat sie die Haushälterin mitgeschickt, ist nicht einmal selber mitgegangen. Aber als wir in das andere Zimmer gingen, wo die Papiere waren, da kam sie mit, und die andere mußte draußen warten. Es hat ihr nicht gepaßt, daß wir uns das ganze Zeug angesehen haben, die Papiere und das alles.«

»Und was war es?«

»Sah offiziell aus. Alles in Deutsch. Wir haben es zum Übersetzen mitgebracht.«

»Ja, ich habe den Bericht gesehen. Was ist mit den Papieren geschehen, nachdem sie übersetzt waren?«

»Ich weiß nicht«, antwortete Alvise. »Entweder sind sie noch beim Übersetzen, oder sie wurden ihr zurückgeschickt.«

»Riverre, könnten Sie das für mich herausfinden?«

»Jetzt gleich, Commissario?«

»Ja, jetzt gleich.«

»Gut.« Er machte eine Bewegung, die wohl einem Salutieren ähneln sollte, und löste sich betont langsam vom Tresen.

»Und, Riverre«, rief Brunetti ihm nach. Riverre drehte sich um, in der Hoffnung, zurückgerufen zu werden und sich so den Gang zur Questura und die zwei Treppen sparen zu können. »Wenn die Papiere da sind, möchte ich, daß sie mir in mein Büro geschickt werden.«

Als er weg war, nahm Brunetti sich eine der Brioches, die vor ihnen auf einem Teller lagen, und biß ein Stück ab. Er machte Arianna ein Zeichen, ihm noch eine Tasse Kaffee zu bringen. »Ist Ihnen noch irgend etwas aufgefallen, solange Sie in der Wohnung waren?« fragte er Alvise.

»Was meinen Sie, Commissario?« Als ob sie nur auf die

Dinge achten sollten, derentwegen man sie hingeschickt hatte.

»Alles. Sie haben die Spannung zwischen den beiden Frauen erwähnt. Hat eine von ihnen sich merkwürdig benommen?«

Alvise dachte kurz nach, biß von seiner Brioche ab und sagte: »Nein, Commissario.« Als er sah, daß Brunetti enttäuscht war, fügte er hinzu: »Nur, als wir die Papiere mitgenommen haben.«

»Haben Sie eine Ahnung, warum?«

»Nein, Commissario. Sie war nur so anders als vorher, als wir seine persönlichen Sachen durchgesehen haben, als ob das gar keine Rolle spielte. Ich hätte eigentlich eher gedacht, daß es den Leuten nicht so lieb ist, wenn man in Kleidern herumsucht, meine ich. Aber Papiere sind doch bloß Papiere.« Als er sah, daß diese letzte Bemerkung Brunettis Interesse erregte, wurde er etwas ausführlicher. »Aber vielleicht hängt das ja damit zusammen, daß er ein Genie war. Natürlich verstehe ich nichts von solcher Musik.« Brunetti machte sich auf das Unvermeidbare gefaßt. »Die einzige Sängerin, die ich persönlich kenne, ist Mina, und sie hat nie mit ihm gesungen. Aber wie gesagt, wenn er berühmt war, dann sind die Papiere vielleicht wichtig. Es könnte was drinstehen über, wissen Sie, über Musik.«

In dem Moment kam Riverre zurück. »Tut mir leid, Commissario, aber die Papiere sind zurückgeschickt worden.«

»Wie? Mit der Post?«

»Nein, die Übersetzerin hat sie selbst hingebracht. Sie meinte, die Witwe würde einige davon brauchen.«

Brunetti richtete sich auf und zog seine Brieftasche heraus. Bevor einer der beiden Uniformierten protestieren konnte, legte er zehntausend Lire auf den Tresen.

»Danke, Commissario«, tönte es wie aus einem Munde.

»Schon in Ordnung.«

Als er sich zum Gehen wandte, machte keiner von beiden Anstalten, ihn zu begleiten, obwohl beide salutierten.

Als er zur Questura zurückkam, erzählte der Portier ihm, Vice-Questore Patta wolle ihn unverzüglich in seinem Büro sehen.

»*Gesù Bambino*«, entfuhr es Brunetti kaum hörbar, ein Ausdruck, den er von seiner Mutter gelernt hatte, die ihn, genau wie er, nur dann benutzte, wenn man sie über die Grenzen menschlicher Geduld hinaus nervte.

An der Tür seines Vorgesetzten klopfte er und wartete sorgsam erst das »*Avanti*« von drinnen ab, bevor er eintrat. Wie erwartet, posierte Patta hinter seinem Schreibtisch, vor sich einen Stapel Akten ausgebreitet. Er ignorierte Brunetti erst einmal und las weiter in dem Bericht, den er gerade in der Hand hielt. Brunetti begnügte sich damit, die verblichenen Fresken an der Decke zu studieren.

Plötzlich blickte Patta auf, täuschte Überraschung vor und fragte: »Wo sind Sie?«

Brunetti spielte nun seinerseits den Verwirrten und tat, als fände er die Frage seltsam, wollte es sich aber nicht anmerken lassen. »In Ihrem Büro.«

»Nein, nein, wo sind Sie in dem Fall?« Er winkte Brunetti zu einem der Ormolu-Stühle vor seinem Schreibtisch, griff nach seinem Federhalter und begann damit auf die Platte zu klopfen.

»Ich habe mich mit der Witwe unterhalten und mit zwei Leuten, die in der Garderobe des Maestro waren. Ich habe den Arzt gesprochen, und ich kenne die Todesursache.«

»Das weiß ich alles«, sagte Patta, verstärkte den Rhythmus seines Klopfens und machte kein Hehl aus seiner Verärgerung. »Mit anderen Worten, Sie haben nichts Wichtiges erfahren?«

»So ist es, ja, so könnte man es ausdrücken.«

»Wissen Sie, Brunetti, ich habe mich mit diesen Ermittlungen ausgiebig befaßt, und ich glaube, ich sollte Ihnen besser den Fall abnehmen.« In Pattas Stimme schwang ein drohender Unterton, als hätte er die ganze Nacht in seiner Machiavelli-Ausgabe geblättert.

»Ja.«

»Ich könnte einen anderen damit betrauen. Vielleicht würden wir dann ernsthafte Fortschritte machen.«

»Ich glaube nicht, daß Mariani im Augenblick an etwas Wichtigem arbeitet.«

Nur mit äußerster Selbstbeherrschung gelang es Patta, bei der Erwähnung des Namens nicht zusammenzuzukken. Der jüngere der beiden anderen Commissari war ein Mann von untadeligem Charakter und unerschütterlicher Dummheit, der seinen Rang bekanntermaßen als Teil der Mitgift seiner Frau bekommen hatte, die eine Nichte des früheren Bürgermeisters war. Sein anderer Kollege war, wie Brunetti wußte, mit Ermittlungen über den Drogenhandel im Hafen von Marghera beschäftigt. »Oder vielleicht könnten Sie ihn selbst übernehmen«, schlug er vor und fügte mit aufreizender Verspätung hinzu: »Signore.«

»Ja, das ist immer noch eine Möglichkeit«, meinte Patta,

der die Ungezogenheit entweder nicht bemerkt oder entschieden hatte, sie zu ignorieren. Er nahm eine Schachtel russische Zigaretten mit dunklem Papier vom Schreibtisch und steckte eine in seine Zigarettenspitze aus Onyx. Sehr hübsch, dachte Brunetti, farblich abgestimmt. »Ich habe Sie kommen lassen, weil ich einige Anrufe von der Presse und von Leuten in hohen Positionen hatte«, sagte er, wobei er die »hohen Positionen« betonte. »Man ist sehr besorgt darüber, daß Sie gar nichts unternommen haben.« Diesmal lag die Betonung ganz auf dem »Sie«. Er zog anmutig an seiner Zigarette und blickte Brunetti über den Schreibtisch hinweg an. »Haben Sie gehört? Man ist gar nicht glücklich.«

»Das kann ich durchaus verstehen. Ich habe ein totes Genie und keinen Schuldigen.«

Irrte er sich, oder sah er Patta diesen letzten Satz still für sich wiederholen, vielleicht, um ihn nachher beim Essen ganz nebenbei fallenzulassen? »Ja, genau«, sagte Patta. Seine Lippen bewegten sich wieder. »Und keinen Schuldigen gefunden.« Er gab seiner Stimme einen tiefen Klang. »Ich möchte, daß sich das ändert. Ich will einen Schuldigen sehen.« Brunetti hatte den Mann noch nie so klar seine Vorstellung von Gerechtigkeit äußern hören. Vielleicht würde er, Brunetti, *das* beim Mittagessen fallenlassen?

»Von jetzt an möchte ich jeden Morgen« – Patta hielt inne und versuchte offenbar, sich an die Bürozeiten zu erinnern – »um acht Uhr einen schriftlichen Bericht auf meinem Schreibtisch haben«, sagte er. Sein Gedächtnis hatte ihn nicht im Stich gelassen.

»Jawohl. Wäre das dann alles?« Für Brunetti machte es keinen Unterschied, ob schriftlich oder mündlich; er würde nichts zu berichten haben, bis er ein klareres Bild von dem Mann hatte, der umgebracht worden war. Genie oder nicht, die Antwort lag immer in der Person.

»Nein, das ist nicht alles. Was haben Sie heute vor?«

»Ich gehe zur Beerdigung. Sie findet in etwa zwanzig Minuten statt. Und dann möchte ich mir seine Papiere einmal selbst ansehen.«

»Ist das alles?«

»Ja.«

Patta schnaubte verächtlich. »Kein Wunder, daß wir nicht weiterkommen.«

Das schien das Signal für das Ende ihres Gespräches zu sein, daher erhob sich Brunetti. Auf dem Weg zur Tür überlegte er, wie weit er wohl kam, bevor Patta ihn an den schriftlichen Bericht erinnerte. Er war vielleicht noch drei Schritte von der Tür entfernt, als er hörte: »Denken Sie daran, um acht Uhr.«

Durch das Gespräch mit Patta konnte Brunetti erst kurz vor elf an der Kirche San Moisè sein. Das schwarze Boot mit dem blumenbedeckten Sarg hatte schon festgemacht, und drei Männer in blauen Anzügen waren damit beschäftigt, den hölzernen Sarg auf eine Rollplattform zu heben, auf der sie ihn durch die Kirchentür bringen würden. In der Menge vor der Kirche sah er ein paar bekannte venezianische Gesichter, die üblichen Reporter und Fotografen, aber nicht die Witwe, sie mußte schon in der Kirche sein.

Als die drei Männer zur Kirchentür kamen, trat ein vierter zu ihnen, und sie hoben den Sarg mit geübter Leichtigkeit auf ihre Schultern und trugen ihn über die beiden flachen Stufen ins Innere. Brunetti war unter denen, die

139

ihnen folgten. Er beobachtete, wie die Männer den Sarg durch den Mittelgang nach vorn trugen und auf einem flachen Gestell vor dem Hauptaltar absetzten.

Brunetti fand einen Platz am Ende einer Reihe im hinteren Teil der vollbesetzten Kirche. Mit etwas Mühe konnte er zwischen den Köpfen der vor ihm Sitzenden die erste Reihe sehen, wo die Witwe, ganz in Schwarz, zwischen einem Mann und einer grauhaarigen Frau saß; wahrscheinlich das Paar, das er mit ihr im Theater gesehen hatte. Hinter ihr saß, allein in einer Reihe, eine andere schwarzgekleidete Frau, die Haushälterin, wie Brunetti annahm. Obwohl er nicht hätte sagen können, was für eine Messe er erwartet hatte, war Brunetti erstaunt über die schlichte Zeremonie. Das Bemerkenswerteste war das Fehlen jeglicher Musik, nicht einmal die Orgel spielte. Die vertrauten Worte tönten über die Köpfe der Menge hinweg, nach uraltem Ritus wurden Weihwasser versprengt und Segnungen gesprochen. Bei dieser schlichten Form war die Messe rasch vorüber.

Brunetti wartete am Ende seiner Reihe, als der Sarg vorbeigetragen wurde, wartete, bis die Witwe und die anderen Trauernden die Kirche verlassen hatten. Draußen ging ein Blitzlichtgewitter los, und Reporter umringten die Witwe, die sich an den älteren Mann neben ihr drängte.

Ohne nachzudenken, bahnte Brunetti sich einen Weg durch die Menge und nahm ihren anderen Arm. Er erkannte einige der Fotografen, sah, daß sie auch ihn erkannten, und wies sie an, sich zurückzuziehen. Sie gehorchten und ließen einen Gang zu den Booten offen, die an der Seite des *Campo* lagen. Brunetti stützte Signora Wellauer, führte sie zum Anleger, half ihr ins Boot und folgte ihr in die Kabine.

Das ältere Paar kam ihnen nach; die grauhaarige Frau legte den Arm um die Schultern der jüngeren, und der Mann setzte sich neben sie und nahm ihre Hand. Brunetti stellte sich an die Kabinentür und sah zu, wie das Boot mit dem Sarg ablegte und langsam durch den schmalen Kanal glitt. Als sie sich ein gutes Stück von der Kirche und der Menge entfernt hatten, bückte er sich und trat in die Kabine.

»Vielen Dank«, sagte Signora Wellauer, die jetzt weinte und keine Anstalten machte, ihre Tränen zu verbergen.

Es gab nichts, was er hätte sagen können.

Das Boot fuhr in den Canal Grande und drehte nach links Richtung San Marco ab, wo sie auf dem Weg zum Friedhof vorbeimußten. Brunetti ging zurück zur Kabinentür und schaute nach vorn, weg von dem Kummer drinnen. Der Campanile glitt vorbei, das ornamentierte Geviert des Dogenpalastes und dann diese heiter-sorglosen Kuppeln. Als sie sich dem Rio dell'Arsenale näherten, stieg Brunetti an Deck und fragte den Steuermann, ob er ihn am Anleger absetzen könnte. Dann ging er zurück zur Kabine, wo die drei leise miteinander redeten.

»Dottor Brunetti«, sagte die Witwe.

Er wandte sich ihr zu.

»Vielen Dank. Das wäre wirklich zuviel gewesen vorhin.«

Er nickte nur zustimmend. Das Boot begann den großen Bogen nach links zum Rio dell'Arsenale zu schlagen. »Ich würde gern noch einmal mit Ihnen sprechen«, sagte er, »wann immer es Ihnen paßt.«

»Ist es nötig?«

»Ja, ich glaube schon.«

Der Motor dröhnte tiefer, als das Boot auf die Lande-plattform rechterhand zusteuerte.

»Wann?«

»Morgen?«

Falls sie sich wunderte oder die beiden anderen unange-nehm berührt waren, ließen sie es sich nicht anmerken.

»Gut«, sagte sie. »Nachmittags dann.«

»Danke«, sagte er, während das Boot schon schwankend am Holzsteg lag. Keiner antwortete ihm. Er trat aus der Ka-bine und sprang hinüber auf die Plattform. Dort stand er noch, als das Boot wieder ablegte und dem Sarg ins tiefere Wasser der Lagune hinaus folgte.

12

Wie die meisten Palazzi am Canal Grande war der Palazzo Falier ursprünglich so angelegt, daß man ihn mit dem Boot anfahren und Gäste ihn über die vier flachen Stufen betreten sollten, die vom Landeplatz am Kanal hinaufführten. Doch dieser Zugang war längst durch ein schweres Eisengitter versperrt, das nur geöffnet wurde, wenn große Gegenstände per Boot geliefert wurden. In diesen Zeiten des Niedergangs kamen die Gäste zu Fuß, entweder von Cà Rezzonico, der nächsten Vaporetto-Haltestelle, oder aus anderen Stadtteilen.

Auch Brunetti und Paola gingen zu Fuß, vorbei an der Universität, dann über den Campo San Barnaba und links an einem schmalen Kanal entlang, der sie zum Seiteneingang des Palazzo führte.

Sie klingelten und wurden von einem jungen Mann in den Hof geführt, den Paola noch nie gesehen hatte. Wahrscheinlich war er nur für heute abend angeheuert.

»Wenigstens trägt er weder Kniehosen noch Perücke«, bemerkte Brunetti, während sie die Außentreppe des Palazzo hinaufstiegen. Der junge Mann hatte nicht nach ihrem Namen gefragt oder ob sie eingeladen seien. Entweder hatte er die Gästeliste im Kopf, oder es war ihm schlicht egal, wen er einließ.

Am oberen Ende der Treppe tönte ihnen von links, wo die drei großen Empfangsräume lagen, Musik entgegen. Sie folgten den Klängen durch einen Spiegelgang, begleitet von ihren eigenen verschwommenen Abbildern. Die großen Eichentüren zum ersten Raum standen weit offen und ließen Licht, Musik und den Duft teurer Parfums und Blumen zu ihnen herausdringen.

Das Licht kam von Kerzenleuchtern entlang der Wände und von zwei riesigen, mit verspielten Engelchen und Cupidos bedeckten Kronleuchtern aus Muranoglas, die von der hohen bemalten Decke hingen. Die Musik kam von einem diskreten Trio in der Ecke, das ein Stück von Vivaldi aus einer seiner weniger originellen Phasen spielte. Den Duft verströmte die Schar in lebhaften Farben gekleideter und noch lebhafter plaudernder Damen, die den Raum schmückten.

Es dauerte nicht lange, und der Conte kam zu ihnen, beugte sich hinunter, um Paola auf die Wange zu küssen, und reichte seinem Schwiegersohn die Hand. Er war ein großer Mann Ende Sechzig, der sein schütter werdendes Haar gar nicht erst zu verbergen suchte, sondern es rings um eine Tonsur kurzgeschnitten trug, was ihm das Aussehen eines besonders gelehrten Mönchs verlieh. Paola hatte die braunen Augen und den großen Mund von ihm geerbt, der aristokratische Auswuchs von einer Nase, das Hauptmerkmal seines Gesichts, war ihr erspart geblieben. Sein Abendjackett war so gut geschneidert, daß es sogar rosa hätte sein können, und doch wäre einzig der perfekte Schnitt aufgefallen.

»Mutter ist entzückt, daß ihr *beide* kommen konntet.« Die leichte Betonung war eine Anspielung darauf, daß Brunetti zum ersten Mal an einer ihrer Parties teilnahm. »Ich hoffe, ihr werdet euch amüsieren.«

»Bestimmt«, antwortete Brunetti für sie beide. Seit siebzehn Jahren vermied er es, seinen Schwiegervater direkt anzureden. Den Titel konnte er nicht benutzen, noch brachte er es über sich, den Mann *Papà* zu nennen. »Orazio«, sein Taufname, war zu vertraulich, ein Anbellen des Mondes sozialer Gleichheit. So behalf sich Brunetti eben, indem er ihn möglichst gar nicht anredete, nicht einmal mit »Signore«. Sie machten allerdings einen Kompromiß und benutzten das familiäre *tu*, auch wenn selbst das keinem von beiden leicht über die Lippen ging.

Der Conte hatte seine Frau entdeckt und winkte ihr lächelnd, sich zu ihnen zu gesellen. Brunetti bewunderte die Mischung aus natürlicher Grazie und gesellschaftlicher Gewandtheit, mit der sie sich durch die Menge schlängelte, hier im Vorbeigehen eine Wange küßte, dort leicht einen Arm berührte. Er hatte seinen Spaß an der Contessa, die mit all den Perlenketten und Lagen aus schwarzem Chiffon so förmlich wirkte. Wie immer steckten ihre Füße in ebenso spitzen wie hochhackigen Schuhen, die sie dennoch kaum bis zur Schulter ihres Mannes reichen ließen.

»Paola, Paola«, rief sie mit unverhohlener Freude, ihr einziges Kind zu sehen. »Ich bin ja so froh, daß du Guido doch mitbringen konntest.« Sie unterbrach sich kurz, um beide zu küssen. »Ich freue mich, dich einmal nicht nur zu Weihnachten und zu diesem schrecklichen Feuerwerk zu sehen.« Sie nahm kein Blatt vor den Mund, die Contessa.

»Komm, Guido«, sagte der Conte, »wir besorgen dir etwas zu trinken.«

Brunetti nickte, und zu Paola und zu ihrer Mutter gewandt fragte er: »Können wir euch etwas mitbringen?«

»Nein, danke. *Mamma* und ich holen uns dann selbst etwas.«

Der Conte Falier führte Brunetti durch den Raum, wobei er hier und dort stehenblieb, um einen Gruß oder ein paar Sätze auszutauschen. An der Bar bestellte er Champagner für sich und einen Scotch für seinen Schwiegersohn.

Als er ihm den Drink gab, fragte er: »Gehe ich recht in der Annahme, daß du sozusagen beruflich hier bist?«

»Ja«, antwortete Brunetti, froh über die Direktheit des anderen.

»Gut, dann war meine Zeit nicht verschwendet.«

»Wie bitte?«

Der Conte nickte einer umfangreichen Dame zu, die sich gerade vor dem Flügel aufbaute, und sagte: »Ich weiß von Paola, daß du diese Wellauer-Geschichte übernommen hast. Schlecht für die Stadt, ein solches Verbrechen.« Er konnte sein Mißvergnügen darüber nicht verhehlen, daß der Dirigent sich hatte umbringen lassen, und auch noch während der Saison. »Jedenfalls habe ich ein paar Telefonate geführt, als ich hörte, daß ihr heute abend beide kommt. Ich nahm an, du würdest gern etwas über seine Finanzen erfahren.«

»Ja, das stimmt.« Gab es eigentlich irgendeine Information, an die dieser Mann nicht herankam, wenn er den Telefonhörer aufnahm und die richtige Nummer wählte? »Darf ich fragen, was du in Erfahrung gebracht hast?«

»Er war nicht so reich, wie man allgemein angenommen hat.« Brunetti wartete auf eine Übersetzung in Zahlen, die er verstehen konnte. Er und der Conte hatten sicher unterschiedliche Vorstellungen von »reich«. »Sein Vermögen in

Aktien, Anleihen und Immobilien beläuft sich wahrscheinlich auf nicht viel mehr als zehn Millionen D-Mark. Er hat vier Millionen in der Schweiz, auf einem Frankenkonto in Lugano, aber davon werden die deutschen Finanzbehörden wohl nichts erfahren.« Brunetti rechnete gerade aus, daß er etwa dreihundertfünfzig Jahre arbeiten müßte, um diese Summe zu verdienen, als der Conte hinzufügte: »Die Einnahmen aus Gastspielverträgen und Plattenaufnahmen belaufen sich wahrscheinlich auf mindestens drei bis vier Millionen D-Mark im Jahr.«

»Aha«, sagte Brunetti. »Und das Testament?«

»Ich konnte leider keine Abschrift davon bekommen«, meinte der Conte entschuldigend. Da der Mann erst zwei Tage tot war, fand Brunetti, daß man über diesen Mangel hinwegsehen konnte. »Aber es wird alles zu gleichen Teilen zwischen seinen Kindern und seiner Frau aufgeteilt. Allerdings wird gemunkelt, er habe ein paar Wochen vor seinem Tod versucht, sich mit seinen Anwälten in Verbindung zu setzen, niemand weiß warum, und es muß ja auch nichts mit dem Testament zu tun gehabt haben.«

»Was heißt das, ›versucht, in Verbindung zu setzen‹?«

»Er hat das Büro seiner Anwälte in Berlin angerufen, aber offenbar kam die Verbindung aus irgendeinem Grunde nicht zustande, und er hat es nicht noch einmal versucht.«

»Hat sich von all diesen Leuten jemand über sein Privatleben geäußert?«

Das Glas des Conte stoppte so abrupt vor seinem Mund, daß von der blassen Flüssigkeit etwas auf sein Revers schwappte. Er funkelte Brunetti so verblüfft an, als hätten sich seine fast zwei Jahrzehnte lang gehegten Vorbehalte plötzlich allesamt bewahrheitet. »Wofür hältst du mich? Für einen Spitzel?«

»Tut mir leid«, sagte Brunetti und hielt dem Conte sein Taschentuch hin. »Es ist der Beruf. Da vergesse ich so etwas.«

»Ja, ich verstehe«, räumte der Conte ein, obwohl sein Tonfall keinerlei Verständnis erkennen ließ. »Ich sehe mal nach, ob ich Paola und ihre Mutter irgendwo finde.« Er ging, ohne das Taschentuch zurückgegeben zu haben; das würde er, so fürchtete Brunetti, gewaschen, gestärkt und gebügelt per Sonderkurier zugestellt bekommen.

Brunetti stieß sich von der Bar ab und stürzte sich ins Gewühl, um selbst nach Paola zu suchen. Viele der Anwesenden waren ihm bekannt, aber eher aus zweiter Hand. Auch wenn er ihnen nie vorgestellt worden war, kannte er doch ihre Skandale, ihre Geschichten und ihre Affären, rechtliche wie romantische. Teils hing das mit seinem Beruf als Polizist zusammen, hauptsächlich aber damit, daß sie eigentlich in einer Provinzstadt wohnten, in der Klatsch der wahre Kult war und in der die herrschende Gottheit, hätte es sich nicht wenigstens dem Namen nach um eine christliche Stadt gehandelt, sicher »Gerücht« geheißen hätte.

Auf der Suche nach Paola begrüßte er einige Bekannte und lehnte verschiedene Angebote ab, sich einen neuen Drink holen zu lassen. Die Contessa war nirgends zu sehen; zweifellos hatte der Conte sie vor der Ansteckungsgefahr für ihre Moral gewarnt, die hier umging.

Als Paola schließlich zu ihm trat, nahm sie seinen Arm und flüsterte ihm ins Ohr: »Ich habe genau das gefunden, was du suchst.«

»Eine Möglichkeit zur Flucht?« fragte er, allerdings nicht laut. Ihr gegenüber hielt er sich zurück. »Was denn?«

»Die wandelnde Klatschkolumne. Wir waren zusammen auf der Universität.«

»Wer? Wo?« wollte er wissen und zeigte zum erstenmal an diesem Abend Interesse an seiner Umgebung.

»Da drüben, an der Tür zum Balkon.« Sie drückte ihm ihren Ellbogen in die Seite und deutete mit dem Kinn auf einen Mann, der an dem großen Fenster stand, das auf den Kanal hinausging. Der Mann war etwa in Paolas Alter, hatte aber ganz offensichtlich einen schwereren Weg dahin gehabt. Aus dieser Entfernung konnte Brunetti nur einen kurzgestutzten graumelierten Bart und ein schwarzes Jackett ausmachen, das offenbar aus Samt war.

»Komm, ich mache euch bekannt«, drängte Paola, zupfte an seinem Ärmel und führte ihn zu dem anderen Mann, der lächelte, als er sie auf sich zu kommen sah. Seine Nase war platt, als sei sie einmal gebrochen gewesen, sein trauriger Blick sprach von einem gebrochenen Herzen. Er wirkte wie ein Möbelpacker, der Lyrik schreibt.

»Ah, die bezaubernde Paola«, sagte er, als sie zu ihm traten. Er nahm sein Glas in die linke Hand, ergriff mit der rechten Paolas und beugte sich darüber, um einen Kuß in die Luft zu hauchen. »Und das«, sagte er zu Brunetti gewandt, »muß wohl der berühmte Guido sein, dessen Namen wir alle nicht mehr hören konnten damals, vor mehr Jahren, als ich diskreterweise erwähnen sollte.« Er nahm Brunettis Hand und schüttelte sie energisch, wobei er gar nicht erst versuchte, die Neugier zu verbergen, mit der er ihn musterte.

»Hör auf, Dami, und starr Guido nicht an, als sei er ein Gemälde.«

»Macht der Gewohnheit, Schätzchen, ich muß mir eben alles genau ansehen. Als nächstes werde ich wahrscheinlich seine Jacke aufmachen und versuchen herauszukriegen, wo er signiert ist.«

Brunetti verstand überhaupt nichts, und seine Verwirrung war ihm offenbar so deutlich anzumerken, daß der andere sich beeilte zu erklären: »Ich sehe schon, Paola wird uns nie mehr vorstellen, und unsere gemeinsame Vergangenheit hat sie ganz offensichtlich vor dir geheimgehalten.« Bevor Brunetti auf die Anspielung etwas sagen konnte, fuhr er fort: »Ich bin Demetriano Padovani, ehemaliger Kommilitone deiner schönen Gemahlin und derzeit als Kritiker in Sachen Kunst tätig.« Er verbeugte sich leicht.

Brunetti kannte den Namen, wie die meisten Italiener. Dies war also der strahlende neue Kunstkritiker und Schrecken von Malern und Museumsdirektoren. Paola und er hatten gemeinsam und mit Vergnügen seine Artikel gelesen, aber er hatte keine Ahnung gehabt, daß die beiden zusammen auf der Universität gewesen waren.

Padovani griff sich vom Tablett eines vorbeigehenden Obers einen neuen Drink und redete weiter: »Ich muß mich bei dir entschuldigen, Guido – wenn ich mir erlauben darf, gleich bei unserem ersten Treffen Guido und du zu sagen, Beweis für die wachsende soziale und linguistische Promiskuität –, und bekenne, daß ich dich jahrelang gehaßt habe.« Brunettis Verwirrung über diese Bemerkung machte ihm sichtlich Spaß. »Damals, in jenen dunklen Jahren, als wir Studenten und allesamt schrecklich verliebt in deine Paola waren, hat uns die Eifersucht und, ich gebe es zu, der Haß auf diesen Guido zerfressen, der aus dem Nichts auftauchte und uns ihr Herz stahl. Erst wollte sie wissen, wer er war, dann kam das: ›Ob er mich wohl zu einem Kaffee einlädt?‹, aus dem sich rasch ein: ›Meint ihr, er mag mich?‹ entwickelte, bis wir schließlich so weit waren, daß wir dieses verrückte Mädchen, so sehr wir es auch anbeteten, am liebsten erdrosselt und in dunkler Nacht in einen Kanal geworfen hätten, nur um uns von diesem Alp zu befreien, der ›Guido‹ hieß, und in Frieden für unsere Examina lernen zu können.« Vergnügt über Paolas sichtliches Unbehagen, fuhr er fort. »Und dann hat sie ihn geheiratet. Dich, meine ich. Sehr zu unserem Entzücken, denn es gibt keine wirkungsvollere Medizin für die verrückten Exzesse der Liebe«, hier hielt er inne, um an seinem Glas zu nippen, bevor er schloß, »als die Ehe.« Zufrieden, Paola zum Erröten gebracht zu haben und Brunetti dazu, sich nach einem neuen Drink umzusehen, sagte er: »Es ist wirklich sehr gut, daß du sie geheiratet hast, Guido, sonst hätte keiner von uns je sein Examen geschafft, so wild waren wir alle nach dem Mädchen.«

»Das war auch der einzige Grund, warum ich sie geheiratet habe«, sagte Brunetti.

Padovani verstand. »Und für diese gute Tat laß mich dir einen Drink anbieten. Was darf es sein?«

»Scotch für uns beide«, antwortete Paola und fügte hinzu: »Aber komm gleich wieder. Ich möchte mit dir reden.«

Padovani neigte mit gespielter Unterwürfigkeit den Kopf und machte sich an die Verfolgung eines Obers, ganz

Grandseigneur auf seinem Weg durch die Menge. Kurz darauf kam er mit drei Gläsern zurück.

»Schreibst du immer noch für *L'Unità*?« fragte Paola, als er ihr das Glas gab.

Als der Name der Zeitung fiel, zog Padovani mit gespieltem Schrecken den Kopf ein und warf verschwörerische Blicke nach allen Seiten. Er zischelte höchst theatralisch und winkte sie dicht heran. Dann flüsterte er: »Wage es nicht, den Namen dieses Blattes an diesem Ort zu nennen, sonst läßt dein Vater mich noch von seinen Dienstboten aus dem Hause weisen.« Obwohl man Padovanis Ton anmerkte, daß er scherzte, dachte Brunetti, daß er der Wahrheit wahrscheinlich näherkam, als ihm bewußt war.

Der Kritiker richtete sich zu voller Größe auf, trank einen Schluck und gab seiner Stimme etwas beinah Deklamatorisches. »Paola, meine Beste, könnte es sein, daß du die Ideale deiner Jugend verworfen hast und nicht mehr die proletarische Stimme der Kommunistischen Partei liest? Entschuldige«, korrigierte er sich, »der demokratischen Linken?« Köpfe wandten sich, als der Name fiel, aber er fuhr fort: »Herr im Himmel, erzähl mir nicht, daß du dein Alter akzeptierst und den *Corriere* liest, oder noch schlimmer, *La Repubblica*, die Stimme der schuftenden Mittelklasse, verkleidet als Stimme der schuftenden Unterklasse?«

»Nein, wir lesen *L'Osservatore Romano*«, erklärte Brunetti, indem er das offizielle Organ des Vatikans nannte, in dem noch immer gegen Scheidung, Abtreibung und den verderblichen Mythos der Gleichberechtigung gewettert wurde.

»Sehr weise von euch«, sagte Padovani mit vor Lob trie-
fender Stimme. »Nun, wenn ihr dieses brillante Blatt lest,
könnt ihr natürlich nicht wissen, daß ich, wie bescheiden
auch immer, als Stimme des Kunstverstandes für die dar-
bende Masse fungiere.« Er sprach jetzt leiser und äffte
gekonnt die pompöse Stimme eines RAI-Nachrichtenspre-
chers nach, der den jüngsten Sturz der Regierung bekannt-
gab. »Ich bin der Vertreter des scharfsichtigen Arbeiters.
Vor euch steht der Kritiker mit der Lästerzunge und den
Schmierfingern, der inmitten des modernen Chaos die
Werte wahrer proletarischer Kunst sucht.« Er nickte einem
Vorbeigehenden zu und fuhr dann fort: »Schade, daß ihr
meine Arbeit offenbar nicht kennt. Vielleicht kann ich euch
Kopien meiner letzten Artikel schicken. Zu dumm, daß ich
sie nicht bei mir habe, aber selbst als Genie muß man ja
etwas Bescheidenheit zeigen, mag sie auch noch so unaufrichtig sein.« Langsam machte ihnen das allen Spaß, also redete er weiter. »Mein neuester Lieblingsartikel ist ein Kabi-
nettstückchen, das ich letzten Monat über eine Ausstellung
zeitgenössischer kubanischer Malerei verfaßt habe – ihr
wißt schon, Traktoren und grinsende Ananas.« Er mimte
Verzweiflung, bis der Wortlaut seiner Kritik ihm wieder
einfiel. »Ich lobte die – wie nannte ich es noch? – ›die wun-
derbare Symmetrie aus raffinierter Form und zielbewußter
Integrität‹.« Er beugte sich vor und flüsterte in Paolas Ohr,
aber so laut, daß Brunetti bequem mithören konnte: »Das
war aus einem Artikel, den ich vor zwei Jahren über polni-
sche Holzschnitte geschrieben habe. Damals sprach ich,
wenn ich mich recht erinnere, von ›raffinierter Symmetrie
und sinnweisender Form‹.«

»Und gehst du so ins Büro?« fragte Paola mit einem Blick auf sein Samtjackett.

»Wie herrlich giftig du immer noch sein kannst, Paola«, lachte er, beugte sich vor und küßte sie leicht auf die Wange. »Aber zu deiner Frage, mein Engel: nein, ich halte es nicht für passend, solche Opulenz in die Hallen der arbeitenden Klasse zu tragen. Da hülle ich mich in angemesseneres Gewand, hauptsächlich eine schreckliche Hose, die der Mann meiner Zugehfrau nicht mehr anziehen würde, und ein Jakkett, das mein Neffe eigentlich in die Kleidersammlung geben wollte. Und«, er hielt die Hand hoch, um jede Unterbrechung oder Frage abzuwehren, »und ich fahre auch nicht mehr mit dem Maserati in die Redaktion. Ich fand, es würde ein falsches Klima schaffen, außerdem ist das Parken in Rom ein Problem. Eine Zeitlang habe ich es dadurch gelöst, daß ich mir den Fiat meiner Zugehfrau geborgt habe, um ins Büro zu fahren. Aber er war immer mit Strafzetteln zugepflastert, und ich mußte Stunden damit vertun, den Commissario zum Essen auszuführen, damit ich die Dinger wieder loswurde. Jetzt nehme ich einfach ein Taxi und lasse mich an der Ecke vor dem Büro absetzen, wo ich dann meinen wöchentlichen Artikel abliefere, mich lauthals über soziale Ungerechtigkeit empöre, um mir anschließend in einer schnuckeligen kleinen Pasticceria in der Nähe ein unverschämt dickes Stück Torte zu leisten, bevor ich nach Hause gehe, mich in ein heißes Bad lege und Proust lese.

›Und beiderseits verbirgt sich wahrer Sinn‹«, zitierte er aus einem Shakespeare-Sonett, einem der Texte, mit denen er sich während seines Studiums der englischen Literatur in Oxford befaßt hatte. »Aber du willst doch etwas von mir, liebste Paola, irgendwelche Informationen«, sagte er mit einer Direktheit, die nicht zu ihm paßte, oder zumindest nicht zu der Rolle, die er spielte. »Erst ruft mich dein Vater persönlich an, um mich zu dieser Party einzuladen, dann hängst du dich an mich wie eine Klette – und ich bezweifle, daß du das tun würdest, wenn du nicht etwas von mir wolltest. Und da der göttliche Guido bei dir ist, kann es sich wohl nur um Informationen handeln. Und da ich weiß, womit dein Guido seinen Lebensunterhalt verdient, kann ich nur annehmen, daß es mit dem Skandal zusammenhängt, der unsere liebliche Stadt erschüttert, der Musikwelt die Sprache verschlagen und gleichzeitig ein Ekelpaket vom Angesicht dieses Planeten getilgt hat.« Damit hatte er erreicht, was er wollte: er konnte sich am Anblick zweier völlig verblüffter Gesichter weiden. Er schlug sich die Hand vor den Mund und kicherte vergnügt.

»Oh, Dami, du hast es die ganze Zeit über gewußt. Warum hast du nichts gesagt?«

Brunetti sah, daß Padovanis Augen glänzten, vielleicht vom Alkohol, vielleicht von etwas anderem. Wovon, war ihm egal, solange der Mann seine letzte Bemerkung erklärte.

»Komm schon«, drängte Paola. »Von allen Leuten, die ich kenne, bist du der einzige, der garantiert etwas über ihn weiß.«

Padovani sah sie unbewegt an. »Und du erwartest von mir, daß ich das Andenken eines Mannes beschmutze, der noch kaum in seinem Grab erkaltet ist?«

Brunetti konnte sich des Eindrucks nicht erwehren, daß dies für Padovani durchaus ein weiterer Spaß sein könnte.

»Ich staune, daß du so lange gewartet hast«, sagte Paola.

Padovani schenkte ihrer Bemerkung die Beachtung, die sie verdiente. »Du hast recht, Paola. Ich werde euch alles erzählen, sobald dein lieber Guido uns drei Riesendrinks beschafft hat. Wenn er das nicht bald tut, könnte ich langsam anfangen, mich über die vorhersehbare Langeweile zu ärgern, der deine Eltern mich wieder einmal ausgesetzt haben, zusammen mit – wie ich zu meinem Erstaunen feststelle – der Hälfte derer, die als berühmteste Leute dieser Stadt gelten.« Und zu Brunetti gewandt: »Oder noch besser, Guido, wenn du vielleicht eine ganze Flasche besorgst, dann könnten wir drei uns davonstehlen, in eines der vielen geschmacklos eingerichteten Zimmer, von denen es in diesem Haus weiß Gott genug gibt.« Aber er war noch nicht fertig und wandte sich wieder an Paola. »Da könntet ihr dann, du mit den Waffen deiner Schönheit und dein Mann mit seinen unsäglichen Polizeimethoden, gemeinsam die häßliche, schmutzige Wahrheit in allen Einzelheiten aus mir herausquetschen. Und falls Interesse besteht, könntest du, oder vielleicht –« er unterbrach sich und sah Brunetti lange an – »ihr beide mit mir machen, was ihr wollt.« So war das also. Brunetti merkte plötzlich erstaunt, daß er alle Stichworte konsequent verpaßt hatte.

Paola bedachte ihren Mann mit einem warnenden Blick, der völlig unnötig war. Er fand das Exzessive an dem Mann durchaus unterhaltend. Er zweifelte nicht daran, daß die Einladung aufrichtig gemeint war, so verrückt sie auch klingen mochte, aber ärgerlich mußte man darüber wohl kaum werden. Er ging wie befohlen eine Flasche Scotch besorgen.

Es war entweder der Gastfreundschaft des Conte oder der Nachlässigkeit des Personals zu verdanken, daß er ohne weiteres eine Flasche Glenfiddich ausgehändigt bekam. Als er zurückkam, fand er die beiden Arm in Arm und flüsternd wie die Verschwörer. Padovani hieß Paola schweigen und erklärte Brunetti: »Ich habe sie gerade gefragt, ob du mich wohl, sollte ich ein wirklich abscheuliches Verbrechen begehen, wie zum Beispiel, ihrer Mutter zu sagen, was ich von den Vorhängen halte, mit aufs Revier nehmen und foltern würdest, bis ich gestehe.«

»Wie glaubst du wohl, habe ich das hier bekommen?« fragte Brunetti und hielt die Flasche hoch.

Padovani und Paola lachten. »Führe uns, Paola«, gebot der Kritiker, »an einen Ort, wo wir uns hiermit vergnügen können«, und mit einem kuhäugigen Blick auf Brunetti, »wenn schon nicht miteinander.«

Paola antwortete unbeeindruckt und praktisch wie immer: »Wir können uns ins Nähzimmer zurückziehen« und ging ihnen voraus durch den Salon und die massiven Doppeltüren. Dann führte sie die beiden Männer, wie Ariadne, unfehlbar einen Flur entlang, nach links in den nächsten und durch die Bibliothek in ein kleineres Zimmer, wo zierliche, brokatbezogene Sessel im Halbkreis um einen riesigen Fernseher standen.

»Nähzimmer?« fragte Padovani.

»Vor *Dallas* und *Denver*«, erklärte Paola.

Padovani warf sich in den stabilsten Sessel, schwang seine Lackschuhe auf die Intarsientischplatte und sagte: »Na, dann schießt mal los, ihr zwei Schönen«, zweifellos durch die pure Anwesenheit des Fernsehers zu solch legerer Redeweise angeregt. Und als keiner ihm eine Frage stellte, half er nach: »Was also wollt ihr wissen über den verstorbenen und sicher nicht von jedermann beweinten Maestro?«

»Wer würde ihm den Tod wünschen?« fragte Brunetti.

»Du sagst es ganz schön direkt. Kein Wunder, daß Paola mit derart alarmierender Geschwindigkeit kapituliert hat. Aber um deine Frage zu beantworten, die Namen würden ein Telefonbuch füllen.« Er machte eine Pause und hielt Brunetti sein Glas hin. Der goß ihm großzügig ein, bediente sich selbst, und füllte Paolas Glas nach. »Willst du sie in chronologischer Reihenfolge, oder vielleicht nach Nationalitäten, oder aufgeschlüsselt nach Stimmlage oder sexuellen Vorlieben haben?« Er setzte das Glas auf die Armlehne seines Sessels und fuhr langsam fort. »Er reicht weit zurück, ich meine Wellauer, und ebenso die Gründe, aus denen ihn die Leute haßten. Ihr habt wahrscheinlich die Gerüchte gehört, daß er im Krieg den Nazis nahestand. Er konnte sie nicht aufhalten, also hat er sie, als der gute Deutsche, der er war, schlicht ignoriert. Und niemand hat sich daran gestört. Nicht im geringsten. Keiner tut das mehr, oder? Seht euch nur Waldheim an.«

»Ich habe die Gerüchte gehört«, sagte Brunetti.

Padovani trank von seinem Whisky und überlegte. »Also gut, nun zur Nationalität. Ich könnte euch mindestens drei Amerikaner nennen, zwei Deutsche und ein halbes Dutzend Italiener, die seinen Tod begrüßt hätten.«

»Das heißt aber wohl kaum, daß sie ihn auch umgebracht hätten«, warf Paola ein.

Padovani nickte zustimmend. Er streifte seine Schuhe ab und zog die Beine unter sich auf den Sessel. Er mochte willens sein, den Geschmack der Contessa in Grund und Boden zu verdammen, aber ihre Brokatstühle würde er nie schmutzig machen. »Er war ein Nazi. Das könnt ihr als gegeben annehmen. Seine zweite Frau hat Selbstmord begangen, dem könnte man eventuell nachgehen. Die erste hat ihn nach sieben Jahren verlassen, und obwohl ihr Vater einer der reichsten Männer Deutschlands war, hat Wellauer ihr eine großzügige Abfindung zukommen lassen. Damals wurde über häßliche Dinge, häßliche sexuelle Dinge gemunkelt, aber das war zu einer Zeit«, er nippte an seinem Glas, »als noch der Gedanke vorherrschte, es gebe sexuelle Dinge, die häßlich seien. Aber um es gleich zu sagen, nein, ich habe keine Ahnung, worum es da ging.«

»Würdest du es uns denn sagen, wenn du es wüßtest?« fragte Brunetti.

Padovani zuckte die Achseln.

»Jetzt zu den beruflichen Dingen. Er war ein berüchtigter sexueller Erpresser. Jede beliebige Liste von Sopranistinnen und Mezzosopranistinnen, die bei ihm gesungen haben, gibt einem da einen Überblick; hübsche, junge, anonyme Dinger, die plötzlich eine Tosca oder Dorabella sangen und dann ebenso plötzlich wieder von der Bildfläche verschwanden. Er war so gut, daß er sich solche Ausrutscher erlauben konnte. Außerdem können die meisten Leute sowieso nicht unterscheiden zwischen großen und kompetenten Sängern, das haben also nur wenige gemerkt, und es war nicht so schlimm. Zu seiner Ehre sei gesagt, daß sie wenigstens immer kompetent waren. Einige wurden sogar große Sängerinnen, aber das wären sie wahrscheinlich auch ohne ihn geworden.«

Brunetti schien das kaum ausreichend für Mord.

»Das waren die Karrieren, die er gefördert hat, aber es gab ebenso viele, die er ruiniert hat, besonders bei Männern meiner besonderen Veranlagung«, fügte er hinzu und trank einen Schluck, »oder Frauen mit derselben Neigung. Der verstorbene Maestro konnte einfach nicht glauben, daß er für eine Frau unattraktiv sein könnte. Wenn ich du wäre, dann würde ich mir diese sexuelle Seite der Sache mal ansehen. Vielleicht liegt die Antwort nicht direkt darin, aber als Ausgangspunkt mag es nützlich sein. Aber das«, meinte er, und deutete mit dem Glas auf den riesigen Bildschirm vor ihnen, »ist vielleicht auch nur eine Reaktion auf eine Überdosis davon.«

Er merkte offenbar, wie unbefriedigend seine Informationen waren, und fügte hinzu: »In Italien gibt es mindestens drei Leute, die allen Grund hatten, ihn zu hassen. Aber keiner wäre in der Lage gewesen, ihm etwas anzutun. Einer singt im Chor der Oper von Bari. Er wäre vielleicht ein bedeutender Verdi-Bariton geworden, hätte er nicht damals, in den gräßlichen sechziger Jahren, den Fehler begangen, seine sexuellen Vorlieben nicht vor dem Maestro zu verheimlichen. Ich habe gehört, daß er sich sogar habe hinreißen lassen, den Maestro selbst anzugehen, allerdings mag ich nicht glauben, daß jemand wirklich so dämlich sein kann. Wahrscheinlich ein Märchen. Wie auch immer, Wellauer wird nachgesagt, er habe bei einem befreundeten Kolumnisten den Namen fallenlassen, und kurz danach fing die Schmutzkampagne an. Deshalb singt er jetzt in Bari. Im Chor.

Der zweite lehrt Musiktheorie am Konservatorium von

Palermo. Ich bin nicht sicher, was zwischen den beiden vorgefallen ist, aber er war Dirigent und hatte schon ziemlich viele gute Kritiken eingeheimst. Das war vor etwa zehn Jahren, aber dann, nach ein paar Monaten verheerender Kritiken, war es vorbei mit seiner Karriere. Hierzu habe ich keine direkten Informationen, wie ich zugeben muß, aber Wellauers Name fiel im Zusammenhang mit den Kritiken.

Von dem dritten Fall habe ich nur ganz von ferne läuten hören, aber er betrifft jemanden, der hier wohnen soll.« Als er ihre überraschten Gesichter sah, ergänzte er: »Nein, nein, nicht hier im Palazzo. In Venedig. Aber sie ist wohl kaum fähig, etwas zu unternehmen, sie muß an die achtzig sein, und wie man hört, lebt sie völlig zurückgezogen. Ich bin auch nicht ganz sicher, ob das alles so stimmt oder ob ich mich richtig erinnere.«

Als er Paolas Blick sah, hielt er entschuldigend sein Glas in die Höhe. »Kommt von diesem Zeug. Es zerstört Gehirnzellen. Oder frißt sie auf.« Er schwenkte die Flüssigkeit im Glas, beobachtete die kleinen Wellen, die er verursachte, und wartete, daß sie ihm die Erinnerung zurückbrachten.

»Ich erzähle euch einfach, woran ich mich erinnere, oder meine zu erinnern. Sie heißt Clemenza Santina.« Als keiner seiner Zuhörer zu erkennen gab, daß ihm der Name etwas sagte, erklärte er: »Vor dem Krieg war sie eine der berühmtesten Sopranistinnen. Ihr ging es wie Rosa Ponsella in Amerika – sie wurde in einem Varieté entdeckt, wo sie mit ihren beiden Schwestern sang, und innerhalb weniger Monate sang sie in der Scala. Eine dieser vollkommenen Naturstimmen, wie sie in jedem Jahrhundert nur ein paarmal vorkommen. Aber sie hat nie Schallplattenaufnahmen gemacht, geblieben ist nur, was die Leute gehört haben, woran sie sich erinnern.« Er spürte die wachsende Ungeduld seiner Zuhörer und kam wieder zum Eigentlichen. »Zwischen ihr und Wellauer ist etwas gewesen, oder zwischen ihm und einer ihrer Schwestern. Ich weiß nicht genau, was es war oder wer es mir erzählt hat, aber sie hat, glaube ich, versucht ihn umzubringen, oder damit gedroht.« Er schwenkte sein Glas in der Luft, und Brunetti sah, wie betrunken der Mann war. »Jedenfalls ist jemand ums Leben gekommen oder umgebracht worden, oder vielleicht war es auch nur eine Drohung. Kann sein, daß ich es morgen früh wieder weiß. Oder vielleicht ist es auch nicht so wichtig.«

»Wie bist du auf sie gekommen?« wollte Brunetti wissen.

»Weil sie die Violetta bei ihm gesungen hat. Vor dem Krieg. Irgend jemand, ich weiß nicht mehr wer, hat mir erzählt, daß man erst kürzlich versucht hätte, ein Interview mit ihr zu machen. Laßt mich mal nachdenken.« Wieder konsultierte er seinen Drink, und wieder kam die Erinnerung. »Narciso, genau, der war's. Er hat einen Artikel über große Sänger der Vergangenheit geschrieben und sie aufgesucht, aber sie wollte nicht mit ihm sprechen und hat sich ziemlich abweisend verhalten. Ich glaube, er sagte, daß sie ihm nicht mal die Tür aufgemacht hat. Und dann erzählte er mir irgendwas von einer Geschichte über sie und Wellauer, vor dem Krieg. In Rom, glaube ich.«

»Hat er gesagt, wo sie wohnt?«

»Nein. Aber ich kann ihn morgen anrufen und fragen.«

Entweder war es der Alkohol oder das verebbende Gespräch, Padovanis Feuer erlosch jedenfalls allmählich. Brunetti konnte fast zusehen, wie das Geckenhafte schwand und er zu einem Mann mittleren Alters mit dichtem Bart und Bauchansatz wurde, der mit untergeschlagenen Beinen dasaß und über einem schwarzen Seidensocken zwei Zentimeter nackter Wade sehen ließ. Paola sah müde aus, wie er feststellte, oder war sie das Studentengeplänkel mit ihrem früheren Kommilitonen einfach leid? Auch Brunetti merkte, daß er an jenem heiklen Punkt angelangt war, zu dem der Alkohol bei ihm immer führte: trank er weiter, würde er bald zufrieden und angesäuselt sein; hörte er auf, würde er ebenso rasch nüchtern und melancholisch werden. Er wählte das letztere und stellte sein Glas unter seinen Stuhl auf den Boden, wo es sicher noch vor morgen früh von einem dienstbaren Geist gefunden wurde.

Auch Paola stellte ihr Glas ab und rutschte auf ihrem Stuhl nach vorn. Sie sah Padovani an und wartete, daß er sich erhob, doch er bedeutete ihnen mit einer Geste, daß sie schon gehen sollten, und nahm die Flasche vom Tisch. Während er sich reichlich eingoß, sagte er: »Die mache ich noch leer, bevor ich mich wieder ins Vergnügen stürze.« Brunetti überlegte, ob die Vortäuschung eines angeregten Geplauders ihn wohl ebenso langweilte wie offenbar Paola. Sie tauschten geistreiche Nichtigkeiten aus, und Padovani versprach, am nächsten Morgen anzurufen, falls er die Adresse der Sängerin bekam.

Paola führte Brunetti durch das Labyrinth des Palazzo zurück zu Licht und Musik. Als sie in den Salon traten, stellten sie fest, daß inzwischen noch mehr Leute gekommen waren und die Musik lauter spielte, passend zum fröhlichen Stimmengewirr.

Brunetti sah sich um, angewidert und gelangweilt beim

Anblick dieser gut gekleideten, gut genährten und gut informierten Leute. Er merkte, daß Paola seine Gedanken erriet, und gleich vorschlagen würde zu gehen, da sah er ein bekanntes Gesicht. An der Bar stand, in der einen Hand ein Glas, in der anderen eine Zigarette, die Ärztin, die Wellauers Leiche untersucht und ihn für tot erklärt hatte. Brunetti hatte sich an dem Abend gewundert, wie jemand, der Jeans trug, es wohl schaffte, einen Platz in den vorderen Parkettreihen zu bekommen. Heute war sie ähnlich angezogen: graue Hose und schwarzes Jackett, ein offensichtliches Desinteresse am eigenen Erscheinungsbild, wie es Brunetti bei einer Italienerin für unmöglich gehalten hätte.

Er sagte Paola, er habe jemanden entdeckt, mit dem er gern reden wolle, und sie meinte, dann wolle sie inzwischen versuchen, ihre Eltern zu finden, um sich für die Party zu bedanken. Sie trennten sich, und er ging quer durch den Salon zu der Dottoressa hinüber, deren Namen er vergessen hatte. Sie machte keinen Versuch, die Tatsache zu verschleiern, daß sie ihn wiedererkannte.

»Guten Abend, Commissario«, sagte sie, als er zu ihr trat.

»Guten Abend, Dottoressa«, antwortete er, und als sei der Förmlichkeit nun Genüge getan, fügte er hinzu: »Ich heiße Guido.«

»Und ich Barbara.«

»Wie klein unsere Stadt doch ist«, bemerkte er. Die banale Floskel gestattete es ihm, dem Förmlichen, sich um die Entscheidung zu drücken, ob er sie mit *lei* oder *tu* anreden sollte.

»Früher oder später trifft man sich«, pflichtete sie ihm

bei, vermied also mit gleichem Geschick die direkte Anrede.

Er entschied sich für das formelle *lei* und sagte: »Es tut mir leid, daß ich mich für Ihre Hilfe neulich abends gar nicht mehr bedankt habe.«

Sie zuckte die Achseln. »War meine Diagnose richtig?«

»Ja«, sagte er und überlegte, wie es ihr wohl gelungen war, es nicht in allen Zeitungen des Landes zu lesen. »Es war im Kaffee, wie Sie vermuteten.«

»Dachte ich mir. Aber ich muß gestehen, daß ich den Geruch nur erkannt habe, weil ich Agatha Christie gelesen hatte.«

»Ich auch. Es war das erste Mal, daß ich es im wirklichen Leben gerochen habe.« Beide ignorierten die Skurrilität seiner letzten Bemerkung.

Sie drückte ihre Zigarette in einer Topfpalme von der Größe eines Orangenbaums aus. »Wie kommt einer nur daran?« fragte sie.

»Das wollte ich Sie gerade fragen, Dottoressa.«

Sie überlegte ein paar Sekunden, bevor sie mutmaßte: »In Apotheken, in Labors vielleicht, aber ich bin sicher, daß über das Zeug Buch geführt werden muß.«

»Ja und nein.«

Als Italienerin verstand sie sofort, was er meinte. »Es könnte also verschwinden und nie gemeldet oder gar vermißt werden?«

»Ja, ich glaube schon. Einer von meinen Leuten überprüft alle Apotheken der Stadt, aber wir könnten nie alle Fabriken in Marghera oder Mestre überprüfen.«

»Es wird zur Filmherstellung benutzt, nicht?«

»Ja, und bei bestimmten petrochemischen Produkten.«

»Da hat Ihr Kollege ja in Marghera ein reiches Feld.«

»Allerdings«, gab er zu.

Er sah, daß ihr Glas leer war, und fragte: »Möchten Sie noch etwas trinken?«

»Nein, danke. Ich glaube, für einen Abend habe ich genug vom Champagner des Conte getrunken.«

»Waren Sie schon öfter hier?« fragte er mit unverhüllter Neugier.

»Ja, einige Male. Er lädt mich immer ein, und wenn ich Zeit habe, komme ich auch.«

»Warum?« Die Frage entschlüpfte ihm, bevor er richtig nachgedacht hatte.

»Er ist mein Patient.«

»Sie sind seine Ärztin?« Brunetti war zu verblüfft, um seine Reaktion in eine angemessene Form zu kleiden.

Sie lachte. Und mehr noch, ihre Heiterkeit war völlig natürlich und ohne Groll. »Wenn er mein Patient ist, dann muß ich wohl seine Ärztin sein. Meine Praxis ist gleich auf der anderen Seite des Campo. Erst habe ich die Dienstboten betreut, aber vor etwa einem Jahr, als ich bei einem von ihnen einen Hausbesuch machte, traf ich den Conte, und wir haben uns unterhalten.«

»Worüber denn?« Brunetti war erstaunt, daß der Conte zu etwas so Profanem wie Unterhaltung überhaupt in der Lage war, noch dazu mit jemand, der so wenig Aufhebens von sich machte wie diese junge Frau.

»Beim ersten Mal haben wir über den Hausangestellten gesprochen, der die Grippe hatte, aber als ich wieder kam, gerieten wir irgendwie in ein Gespräch über griechische

Lyrik, und das führte, wenn ich mich recht erinnere, zu einer Diskussion über griechische und römische Historiker. Der Conte ist besonders von Thukydides angetan. Da ich auf einem humanistischen Gymnasium war, konnte ich mitreden, ohne mich lächerlich zu machen, und der Conte hatte wohl den Eindruck, dann müsse ich auch als Ärztin kompetent sein. Jetzt kommt er oft in meine Praxis, und wir unterhalten uns über Thukydides und Strabo.« Sie lehnte sich an die Wand, die Beine über Kreuz. »Er ist nicht viel anders als meine anderen Patienten. Die meisten kommen und klagen über Wehwehchen, die sie nicht haben, und Schmerzen, die sie nicht fühlen. Der Conte ist ein interessanterer Gesprächspartner, aber sonst besteht kaum ein großer Unterschied. Er ist einsam und alt, genau wie sie, und er möchte mit jemandem reden.«

Brunetti war über diese Beurteilung seines Schwiegervaters so schockiert, daß er nichts zu sagen wußte. Einsam? Ein Mann, der mit einem Telefonat das Schweizer Bankgeheimnis lüften konnte? Ein Mann, der über das Testament eines anderen Bescheid wußte, bevor der noch unter der Erde war? So einsam, daß er zu seiner Hausärztin ging, um mit ihr über griechische Geschichtsschreiber zu reden?

»Manchmal spricht er auch von Ihnen«, sagte sie, »von Ihnen allen.«

»Ach ja?«

»Ja. Er hat Ihre Fotos in seiner Brieftasche. Er hat sie mir schon öfter gezeigt. Sie, Ihre Frau, die Kinder.«

»Warum erzählen Sie mir das, Dottoressa?«

»Wie ich schon sagte, er ist ein einsamer alter Mann. Und er ist mein Patient, da versuche ich zu tun, was ich kann, um ihm zu helfen.« Als sie sah, daß er Anstalten machte zu widersprechen, fügte sie hinzu: »Wenn ich glaube, daß es ihm hilft.«

»Ist es denn normal, daß Sie Privatpatienten annehmen?«

Wenn sie merkte, worauf das hinauslief, dann ließ sie es sich nicht anmerken. »Die meisten sind Kassenpatienten.«

»Wie viele Privatpatienten haben Sie denn?«

»Ich glaube nicht, daß Sie das etwas angeht, Commissario.«

»Nein, wahrscheinlich nicht«, gab er zu. »Würden Sie eine Frage über Ihre politische Einstellung beantworten?« Es war eine Frage, die in Italien, wo die Parteien sich noch nicht gleichen wie ein Ei dem anderen, immer noch einige Bedeutung hatte.

»Ich bin natürlich Kommunistin, selbst wenn der Name der Partei geändert wurde.«

»Und da akzeptieren Sie einen der reichsten Männer Venedigs als Patienten? Wahrscheinlich einen der reichsten Italiens?«

»Natürlich. Warum sollte ich nicht?«

»Nun, wie gesagt, weil er ein sehr reicher Mann ist.«

»Was hat das damit zu tun, ihn als Patienten zu haben?«

»Ich dachte...«

»Daß ich ihn ablehnen sollte, weil er reich ist und sich bessere Ärzte leisten kann? Meinten Sie das, Commissario?« Sie versuchte nicht, ihren Ärger zu verbergen. »Das ist nicht nur eine persönliche Beleidigung, es ist auch Ausdruck eines ziemlich vereinfachten Weltbildes. Aber keines von beiden überrascht mich sehr.« Bei ihrer letzten Bemerkung fragte er sich, was der Conte wohl bei ihren Gesprächen über ihn gesagt hatte.

Er hatte das Gefühl, das ganze Gespräch sei ziemlich aus dem Ruder gelaufen. Er hatte sie nicht kränken wollen, hatte nicht andeuten wollen, der Conte könnte bessere Ärzte finden. Sein Erstaunen galt einzig der Tatsache, daß sie ihn als Patienten angenommen hatte. »Dottoressa, bitte«, sagte er und hielt die Hand hoch, »es tut mir leid, aber die Welt, in der ich arbeite, ist eine vereinfachte Welt. Es gibt gute Menschen.« Sie hörte ihm zu, daher wagte er lächelnd den Zusatz: »Wie uns.« Sie hatte den Takt zurückzulächeln. »Und dann gibt es Menschen, die das Gesetz brechen.«

»Aha, ich verstehe«, antwortete sie, doch ihr Zorn war noch nicht verflogen. »Und gibt uns das ein Recht, die Welt in zwei Gruppen einzuteilen, eine für uns, und eine für alle anderen? Und ich behandle diejenigen, die meine politischen Ansichten teilen, und lasse den Rest sterben? Bei Ihnen klingt das wie ein Cowboyfilm – hier die Guten und dort die Gesetzesbrecher, und nicht die geringsten Schwierigkeiten, den Unterschied zwischen beiden zu erkennen.«

Er versuchte sich zu verteidigen: »Ich habe nicht gesagt, welches Gesetz, ich sagte nur, sie brechen das Gesetz.«

»Gibt es in Ihrem Weltbild nicht nur ein Gesetz, nämlich das des Staates?« Ihre Verachtung war offensichtlich, und er hoffte, sie galt dem Gesetz des Staates und nicht ihm.

»Nein, ich glaube nicht«, erwiderte er.

Sie warf die Arme hoch. »Wenn jetzt auch noch der

arme alte Gottvater vom Himmel heruntergezerrt und ins Gespräch gebracht werden soll, dann brauche ich noch ein Glas Champagner.«

»Nein, lassen Sie mich gehen«, sagte er und nahm ihr das Glas aus der Hand. Als er gleich darauf mit einem frischen Glas Champagner für sie und einem Mineralwasser für sich selbst zurückkam, nahm sie das Glas und bedankte sich mit einem ganz normalen und freundlichen Lächeln.

Sie nippte und fragte dann: »Und wie ist das mit diesem Gesetz, von dem Sie sprachen?« Das klang so ehrlich interessiert und ohne Groll, daß es ihren Disput von eben ganz vergessen machte. Auf beiden Seiten, wie er merkte.

»Das, was wir haben, ist sicher nicht ausreichend«, begann er, überrascht, sich das sagen zu hören, denn dieses Gesetz hatte er sein Leben lang verteidigt. »Wir brauchen ein menschlicheres, oder vielleicht ein humaneres.« Er hielt inne, weil er merkte, wie idiotisch er sich vorkam, wenn er das sagte. Und schlimmer noch, es auch meinte.

»Das wäre sicher sehr schön«, sagte sie so sanft, daß er sofort mißtrauisch wurde. »Aber würde sich das mit Ihrem Beruf vertragen? Schließlich leben Sie davon, das andere Gesetz durchzusetzen, das Gesetz des Staates.«

»Das ist dasselbe.« Und als er merkte, wie lahm und dumm das klang, fügte er hinzu: »Normalerweise.«

»Aber nicht immer?«

»Nein, nicht immer.«

»Und wenn nicht?«

»Ich versuche die Stelle zu sehen, wo sich die beiden treffen, wo es auf dasselbe hinausläuft.«

»Und wenn nicht?«

»Dann tue ich, was ich tun muß.«

Sie brach so spontan in Gelächter aus, daß er mitlachen mußte. Das hatte wirklich zu sehr geklungen wie John Wayne, bevor er zu seinem letzten Gefecht auszieht.

»Ich muß mich entschuldigen, Guido, wirklich. Wenn es Sie tröstet, es ist dieselbe Art von Entscheidung, die wir Ärzte oft fällen müssen, wenn das, was wir für richtig halten, nicht dasselbe ist, was das Gesetz für richtig hält.«

Paola rettete ihn, oder vielmehr sie beide, indem sie zu ihm kam und fragte, ob er jetzt nach Hause gehen wolle.

»Paola.« Brunetti drehte sich zu ihr um. »Darf ich dir die Ärztin deines Vaters vorstellen«, fragte er, in der Hoffnung, sie zu verblüffen.

»Ach, Barbara«, rief Paola. »Ich freue mich sehr, Sie kennenzulernen. Mein Vater spricht so viel von Ihnen. Schade, daß es so lange gedauert hat, bis wir uns endlich einmal begegnen.«

Brunetti sah und hörte ihnen zu und wunderte sich über die Leichtigkeit, mit der Frauen zeigen konnten, daß sie einander mochten, wie sehr sie einander schon beim ersten Kennenlernen vertrauten. Vereint in der gemeinsamen Sorge um einen Mann, den er immer als kühl und distanziert empfunden hatte, sprachen die beiden miteinander, als kennten sie sich schon Jahre. Nichts von dem aufreibenden moralischen Abtasten, wie es zwischen ihm und der Ärztin stattgefunden hatte. Sie und Paola hatten einander nur kurz begutachtet und an dem, was sie sahen, sofort Gefallen gefunden. Er hatte dieses Phänomen häufig beobachtet, fürchtete aber, daß er es nie verstehen würde. Auch er konnte rasch ein freundschaftliches Verhältnis zu einem anderen Mann entwickeln, aber es ging immer nur wenige Schichten tief. Die sofortige Vertrautheit, die er hier sah, ging jedoch sehr viel tiefer, traf in irgendein Zentrum. Und offenbar hörte sie da auch nicht einfach auf, sondern legte nur eine Pause ein bis zur nächsten Begegnung.

Die beiden waren bei Raffaele angelangt, dem einzigen Enkel des Conte, als ihnen einfiel, daß Brunetti auch noch da war. Paola merkte, wie er rastlos von einem Fuß auf den anderen trat, und wußte, daß er müde war und nach Hause wollte, also sagte sie: »Tut mir leid, Barbara, daß ich Ihnen diese ganze Geschichte mit Raffaele auch noch aufgebürdet habe. Jetzt müssen Sie sich Gedanken über zwei Generationen machen statt über eine.«

»Nein, es ist ganz gut, eine andere Ansicht über die Kinder zu hören. Er macht sich immer zu viele Sorgen um sie. Aber er ist so stolz auf Sie beide.« Brunetti brauchte einen Augenblick, bevor er merkte, daß sie ihn und Paola meinte. Das wurde tatsächlich langsam ein Abend voller Wunder.

Er wußte nicht, wie es kam, aber die beiden Frauen entschieden, es sei an der Zeit, daß sie alle gingen. Die Dottoressa stellte ihr Glas auf dem Tischchen neben sich ab, und Paola nahm im selben Augenblick seinen Arm. Sie verabschiedeten sich, und ihm fiel wieder auf, wieviel herzlicher die Ärztin zu Paola war als zu ihm.

13

Wie es das Schicksal wollte, war der nächste Morgen der, an dem sein erster Bericht »vor acht« auf Pattas Schreibtisch liegen sollte. Da es Viertel nach acht war, als er die Augen öffnete und auf die Uhr schaute, war das eindeutig unmöglich.

Eine halbe Stunde später, als er in die Küche kam und sich wieder etwas menschenähnlicher fühlte, fand er Paola bei der Lektüre von *L'Unità*. Daraus entnahm er, daß Dienstag war. Aus Gründen, die er nie recht verstanden hatte, las sie jeden Morgen eine andere Zeitung, wobei sie das politische Spektrum von rechts bis links berücksichtigte und die Sprachen von Französisch bis Englisch. Vor Jahren, als er sie noch nicht lange kannte und noch weniger verstand, hatte er sie einmal danach gefragt. Ihre Antwort war völlig logisch, wie er erst viel später erkannte – »Ich will sehen, auf wie viele verschiedene Arten man dieselben Lügen verbreiten kann.« In den folgenden Jahren hatte er nichts gelesen, was darauf hindeutete, daß ihr Vorgehen falsch war. Heute war es die Lüge der Kommunisten; morgen bekamen die Christdemokraten ihre Chance.

Er küßte sie auf den Nacken. Sie grunzte, schaute aber nicht hoch. Schweigend deutete sie nach links, wo auf dem Tresen ein Teller mit frischen Brioches stand. Während sie eine Seite umblätterte, goß er sich eine Tasse Kaffee ein, nahm sich drei Stück Zucker und setzte sich ihr gegenüber.

»Irgendwas Neues?« fragte er und biß in eine Brioche.

»Wie man's nimmt. Wir haben seit gestern nachmittag keine Regierung mehr. Der Präsident versucht, eine zu bilden, aber es sieht aus, als würde es ihm nicht gelingen. Und beim Bäcker heute morgen war das einzige Gesprächsthema, wie kalt es geworden ist. Kein Wunder, daß es so um unsere Regierung steht: wir verdienen es nicht besser. Na ja«, meinte sie, während sie über dem Foto des neuesten designierten Ministerpräsidenten verharrte, »vielleicht doch nicht. Niemand könnte so etwas verdienen.«

»Was sonst«, fragte er, in ihr uraltes Ritual verfallend. So erfuhr er, was vor sich ging, ohne die Zeitungen selbst lesen zu müssen, und bekam in der Regel zugleich einen guten Eindruck von ihrer Stimmungslage.

»Bahnstreik nächste Woche, als Protest auf die Entlassung eines Lokführers, der betrunken einen anderen Zug gerammt hat. Seine Kollegen hatten sich schon seit Monaten über ihn beklagt. Aber keiner nahm Notiz davon. Jetzt sind drei Menschen tot. Und nun drohen dieselben Leute, die sich beschwert haben, mit Streik, weil man ihn rausgeworfen hat.« Sie blätterte um. Er nahm noch eine Brioche. »Neue Androhung terroristischer Anschläge. Vielleicht hält uns das die Touristen vom Hals.« Sie blätterte weiter. »Kritik der Eröffnungsvorstellung der römischen Oper. Katastrophe. Mieser Dirigent. Dami hat mir gestern abend erzählt, das Orchester hätte schon seit Wochen über ihn gemeckert, während der ganzen Probenzeit, aber keiner hätte auf sie gehört. Paßt doch zusammen. Niemand hört auf die Leute, die mit dem Lokführer dauernd zu tun haben, warum sollte also jemand auf die Musiker hören, die ihren Dirigenten ständig bei den Proben erleben?«

Er stellt seinen Kaffee so abrupt auf den Tisch, daß etwas überschwappte. Paola zog daraufhin nur die Zeitung näher zu sich.

»Was hast du gesagt?«

»Hmm?« fragte sie abwesend.

»Was hast du über den Dirigenten gesagt?«

Sie blickte auf, nicht seiner Worte, sondern des Tonfalls wegen. »Wie bitte?«

»Über den Dirigenten, was hast du da eben gesagt?«

Wie die meisten Äußerungen, die sie morgens machte, schien auch diese vergessen, sobald sie ausgesprochen war. Paola blätterte zu der Seite zurück, auf der sie den Artikel gesehen hatte, und überflog ihn noch einmal. »Ach ja, das Orchester. Wenn jemand auf die Musiker gehört hätte, dann hätte man gewußt, daß er ein mieser Dirigent war. Schließlich können sie doch am besten beurteilen, wie gut einer ist, oder?«

»Paola«, sagte er und zog ihr die Zeitung vor dem Gesicht weg, »wenn ich nicht mit dir verheiratet wäre, dann würde ich meine Frau für dich verlassen.«

Er sah mit Befriedigung, daß er sie überrascht hatte, was ihm selten genug gelang. Er ließ sie so sitzen, über den Rand ihrer Lesebrille spähend, und ganz und gar nicht sicher, was sie eigentlich getan hatte.

Er rannte alle vierundneunzig Stufen nach unten, begierig darauf, an die Arbeit zu kommen und ein paar Telefonate zu führen.

Als er eine Viertelstunde später im Präsidium ankam, war von Patta noch nichts zu sehen, also diktierte er ein paar kurze Sätze und ließ sie ins Büro seines Vorgesetzten bringen. Danach rief er in der Redaktion des *Gazzettino* an und bat, mit Salvatore Rezzonico, dem Musikkritiker, verbunden zu werden. Er sei nicht im Hause, hieß es, aber er könne ihn entweder in seiner Wohnung oder im Konservatorium erreichen. Als Brunetti den Mann endlich in dessen Wohnung erreichte und ihm erklärte, weshalb er ihn sprechen wollte, schlug Rezzonico vor, sich im Konservatorium mit ihm zu treffen, wo er um elf eine Vorlesung halten mußte. Brunettis nächster Anruf galt seinem Zahnarzt, der einmal erwähnt hatte, daß sein Vetter erste Violine im Orchester des La Fenice spiele. Er erfuhr, daß der Mann Traverso hieß, rief ihn an und verabredete sich für den selben Abend vor der Vorstellung im Theater mit ihm.

Die nächste halbe Stunde verbrachte er mit Miotti, der nicht viel Neues im Theater erfahren hatte, außer daß ein weiteres Chormitglied gesehen haben wollte, wie Flavia Petrelli nach dem ersten Akt in die Garderobe des Dirigenten ging. Miotti hatte auch den Grund für die offensichtliche Abneigung des Portiers gegenüber der Sopranistin herausgefunden, er glaubte nämlich, daß sie etwas mit »dieser Amerikanerin« hatte. Mehr hatte Miotti nicht zu bieten. Brunetti schickte ihn ins Archiv des *Gazzettino*, wo er versuchen sollte, etwas über einen Skandal zu finden, der den Maestro und eine italienische Sängerin betraf, irgendwann »vor dem Krieg«. Er vermied es, Miotti bei diesen vagen Angaben anzusehen. Statt dessen tröstete er ihn damit, daß es vielleicht ein Ablagesystem gebe, das ihm die Suche erleichterte.

Anschließend ging Brunetti durch die Stadt zum Konservatorium, das in einem kleinen Campo beim Ponte dell'Accademia lag. Nach einigem Herumfragen fand er Rezzoni-cos Seminarraum im dritten Stock, wo der Professor schon wartete, entweder auf ihn oder auf seine Schüler.

Wie es in Venedig so oft passierte, kannte Brunetti den Mann vom Sehen. Und obwohl sie noch nie miteinander ge-sprochen hatten, wurde durch die freundliche Begrüßung des anderen deutlich, daß Brunetti ihm aus demselben Grund bekannt war. Rezzonico war ein kleiner Mann mit blassem Gesicht und auffallend gepflegten Händen. Er war glattrasiert, hatte sehr kurz geschnittenes Haar und trug zum dunkelgrauen Anzug eine Krawatte in gedeckten Far-ben, als kleidete er sich bewußt für seine Rolle als Professor.

»Was kann ich für Sie tun, Commissario?« fragte er, nachdem Brunetti sich vorgestellt und an einem der Tische im Seminarraum Platz genommen hatte.

»Es geht um Maestro Wellauer.«

»Ah ja«, meinte der andere, und seine Stimme wurde trübsinnig, wie zu erwarten gewesen war. »Ein trauriger Verlust für die Musikwelt.« Dieser Mann hatte immerhin den Nachruf geschrieben.

Brunetti legte die entsprechende Anstandspause ein, be-vor er fortfuhr. »Wollten Sie eine Kritik über die Aufführ-ung von *La Traviata* schreiben, Professor?«

»Ja, das wollte ich.«

»Aber sie ist nicht erschienen, oder?«

»Nein, wir haben beschlossen, oder vielmehr der Chef-redakteur hat beschlossen, aus Respekt für den Maestro und weil die Vorstellung nicht beendet wurde, damit zu warten und später eine Vorstellung des neuen Dirigenten zu besprechen.«

»Und haben Sie diese Besprechung schon geschrieben?«

»Ja, sie ist in der heutigen Ausgabe erschienen.«

»Tut mir leid, Professor, aber ich hatte noch keine Zeit, sie zu lesen. Ist sie positiv?«

»Im großen und ganzen ja. Die Sänger sind gut, und die Petrelli ist hervorragend. Sie ist wohl die einzige Verdi-Sopranistin, die wir derzeit haben, die einzige wirkliche, meine ich. Der Tenor ist nicht so gut, aber er ist noch sehr jung, und seine Stimme wird sich wohl entwickeln.«

»Und der Dirigent?«

»Ich habe es in meiner Besprechung gesagt, es ist eine besonders schwierige Aufgabe, unter solchen Umständen einspringen zu müssen. Ein Orchester zu übernehmen, das unter einem anderen geprobt hat, ist keine leichte Sache.«

»Ja, das kann ich verstehen.«

»Aber wenn man alle Schwierigkeiten berücksichtigt, mit denen er konfrontiert war«, fuhr der Professor fort, »dann hat er seine Aufgabe bemerkenswert gut gelöst. Er ist ein sehr begabter junger Mann, und er scheint ein besonderes Gefühl für Verdi zu haben.«

»Und was ist mit Maestro Wellauer?«

»Ich verstehe nicht ganz?«

»Wenn Sie die Premiere besprochen hätten, die Vorstellung, die Wellauer bis zur zweiten Pause dirigiert hat, was hätten Sie darüber gesagt?«

»Über die Vorstellung als Ganzes oder über den Maestro?«

»Beides.«

Es war klar, daß die Frage den Professor verwirrte. »Ich

weiß nicht recht, was ich darauf antworten soll. Der Tod des Maestro hat alles überflüssig gemacht.«

»Aber wenn Sie diese Kritik geschrieben hätten, was hätten Sie dann über ihn gesagt?«

Der Professor kippte seinen Stuhl nach hinten und faltete die Hände hinter dem Kopf, genau wie es Brunettis Professoren früher getan hatten. Er saß ein Weilchen so da und dachte über die Frage nach, dann ließ er den Stuhl wieder nach vorn auf den Boden schnellen. »Ich fürchte, die Besprechung wäre eine andere gewesen.«

»Inwiefern, Professor?«

»Was die Sänger angeht, wohl ziemlich gleich. Signora Petrelli ist immer wunderbar. Der Tenor hat gut gesungen, wie ich schon sagte, und wird mit zunehmender Bühnenerfahrung sicher noch besser werden. Bei der Premiere haben sie etwa genauso gesungen, aber das Ergebnis war anders.« Er sah Brunettis Verwirrung und versuchte zu erklären: »Wissen Sie, ich muß da so viele Jahre ausradieren, in denen ich seine Arbeit verfolgt habe. Es war nicht leicht, an dem Abend zuzuhören, ohne daß die vielen Jahre genialen Künstlertums sich zwischen das drängten, was ich da hörte. Lassen Sie es mich so erklären: Während einer Vorstellung hält der Dirigent die Dinge zusammen, er achtet darauf, daß die Sänger sich an die richtigen Tempi halten, daß sie vom Orchester unterstützt werden, daß die Einsätze stimmen, daß keiner dem anderen davonrennt. Er muß auch darauf achten, daß sein Orchester nicht zu laut wird, daß die Crescendi sich aufbauen und dramatisch sind, gleichzeitig aber die Sänger nicht übertönen. Wenn der Dirigent so etwas hört, kann er die Musiker mit einer Handbewegung zurückpfeifen, oder indem er den Finger an den Mund legt.« Zur Illustration demonstrierte er die Gesten, die Brunetti in vielen Konzerten oder Opern beobachtet hatte.

»Und er muß in jeder Sekunde alles im Griff haben: den Chor, die Sänger, das Orchester, und sie in perfektem Gleichgewicht halten. Tut er das nicht, fällt die ganze Geschichte auseinander, und man hört nur noch Einzelteile, aber nicht die Oper als Ganzes.«

»Und in der Nacht, in der Wellauer starb?«

»Die zentrale Kontrolle war nicht da. Manchmal wurde das Orchester so laut, daß ich die Sänger nicht hören konnte, und ich bin sicher, sie hatten Probleme, sich gegenseitig zu hören. Dann wieder spielte das Orchester zu schnell, und die Sänger hatten Mühe mitzukommen. Oder umgekehrt.«

»Hat das außer Ihnen noch jemand im Theater gemerkt, Professor?«

Rezzonico hob die Brauen und schnaubte verächtlich. »Commissario, ich weiß nicht, wie gut Sie das venezianische Publikum kennen, aber das größte Kompliment, das man ihm machen kann, lautet: Es ist eine Horde von Affen. Sie gehen nicht ins Theater, um Musik zu hören, oder gute Sänger; sie gehen hin, um ihre neue Garderobe auszuführen und von ihren Freunden gesehen zu werden, und diese Freunde sind aus genau dem gleichen Grunde dort. Sie könnten die Dorfkapelle aus dem kleinsten Kaff Siziliens in den Orchestergraben setzen, und aus dem Publikum würde keiner den Unterschied hören. Prächtige Kostüme und ein raffiniertes Bühnenbild garantieren den Erfolg, eine moderne Oper oder Sänger, die keine Italiener sind, den Reinfall.« Der Professor merkte, daß er anfing zu dozieren, senkte die Stimme und fügte hinzu: »Aber die Antwort auf Ihre Frage ist nein, ich bezweifle, daß viele Leute gemerkt haben, was da vorging.«

»Die anderen Kritiker?«

Wieder schnaubte der Professor verächtlich. »Außer Narciso von *La Repubblica* gibt es keinen Musiker unter ihnen. Manche gehen einfach in die Proben und schreiben danach ihre Kritiken. Manche können nicht einmal eine Partitur lesen. Nein, echte Urteilsfähigkeit gibt es da nicht.«

»Was war Ihrer Meinung nach der Grund für Maestro Wellauers Versagen, wenn das der richtige Ausdruck ist?«

»Da gibt es viele Möglichkeiten. Ein schlechter Tag. Er war immerhin ein alter Mann. Vielleicht hat er sich vor der Vorstellung über irgend etwas aufgeregt. Oder es waren, so lächerlich es klingen mag, nichts weiter als Verdauungsstörungen. Aber was es auch war, er hatte die Musik an dem Abend nicht im Griff. Sie ist ihm entglitten; das Orchester hat sich mehr oder weniger selbständig gemacht, und die Sänger versuchten dranzubleiben. Aber bei ihm fehlte weitgehend die Kontrolle.«

»Fällt Ihnen noch etwas ein, Professor?«

»Meinen Sie zur Musik?«

»Dazu oder zu anderen Dingen.«

Rezzonico überlegte, wobei er diesmal die Finger auf seinem Schoß ineinander verschlang, und meinte schließlich: »Das klingt jetzt vielleicht merkwürdig. Für mich selbst klingt es merkwürdig, weil ich eigentlich nicht weiß, warum ich es sage oder glaube. Aber meinem Eindruck nach hat er es gewußt.«

»Wie bitte?«

»Wellauer, ich glaube, er wußte es selbst.«

»Das mit dem Orchester? Was da vor sich ging?«

»Ja.«

»Warum sagen Sie das, Professor?«

»Es war nach der Szene im zweiten Akt, in der Germont Violetta bittet, Alfredo freizugeben.« Er sah Brunetti an, um zu sehen, ob er die Handlung der Oper kannte. Brunetti nickte, und der Professor fuhr fort: »Es ist eine Szene, nach der es immer viel Applaus gibt, besonders, wenn die Sänger so gut sind wie Dardi und Petrelli. Sie waren es, und so gab es langen Applaus. Währenddessen habe ich den Maestro beobachtet. Er legte den Stab aufs Pult, und ich hatte das seltsame Gefühl, daß er gleich gehen würde, einfach vom Podium steigen und gehen. Entweder habe ich es wirklich gesehen oder es mir eingebildet, aber er schien es gerade tun zu wollen, als der Applaus aufhörte und die ersten Violinen ihre Bogen hoben. Er sah sie, nickte ihnen zu und nahm den Stab auf. Und die Oper ging weiter, aber ich habe immer noch das komische Gefühl, wenn er ihre Bewegung nicht gesehen hätte, wäre er einfach gegangen.«

»Hat noch jemand das beobachtet?«

»Ich weiß es nicht. Keiner der Leute, mit denen ich ge-sprochen habe, wollte viel über die Vorstellung sagen, und das wenige, was sie gesagt haben, klang sehr zurückhaltend. Ich saß in einer der vorderen Logen links, konnte ihn also sehr gut sehen. Wahrscheinlich haben die meisten Leute auf die Sänger geschaut. Als dann die Ansage kam, er könne nicht weiterdirigieren, dachte ich, er hätte vielleicht einen Herzanfall gehabt. Aber nicht, daß er umgebracht worden sei.«

»Und wie haben diese anderen Leute geurteilt?«

»Wie gesagt, sie waren schon fast übervorsichtig, wollten nichts gegen ihn sagen, jetzt wo er tot ist. Aber einige Leute hier haben weitgehend dasselbe gesagt, nämlich daß die Aufführung enttäuschend war. Weiter nichts.«

»Ich habe Ihren Artikel über seine Karriere gelesen, Professor. Sie haben sich sehr positiv über ihn geäußert.«

»Er war einer der großen Musiker dieses Jahrhunderts. Ein Genie.«

»Sie haben diese letzte Vorstellung in Ihrem Artikel nicht erwähnt.«

»Man verurteilt einen Künstler nicht einer schlechten Vorstellung wegen, Commissario, besonders dann nicht, wenn seine gesamte Laufbahn sonst so glanzvoll war.«

»Ja, ich weiß, für eine schlechte Vorstellung nicht, und nicht für eine schlechte Tat.«

»So ist es«, pflichtete der Professor bei und wandte seine Aufmerksamkeit zwei jungen Frauen zu, die gerade hereinkamen, jede mit einer dicken Partitur unter dem Arm. »Aber wenn Sie mich jetzt entschuldigen wollen, Commissario, meine Studenten kommen, und ich muß gleich mit der Vorlesung anfangen.«

»Natürlich, Professor«, sagte Brunetti, stand auf und streckte die Hand aus. »Vielen Dank für Ihre Zeit und Ihre Hilfe.«

Der andere erwiderte die Höflichkeit, aber Brunetti merkte, daß er sich jetzt auf seine Studenten konzentrierte.

Er ging die breite Treppe hinunter und hinaus auf den Campiello Santo Stefano.

Er kam oft hier vorbei und kannte inzwischen nicht nur die Menschen, die in den Bars und Geschäften arbeiteten, sondern sogar die Hunde, die in dieses Viertel gehörten. Im blassen Sonnenlicht lag faul eine rosa-weiße Bulldogge, deren maulkorbloses Maul Brunetti immer nervös machte. Dann gab es noch dieses seltsame chinesische Etwas, das sich aus einer Art Wollknäuel zu einem Geschöpf von unübertroffener Häßlichkeit entwickelt hatte. Und zuletzt kam der schwarze Mischling, der vor dem Keramikladen herumlümmelte und den ganzen Tag so unbeweglich dalag, daß viele Leute ihn schon für einen Teil der Auslage hielten.

Er beschloß, sich im Caffè Paolin einen Espresso zu genehmigen. Die Tische standen noch draußen, aber heute saßen nur Ausländer daran, die sich verzweifelt einzureden versuchten, es sei warm genug für einen Cappuccino im Freien. Vernünftige Leute gingen nach drinnen.

Er begrüßte den Barmann, der taktvoll genug war, ihn nicht zu fragen, ob es in seinem Fall Neuigkeiten gebe. In einer Stadt, in der es keinerlei Geheimnisse gab, hatten die Menschen eine Fähigkeit entwickelt, direkte Fragen zu vermeiden und über nichts zu reden, das über Alltäglichkeiten hinausging. Mochte der Fall sich auch noch so lange hinziehen, Brunetti konnte sicher sein, daß keiner von denen, die auf dieser Ebene mit ihm zu tun hatten – sei es der Barmann, die Zeitungsfrau oder der Bankbeamte –, auch nur ein Wort darüber verlieren würde.

Nachdem er seinen Espresso getrunken hatte, war er unruhig und nicht im mindesten hungrig auf das Mittagessen, dem alle um ihn herum so eilig zuzustreben schienen. Er rief sein Büro an und erfuhr, daß Padovani angerufen und einen Namen und eine Adresse für ihn durchgegeben hatte. Nichts weiter, nur den Namen: ›Clemenza Santina‹ und die Anschrift: ›Corte Mosca, Giudecca‹.

14

Die Giudecca-Insel war ein Teil Venedigs, in den Brunetti selten kam. Obwohl man von der Piazza San Marco, ja eigentlich von der gesamten Vorderseite der Hauptinsel, die knapp hundert Meter hinüberschauen konnte, war sie vom Rest der Stadt doch seltsam isoliert. Die scheußlichen Geschichten, die man mit peinlicher Regelmäßigkeit in der Zeitung las, über Kinder, die von Ratten gebissen, oder Leute, die nach einer Überdosis tot aufgefunden worden waren, schienen immer auf der Giudecca zu passieren. Selbst die Anwesenheit eines entthronten Monarchen und eines welkenden Filmstars der fünfziger Jahre konnte ihren Ruf als unheimlichen, rückständigen Ort, wo schreckliche Dinge geschahen, im öffentlichen Bewußtsein nicht aufbessern.

Brunetti kam, wie viele Venezianer, meist nur zum Redentorefest hin, mit dem im Juli das Ende der Pest von 1576 gefeiert wurde. Zwei Tage lang war die Giudecca dann mit der Hauptinsel durch eine Pontonbrücke verbunden, auf der die Gläubigen übers Wasser zur Chiesa del Redentore gehen konnten, um dort Dank zu sagen für einen weiteren Fall jenes göttlichen Eingreifens, das die Stadt immer wieder gerettet oder ausgespart hatte.

Während das Vaporetto der Linie acht seinen Weg durchs aufgewühlte Wasser nahm, stand er an Deck und betrachtete das industrielle Inferno von Marghera in der Ferne, wo Schornsteine flockige Rauchwolken ausstießen, die dann langsam über die Lagune trieben und auf die Stadt niedergingen, um sich an dem weißen istrischen Marmor der Gebäude gütlich zu tun. Er überlegte, welcher göttliche Eingriff die Stadt wohl vor dieser modernen Pest retten könnte, vor dem Ölfilm, der das Wasser der Lagune bedeckte und schon Millionen der Krabben vernichtet hatte, die noch durch die Alpträume seiner Kindheit gekrochen waren. Welcher Erlöser konnte die Stadt vor den grünlichen Rauchschwaden retten, die aus dem Marmor allmählich Baiser machten? Als Mann von begrenztem Glauben konnte er sich keine Rettung vorstellen, weder durch einen Gott noch durch Menschen.

Er stieg am Anleger Zitelle aus und ging links am Ufer entlang auf der Suche nach dem Eingang zum Corte Mosca. Jenseits des Wassers lag die Stadt, glitzernd in der fahlen Wintersonne. Er kam an der Kirche vorbei, die zur Nachmittagssiesta des Herrgotts geschlossen war, und gleich dahinter sah er den Eingang zu dem Hof. Der schmale niedrige Durchgang lag in tiefem Schatten und stank nach Katzen.

Am Ende des steinernen Tunnels begann ein verwilderter Garten, der in der Mitte des Innenhofes üppig wucherte. Auf der einen Seite nagte ein Tier, vielleicht eine Katze, an einem fedrigen Etwas. Beim Klang seiner Schritte zog es sich unter einen Rosenbusch zurück und schleifte seine Beute mit. Am anderen Ende des Hofes sah er eine verzogene Holztür. Er ging hinüber, wobei er sich immer wieder von dornigen Ranken befreien mußte, und klopfte, dann hämmerte er gegen die Tür.

Es dauerte Minuten, bevor die Tür eine Handbreit zurückgezogen wurde und zwei Augen ihn ansahen. Er suche Signora Santina, erklärte er. Die Augen betrachteten ihn eingehend und blinzelten verwirrt, bevor das Dunkel des Hauses sie wieder aufnahm. Mit Rücksicht auf die Gebrechen des Alters wiederholte er seine Frage, diesmal fast schreiend. Daraufhin öffnete sich unter den Augen ein kleines Loch, und eine Männerstimme sagte ihm, die Signora wohne drüben am anderen Ende des Hofes.

Brunetti drehte sich um und schaute über den Garten hinweg zurück. Neben dem Eingang, fast verdeckt von einem Haufen aus verrottendem Gras und Zweigen, war ein zweiter niedriger Eingang. Als er sich umdrehte, um sich zu bedanken, wurde die Tür vor seiner Nase zugeschlagen. Vorsichtig stapfte er durch den Garten zurück und klopfte an die andere Tür.

Diesmal mußte er noch länger warten. Und als sie endlich aufging, sah er auf derselben Höhe wie vorhin ein Augenpaar und überlegte, ob dieses Wesen es irgendwie fertiggebracht hatte, von einer Seite des Gebäudes auf die andere zu laufen. Aber bei näherem Hinsehen waren diese Augen heller als die anderen, und das Gesicht darumherum gehörte eindeutig zu einem weiblichen Wesen, auch wenn es ebenso runzlig und verfroren aussah wie das andere.

»Ja?« fragte sie und sah zu ihm hoch. Sie war ein kleines Etwas von einer Frau, fest eingewickelt in mehrere Lagen aus Pullovern und Schals. Unter ihren vielen Röcken hing etwas heraus, das wie der Saum eines Flanellnachthemdes aussah. Ihre Füße steckten in dicken wollenen Hausschuhen, wie seine Großmutter sie getragen hatte. Dazu hatte sie einen Herrenmantel übergeworfen, der vorn offenstand.

»Signora Santina?«

»Was wollen Sie?« Die Stimme war hoch und brüchig vom Alter. Schwer zu glauben, daß sie einer der großen Sängerinnen der Vorkriegszeit gehörte. Außerdem hörte er das ganze Mißtrauen gegenüber Amtspersonen heraus, das allen Italienern, besonders den älteren, zu eigen ist. Dieses Mißtrauen hatte ihn gelehrt, so lange wie möglich zu warten, bevor er zu erkennen gab, wer er war.

»Signora«, sagte er laut und deutlich und beugte sich dabei nach vorn, »ich würde gern mit Ihnen über den Maestro Helmut Wellauer sprechen.«

Ihrem Gesicht war nicht anzusehen, ob sie von dem Tod gehört hatte. »Sie brauchen nicht zu schreien. Ich bin nicht taub. Was sind Sie, ein Reporter? Wie der andere?«

»Nein, Signora. Reporter bin ich nicht. Aber ich würde gern mit Ihnen über den Maestro reden.« Er wählte seine Worte jetzt sorgsam, auf ihre Wirkung bedacht. »Ich weiß, daß Sie bei ihm gesungen haben. Damals, auf der Höhe Ihres Ruhmes.« Beim letzten Wort blickte sie abrupt zu ihm auf, und er meinte, etwas Weiches in ihrem Augenausdruck zu entdecken.

Sie betrachtete ihn abwägend, suchte den Musiker hinter der konservativen blauen Krawatte. »Ja, ich habe unter ihm gesungen. Aber das ist lange her.«

»Ja, Signora, ich weiß. Aber Sie würden mir eine große Ehre erweisen, wenn Sie mir etwas über Ihre Laufbahn erzählen würden.«

»Sie meinen, solange sie mit seiner verknüpft war.« Er spürte förmlich den Moment, in dem sie merkte, wer und was er war.

»Sie sind von der Polizei, stimmt's?« fragte sie, als sei ihr die Erkenntnis über einen Geruch gekommen und nicht über einen Gedanken. Sie zog den Mantel um sich und kreuzte die Arme über der Brust.

»Ja, Signora, das stimmt, aber ich war immer ein großer Bewunderer Ihrer Kunst.«

»Warum habe ich Sie dann noch nie hier gesehen? Lügner.« Es war eine Feststellung, kein Vorwurf. »Aber ich werde mit Ihnen reden. Sonst kommen Sie doch nur mit einem Stapel Papier wieder.« Sie drehte sich unvermittelt um und trat ins Dunkel zurück. »Kommen Sie rein, kommen Sie rein, ich kann es mir nicht leisten, den ganzen Hof zu heizen.«

Er folgte ihr, und sogleich fielen Kälte und Feuchtigkeit über ihn her. Er wußte nicht, ob es daran lag, daß er so plötzlich von der Sonne abgeschnitten war, aber die Wohnung kam ihm viel kälter vor als der offene Hof. Sie drängte sich an ihm vorbei und schob die Tür zu, sperrte den letzten Rest von Licht und Wärme aus. Mit dem Fuß schob sie eine dicke Stoffrolle vor den schmalen Spalt unter der Tür. Dann schloß sie ab und schob die Riegel vor. Und das mit einem Polizisten an ihrer Seite.

»Hier entlang«, murmelte sie und schlurfte einen langen Korridor entlang. Brunetti mußte warten, bis seine Augen sich an die Dunkelheit gewöhnt hatten, bevor er ihr durch den feuchten Flur in eine kleine düstere Küche folgen konnte, in deren Mitte ein altmodischer Kerosinofen stand. Ein winziges Flämmchen flackerte darin; direkt davor hatte sie einen schweren Sessel gerückt, auf dem so viele Decken übereinander lagen, wie die alte Frau Pullover anhatte.

»Sie wollen bestimmt Kaffee«, sagte sie, als sie die Küchentür zumachte und auch hier eine Stoffrolle vor den Spalt schob.

»Das wäre sehr freundlich, Signora«, antwortete er.

Sie deutete auf einen schlichten Stuhl gegenüber ihrem Sessel, und Brunetti setzte sich, nicht ohne vorher festzustellen, daß der geflochtene Sitz an einigen Stellen durchgesessen oder durchgekaut war. Er ließ sich vorsichtig nieder und sah sich um. Überall waren die Zeichen bitterster Armut zu erkennen: an dem Betonspülstein mit nur einem Wasserhahn, am Fehlen von Kühlschrank oder Herd und den Schimmelflecken an den Wänden. Er roch die Armut mehr, als daß er sie sah, roch sie in der abgestandenen Luft, dem Gestank nach Fäulnis, der fast allen Erdgeschoßwohnungen in Venedig anhaftete, dem Geruch nach Salami und Käse, die offen und ohne Kühlung aufbewahrt wurden, und in dem säuerlichen Dunst, der aus den Decken und Schals im Sessel der alten Frau zu ihm herüberdriftete.

Mit Bewegungen, denen man Alter und Beengtheit ansah, goß sie aus einer Espressokanne Kaffee in ein flaches Töpfchen, schlurfte damit zu dem Kerosinofen und setzte es darauf. Mit unsicheren Schritten ging sie zur Abstellfläche neben der Spüle und kam mit zwei angeschlagenen Tassen zurück, die sie auf den Tisch neben ihrem Sessel stellte. Dann wieder zurück, diesmal, um eine kleine, kristallene Zuckerschale zu holen, in deren Mitte ein Rest verklumpter Zucker klebte. Sie tauchte einen Finger in den Topf, fand die Temperatur offenbar richtig, verteilte die Flüssigkeit auf die beiden Tassen und schob ihm die eine ungeschickt hin. Dann leckte sie ihren Finger ab.

Sie bückte sich, um die Decken auf ihrem Sessel zurückzuschlagen. Dann setzte sie sich hin wie jemand, der zu Bett gehen will. Wie lange eingeübt, glitten die Decken von Rücken- und Armlehnen und hüllten sie ein.

Sie griff nach der Tasse auf dem Tisch neben sich, und Brunetti sah, daß ihre Hände knotig und von Arthritis so verformt waren, daß die linke aussah wie ein Haken mit vorstehendem Daumen. Er verstand, daß auch ihre Langsamkeit auf diese Krankheit zurückging. Und während Kälte und Feuchtigkeit seinen Körper belagerten, überlegte er, was es für sie heißen mußte, in diesem Loch zu leben.

Sie hatten kein Wort gewechselt, während sie den Kaffee aufwärmte. Jetzt saßen sie in beinah einträchtigem Schweigen, bis sie sich vorbeugte und sagte: »Nehmen Sie Zucker.«

Sie machte keine Anstalten, sich aus ihrem Kokon zu lösen, so griff Brunetti nach dem einzigen Löffel und kratzte etwas Zucker aus der Schale. »Erlauben Sie, Signora«, sagte er und ließ ihn in ihre Tasse gleiten. Er rührte mit dem Löffel um, kratzte ein weiteres Zuckerklümpchen ab und warf es in seine eigene Tasse, wo es fest und ohne sich aufzulösen liegenblieb. Das Gebräu, von dem er trank, war stark, kalt und tödlich. Der Zuckerklumpen, dem es nicht gelungen war, gegen die Bitterkeit des Kaffees anzukommen, schlug ihm an die Zähne. Er nahm noch einen Schluck und stellte seine Tasse ab. Signora Santina ließ ihren unberührt.

Er setzte sich zurecht, sah sich um, ohne seine Neugier vor ihr zu verbergen. Wenn er erwartet hatte, Hinweise auf eine Karriere zu finden, die so steil wie kurz gewesen war, hatte er sich geirrt. Kein Plakat vergangener Premieren hing an diesen Wänden, keine Fotos der Sängerin im Kostüm. Das einzige, was man als Erinnerungsstück hätte bezeichnen können, war ein großes Foto im silbernen Rahmen, das auf einem schäbigen Schreibtisch stand. Darauf waren, im Dreieck gruppiert, drei junge Frauen, oder eher Mädchen, zu sehen, die in die Kamera lächelten.

Ohne die Tasse neben sich zu beachten, fragte sie abrupt: »Was wollen Sie wissen?«

»Stimmt es, daß Sie unter ihm gesungen haben, Signora?«

»Ja. In der Saison 1937. Aber nicht hier.«

»Wo?«

»In München.«

»Und in welcher Oper, Signora?«

»*Don Giovanni*. Die Deutschen waren immer ganz wild auf ihre eigenen Opern. Die Österreicher ebenso. Also haben wir ihnen Mozart vorgesetzt.« Und mit einem verächtlichen kleinen Schnauben fügte sie hinzu: »Und Wagner. Natürlich hat er ihnen Wagner serviert. Er liebte Wagner.«

»Wer? Wellauer?«

»Nein«, sagte sie, »*il bianchino*«, das italienische Wort für Anstreicher, und mit ihm brachte sie die Gefühle zum Ausdruck, die unzähligen Menschen das Leben gekostet hatten.

»Und der Maestro, hat er Wagner auch geliebt?«

»Er fand alles gut, was der andere gut fand«, antwortete sie mit unverhüllter Verachtung. »Aber er liebte ihn aus sich heraus, diesen Wagner. Das tun sie alle. Es ist das Brütende, der Schmerz. Das spricht sie an. Ich glaube, sie lieben Leid. Bei sich und anderen.«

Ohne darauf einzugehen, fragte er: »Kannten Sie den Maestro gut, Signora?«

Sie blickte an Brunetti vorbei zu dem Foto, dann auf ihre Hände, die sie sorgsam voneinander fernhielt, als könnte selbst eine zufällige Berührung Schmerzen verursachen. »Ja, ich habe ihn gut gekannt«, sagte sie schließlich.

Nach einer längeren Pause fragte er: »Was können Sie mir über ihn erzählen, Signora?«

»Er war eitel«, meinte sie endlich. »Aber er hatte allen Grund dazu. Er war der größte Dirigent, mit dem ich je gearbeitet habe. Ich habe nicht unter allen gesungen; meine Karriere war zu kurz. Aber von denen, die ich kennengelernt habe, war er der beste. Ich weiß nicht, wie er es gemacht hat, aber er konnte jede beliebige Musik nehmen, sei sie auch noch so bekannt, und sie klang neu, als sei sie noch nie gespielt oder gehört worden. Die Musiker mochten ihn meist nicht, aber sie hatten Achtung vor ihm. Er brachte es fertig, daß sie spielten wie die Engel.«

»Sie sagten, Ihre Karriere sei zu kurz gewesen. Wodurch wurde sie beendet?«

Jetzt sah sie ihn an, fragte aber nicht, wie es kam, daß jemand, der sich für einen ihrer Bewunderer ausgab, ihre Geschichte nicht kannte. Schließlich war er Polizist, und die logen immer. In allem. »Ich habe mich geweigert, für den Duce zu singen. Das war in Rom, bei der Eröffnungsvorstellung der Saison 1938. *Norma*. Der Intendant kam kurz vor Beginn hinter die Bühne und sagte mir, wir hätten die Ehre, Mussolini im Publikum zu haben. Und...« Ihre Stimme verebbte, während sie überlegte, wie sie es ihm erklären könnte. »Und ich war jung und mutig und sagte, ich würde nicht singen. Ich war jung und berühmt, und ich dachte, ich könnte mir so etwas leisten, weil mein Ruhm mich schützen würde. Ich dachte, die Liebe der Italiener für Kunst und Musik ginge so weit, daß ich es ungestraft tun könnte.« Sie schüttelte bei der Erinnerung den Kopf.

»Und was ist passiert, Signora?«

»Ich habe nicht gesungen. Ich habe an dem Abend nicht gesungen und nie mehr öffentlich. Er konnte mich nicht umbringen, weil ich nicht singen wollte, aber er konnte mich einsperren. Ich mußte bis zum Kriegsende in meiner Wohnung in Rom bleiben, und als alles vorbei war... als alles vorbei war, habe ich nicht mehr gesungen.« Sie rutschte tiefer in ihren Sessel. »Darüber möchte ich nicht sprechen.«

»Gut, dann über den Maestro. Gibt es noch etwas über ihn, woran Sie sich erinnern?« Obwohl keiner von beiden seinen Tod erwähnt hatte, sprachen sie von ihm wie von einem Toten.

»Nein, nichts.«

»Stimmt es, Signora, daß Sie ganz persönliche Schwierigkeiten mit ihm hatten?«

»Das ist alles fünfzig Jahre her«, sagte sie müde. »Was kann daran noch wichtig sein?«

»Signora, ich möchte mir nur ein Bild von dem Mann machen. Ich kenne nur seine Musik, die wunderschön ist, und ich habe seinen toten Körper gesehen, der nicht sehr schön war. Je mehr ich über ihn weiß, desto besser kann ich vielleicht verstehen, wie er gestorben ist.«

»Es war Gift, nicht?«

»Ja.«

»Gut.« Es lag keine Bosheit, keine Gehässigkeit in ihrer Stimme. Die Bemerkung hätte auch einem Musikstück oder einem Essen gelten können, so viel Begeisterung war daraus zu lesen. Er sah, daß ihre Hände jetzt ineinanderlagen und sie die Finger nervös verschränkte. »Aber es tut mir leid, daß er umgebracht worden ist.« Was kam jetzt, überlegte Brunetti. »Selbstmord wäre mir lieber gewesen, dann wäre er nicht nur gestorben, sondern auch noch in die Hölle gekommen.« Ihr Tonfall blieb gleichmäßig und leidenschaftslos.

Brunetti fror. Seine Zähne schlugen aufeinander. Fast unbewußt stand er auf und begann hin und her zu gehen, um etwas Wärme in seine erstarrten Gliedmaßen zu pumpen. Am Schreibtisch blieb er vor dem Foto stehen und betrachtete es. Die drei Mädchen trugen die exaltierte Mode der dreißiger Jahre: lange Spitzenkleider, die auf dem Boden schleiften, offene Schuhe mit hohen Absätzen. Alle drei hatten die gleichen bogenförmig ausgemalten Münder und haarfeinen, geschwungenen Augenbrauen. Unter dem Make-up und dem ondulierten Haar sah er, daß sie sehr jung waren. Der Fotograf hatte sie dem Alter nach aufgestellt, die Älteste links. Sie mochte Anfang Zwanzig sein, die in der Mitte ein paar Jahre jünger. Die letzte war kaum mehr als ein Kind, vielleicht zwischen zwölf und vierzehn.

»Welche sind Sie, Signora?«

»Die in der Mitte. Ich war die Mittlere.«

»Und die beiden anderen?«

»Clara. Sie war älter. Und Camilla. Sie war das Baby. Wir waren eine gute italienische Familie. Meine Mutter hat in zwölf Jahren sechs Kinder geboren, drei Mädchen und drei Jungen.«

»Haben Ihre Schwestern auch gesungen?«

Sie seufzte und schnaubte dann leise und ungläubig. »Es gab mal eine Zeit, da kannte jeder in Italien die drei Santina-Schwestern, die ›drei Cs‹. Aber das ist lange her und es gibt keinen Grund, warum Sie es wissen sollten.« Er sah, wie sie das Bild betrachtete, und überlegte, ob für sie die drei immer noch waren wie auf dem Foto, jung und hübsch.

»Wir haben in Varietés angefangen, nach den Filmen. Unsere Familie hatte wenig Geld, also haben wir, die Töchter, gesungen und etwas dazuverdient. Dann wurde man auf uns aufmerksam, und es gab mehr Geld. Ich merkte irgendwann, daß ich eine richtige Stimme hatte, und habe dann angefangen, im Theater zu singen, aber Clara und Camilla sangen weiter in den Varietés.« Sie hielt inne, nahm ihre Tasse und trank den Kaffee in drei schnellen Schlucken aus, dann verbarg sie ihre Hände in der Wärme unter den Decken.

»Hatte Ihr Ärger mit dem Maestro auch etwas mit Ihren Schwestern zu tun, Signora?«

Ihre Stimme klang plötzlich alt und müde. »Das ist zu lange her. Spielt es eine Rolle?«

»Hatte er mit Ihren Schwestern zu tun?«

Ihre Stimme schnellte ins Sopranregister. »Warum fragen Sie danach? Was spielt es für eine Rolle? Er ist tot. Sie sind tot. Sie sind alle tot.« Sie zog die losen Decken fester, um sich vor der Kälte zu schützen und vor dem kalten Ton seiner Stimme. Er wartete, daß sie weitersprach, aber er hörte nur das leise Puffen und Zischen des Kerosinofens, das dem vergeblichen Versuch, die tödliche Kälte aus dem Zimmer zu vertreiben, Stimme verlieh.

Minuten vergingen. Brunetti hatte immer noch den bitteren Geschmack des Kaffees im Mund, und er konnte nichts gegen die Kälte tun, die ihm weiter bis auf die Knochen drang.

Schließlich sprach sie, und ihr Ton hatte etwas Endgültiges. »Wenn Sie Ihren Kaffee ausgetrunken haben, können Sie gehen.«

Er trat an den Tisch, nahm die beiden Tassen und brachte sie zum Spülstein. Als er sich umdrehte, hatte sie sich schon aus ihrem Kokon geschält und stand an der Tür. Wieder schlurfte sie vor ihm her durch den langen Korridor, in dem es, falls das überhaupt möglich war, in der Zwischenzeit noch kälter geworden war. Langsam und unbeholfen fingerte sie mit ihren verkrüppelten Händen an den Riegeln und hielt ihm dann die Tür gerade so weit auf, daß er hindurchschlüpfen konnte. Als er sich umdrehte, um sich zu bedanken, hörte er die Riegel schon wieder zurückschnurren. Obwohl es draußen schon winterlich kühl war, seufzte er wohlig und erleichtert, als er die schwache Nachmittagssonne auf dem Rücken spürte.

15

Als das Boot ihn zur Hauptinsel zurückbrachte, überlegte er, wer ihm wohl sagen könnte, was sich damals zwischen der Sängerin und Wellauer abgespielt hatte. Und zwischen ihm und ihrer Schwester. Als einziger fiel ihm sein alter Freund Michele Narasconi ein, der in Rom lebte und es fertigbrachte, sich als Autor von Reise- und Musikbüchern über Wasser zu halten. Micheles Vater, inzwischen im Ruhestand, war der gleichen Profession nachgegangen, wenn auch mit weit größerem Erfolg. Zwei Jahrzehnte war er der führende Reporter des Überflüssigen in Italien gewesen, einem Land, das den ständigen Strom solcher Informationen forderte. Über Jahre hatte der Ältere sowohl für *Gente* als auch für *Oggi* seine wöchentlichen Kolumnen geschrieben, und Millionen Leser hatten sich auf seine Berichte – Genauigkeit war nicht oberstes Gebot – verlassen, in denen die Skandale des Hauses Savoyen, der Stars von Bühne und Film und der zahllosen Duodezfürsten aufgerollt wurden, die glaubten, vor oder nach ihrer Abdankung nach Italien emigrieren zu müssen. Brunetti konnte zwar noch nicht genau sagen, was er eigentlich suchte, aber er wußte, daß Micheles Vater für seine Fragen der Richtige war.

Er führte sein Telefonat vom Büro aus. Es war so lange her, seit er zuletzt mit Michele gesprochen hatte, daß er bei der Vermittlung die Nummer erfragen mußte. Während das Telefon klingelte, überlegte er sich, wie er sein Anliegen vorbringen konnte, ohne seinen Freund zu kränken.

»*Pronto.* Narasconi«, meldete sich eine Frauenstimme.

»*Ciao,* Roberta«, sagte er, »hier ist Guido.«

»Ah, Guido, das ist aber nett, daß du dich mal wieder meldest. Wie geht es dir? Und Paola? Und den Kindern?«

»Uns geht's allen gut, Roberta. Euch hoffentlich auch. Sag mal, Roberta, ist Michele da?«

»Ja, einen kleinen Augenblick, ich hole ihn.« Er hörte, wie der Hörer hingelegt wurde und Roberta nach ihrem Mann rief. Es folgten einige dumpfe Geräusche, dann Micheles Stimme: »*Ciao,* Guido, wie geht's dir, und was willst du?« Das anschließende Lachen machte jede Überlegung, ob das wohl bösartig gemeint war, zunichte.

Brunetti beschloß, weder Zeit noch Energie auf höfliche Einleitungen zu verschwenden. »Michele, diesmal brauche ich das Gedächtnis deines Vaters. Für deins liegt die Sache zu weit zurück. Wie geht es ihm?«

»Er arbeitet immer noch. RAI möchte, daß er eine Sendereihe über die Kindertage des Fernsehens schreibt. Wenn er es macht, lasse ich es dich wissen, damit du's dir ansehen kannst. Was willst du denn wissen?« Als Reporter aus Instinkt wie aus Profession verschwendete auch Michele keine Zeit.

»Ich möchte wissen, ob er sich an eine Opernsängerin namens Clemenza Santina erinnert. Sie hat vor dem Krieg gesungen.«

Michele schnalzte leise. »Klingt irgendwie vertraut, obwohl ich nicht recht weiß, warum. Aber wenn es um die Kriegsjahre geht, wird Papa sich erinnern.«

»Es waren noch zwei Schwestern. Sie haben alle gesungen«, erklärte Brunetti.

»Ah ja, jetzt weiß ich es wieder. Die singenden Cs oder so ähnlich, oder die schönen Cs. Was willst du über sie wissen?«

»Alles. Alles, woran er sich erinnern kann.«

»Hat das etwas mit Wellauer zu tun?« fragte Michele aus jenem Instinkt heraus, der ihn selten im Stich ließ.

»Ja.«

Michele ließ ein langes, anerkennendes Pfeifen hören.

»Dein Fall?«

»Ja.«

Wieder das Pfeifen. »Darum beneide ich dich nicht, Guido. Die Presse wird dich bei lebendigem Leib rösten, wenn du nicht herausbekommst, wer es war. Schande für die Republik. Verbrechen gegen die Kunst. Die ganze Latte.«

Brunetti, der schon drei Tage davon hatte kosten dürfen, begnügte sich mit einem schlichten: »Ich weiß.«

Michele reagierte unverzüglich. »Tut mir leid, Guido, tut mir leid. Was soll ich meinen Vater fragen?«

»Ob es Gerede gegeben hat über Wellauer und die Schwestern.«

»Das übliche Gerede?«

»Ja, oder irgend etwas anderes. Er war zu der Zeit verheiratet. Ich weiß nicht, ob das wichtig ist.«

»Mit der, die Selbstmord begangen hat?« Michele hatte also die Zeitungen gelesen.

»Nein, das war die zweite. Damals war er noch mit Nummer eins verheiratet. Und ich hätte nichts dagegen, wenn dein Vater auch darüber noch etwas wüßte. Aber das war direkt vor dem Krieg, 1938 oder 39.«

»Hat diese Santina sich nicht irgendwelchen politischen Ärger eingehandelt? Weil sie Hitler beleidigt hat oder so etwas?«

»Mussolini. Daraufhin wurde sie während des ganzen Krieges unter Hausarrest gestellt. Wenn sie Hitler beleidigt hätte, wäre sie umgebracht worden. Ich möchte gern wissen, in welcher Beziehung sie zu Wellauer stand. Und von ihren Schwestern auch, wenn möglich.«

»Wie dringend ist das, Guido?«

»Sehr.«

»Gut. Ich habe Papa heute morgen gesehen, aber ich kann heute abend zu ihm gehen. Er wird sich freuen. Wenn man ihn nach Erinnerungen fragt, kann er sich wichtig fühlen. Du weißt ja, wie gern er von früher erzählt.«

»Ja, stimmt. Er war der einzige, der mir eingefallen ist, Michele.«

Sein Freund lachte. Schmeichelei blieb Schmeichelei, egal wieviel Wahrheit sie enthielt. »Das werde ich ihm erzählen, Guido.« Wieder ernst fragte er: »Was ist mit Wellauer?« Es war das Äußerste, was Michele sich in Richtung auf eine direkte Frage hin erlauben würde, aber letzten Endes lief es darauf hinaus.

»Noch nichts bisher. An dem Abend, als es passierte, waren über tausend Menschen im Theater.«

»Gibt es denn einen Bezug zu dieser Santina?«

»Ich weiß es nicht, Michele. Und ich werde es nicht wissen, bis ich gehört habe, was dein Vater dazu sagen kann.«

»Gut. Ich rufe dich heute abend an, wenn ich mit ihm gesprochen habe. Wahrscheinlich wird es spät. Soll ich trotzdem anrufen?«

»Ja. Ich bin zu Hause. Oder Paola. Und vielen Dank, Michele.«

»Gern geschehen, Guido. Außerdem wird Papa stolz sein, daß du an ihn gedacht hast.«

»Er ist der einzige.«

»Das vergesse ich nicht, ihm zu sagen.«

Keiner von ihnen machte Anstalten, dem anderen zu versichern, sie müßten sich unbedingt bald sehen; keiner hatte die Zeit, durchs halbe Land zu fahren, um einen alten Freund zu besuchen. Statt dessen verabschiedeten sie sich mit gegenseitigen guten Wünschen.

Nach seinem Gespräch mit Michele stellte Brunetti fest, daß es Zeit war, zu der zweiten Unterredung mit der Witwe Wellauers aufzubrechen. Er hinterließ Miotti eine Nachricht, daß er heute nicht mehr ins Büro zurückkäme; dann kritzelte er noch ein paar Zeilen auf einen Zettel und bat eine der Sekretärinnen, ihn am nächsten Morgen um acht auf Pattas Schreibtisch zu legen.

Er kam einige Minuten zu spät bei Wellauers Wohnung an. Diesmal machte ihm die Haushälterin auf, die Frau, die bei der Messe zu Wellauers Beerdigung in der zweiten Reihe gesessen hatte. Er stellte sich vor, gab ihr seinen Mantel und fragte, ob er nach seiner Unterhaltung mit der Signora wohl kurz mit ihr sprechen könne. Sie nickte, antwortete lediglich mit einem kurzen »Sì« und führte ihn in dasselbe Zimmer, in dem er vor zwei Tagen der Witwe gegenübergesessen hatte.

Sie stand auf, als er eintrat, kam ihm entgegen und gab ihm die Hand. Die Zeit war inzwischen nicht sehr liebevoll mit ihr umgegangen, dachte Brunetti, als er die dunklen

Ringe unter ihren Augen sah und ihre Haut, die rauher und wie ausgelaugt wirkte. Sie ging zu ihrem Platz zurück, und Brunetti fiel auf, daß dort nichts herumlag – kein Buch, keine Zeitschrift, kein Nähzeug –, sie hatte anscheinend nur dagesessen und auf ihn gewartet, oder auf die Zukunft. Sie setzte sich und zündete sich eine Zigarette an. Sie hielt ihm das Päckchen hin und meinte dann auf Englisch: »Ach, Entschuldigung, ich hatte vergessen, daß Sie nicht rauchen.«

Er ließ sich dort nieder, wo er beim letzten Mal gesessen hatte, verzichtete aber diesmal auf die Schau mit dem Notizbuch. »Signora, ich muß Ihnen noch ein paar Fragen stellen.« Da sie nichts dazu sagte, fuhr er fort: »Es sind heikle Fragen, und es wäre mir lieber, wenn ich sie nicht stellen müßte.«

»Aber Sie wollen trotzdem eine Antwort darauf.«

»Ja.«

»Dann werden Sie wohl fragen müssen, Dottor Brunetti.« Das war, wie er merkte, nur wörtlich gemeint, und nicht sarkastisch, daher sagte er nichts darauf. »Warum müssen Sie diese Fragen stellen?«

»Weil ich dadurch vielleicht den finde, der für den Tod Ihres Mannes verantwortlich ist.«

»Spielt es denn eine Rolle?« fragte sie.

»Spielt was eine Rolle, Signora?«

»Wer ihn umgebracht hat.«

»Spielt es für Sie keine Rolle, Signora?«

»Nein, keine. Er ist tot, und nichts bringt ihn wieder. Was kümmert es mich da, wer ihn umgebracht hat, oder warum?«

»Haben Sie denn nicht den Wunsch nach Rache?« fragte er, bevor ihm einfiel, daß sie keine Italienerin war.

Sie legte den Kopf in den Nacken und sah ihn durch den Rauch ihrer Zigarette an. »Oh, doch, Commissario. Ich habe den dringenden Wunsch nach Rache. Das hatte ich schon immer. Ich glaube, daß die Menschen für das Böse, das sie tun, bestraft werden sollten.«

»Ist das nicht dasselbe wie Rache?« wollte er wissen.

»Das müßten Sie eigentlich besser beurteilen können als ich, Dottor Brunetti.« Sie wandte sich ab.

Bevor er es richtig merkte, redete er in seiner Ungeduld schon weiter. »Signora, ich möchte Ihnen ein paar Fragen stellen, und ich hätte gern aufrichtige Antworten.«

»Bitte, stellen Sie nur Ihre Fragen, und ich werde Ihnen Antworten darauf geben.«

»Ich sagte, ich hätte gern aufrichtige Antworten.«

»Gut, dann also aufrichtige Antworten.«

»Ich wüßte gern, wie Ihr Mann zu einigen Spielarten menschlichen Sexualverhaltens stand.«

Die Frage überraschte sie offensichtlich. »Was meinen Sie damit?«

»Ich habe gehört, daß Ihr Mann besonders die Homosexualität ablehnte.«

Er merkte, daß es nicht die Frage war, die sie erwartet hatte. »Ja, das stimmt.«

»Können Sie sich vorstellen, warum?«

Sie drückte ihre Zigarette aus, lehnte sich zurück und verschränkte die Arme. »Was ist das? Psychologie? Als nächstes erzählen Sie mir, daß Helmut in Wahrheit homosexuell war und all die Jahre über auf die klassische Weise seine

Schuldgefühle verborgen hat, indem er Homosexuelle mit seinem Haß verfolgte?« So etwas war Brunetti während seiner Laufbahn tatsächlich oft begegnet, aber er glaubte nicht, daß es hier der Fall war, daher schwieg er. Sie zwang sich zu einem höhnischen Lachen über diese Vorstellung. »Glauben Sie mir, Commissario, er war nicht, wofür Sie ihn halten.«

Das waren nur wenige, wie Brunetti nur zu gut wußte. Er schwieg weiter, neugierig, was sie als nächstes sagen würde.

»Ich leugne nicht, daß er Homosexuelle nicht mochte. Das merkte jeder schnell, der mit ihm arbeitete. Aber das war nicht, weil er die Neigung bei sich selbst befürchtete. Ich war zwei Jahre mit dem Mann verheiratet, und ich versichere Ihnen, es war nichts Homosexuelles an ihm. Ich glaube, er hatte etwas dagegen, weil es seiner Vorstellung von der Ordnung des Universums zuwiderlief, einem platonischen Ideal menschlichen Verhaltens.« Brunetti hatte schon seltsamere Erklärungen gehört als diese.

»Schloß sein Mißfallen auch Lesben ein?«

»Ja, aber Männer stießen ihn mehr ab, vielleicht, weil ihr Benehmen oft so anstößig ist. Wenn überhaupt, dann hatte sein Interesse an Lesben wohl eher etwas Lüsternes. Das ist bei den meisten Männern so. Aber wir haben darüber nie gesprochen.«

Brunetti hatte im Laufe seines Berufslebens schon mit vielen Witwen zu tun gehabt, aber wenige hatten es fertiggebracht, so sachlich über ihren Mann zu sprechen wie diese Frau. Er fragte sich, ob der Grund dafür in der Frau selbst lag oder in dem Mann, dessen Tod sie nicht zu betrauern schien.

»Gab es irgendwelche Männer, schwule Männer, über die er sich besonders ablehnend geäußert hat?«

»Nein«, antwortete sie sofort. »Es hing offenbar davon ab, mit wem er gerade arbeitete.«

»Hatte er ein berufliches Vorurteil gegen sie?«

»Das wäre in dem Milieu unmöglich. Es gibt zu viele. Helmut mochte sie nicht, aber er konnte mit ihnen arbeiten, wenn er mußte.«

»Und hat er sie bei der Arbeit anders behandelt als die anderen?«

»Commissario, ich hoffe, Sie versuchen nicht, hier das Szenario einer homosexuellen Mordtat zu konstruieren, daß jemand Helmut eines grausamen Wortes oder rückgängig gemachten Vertrages wegen umgebracht hat.«

»Es sind schon Menschen aus geringfügigeren Motiven ermordet worden.«

»Das ist keine Diskussion wert«, sagte sie mit scharfer Stimme. »Haben Sie noch andere Fragen?«

Er zögerte, selbst etwas angewidert von der nächsten Frage, die er ihr stellen mußte. Er sagte sich, daß er wie ein Arzt oder Priester war und nicht weitergab, was die Leute ihm erzählten, aber er wußte auch, daß es nicht stimmte: er würde keinerlei Vertrauen respektieren, wenn ihn das zu der Person führte, die er suchte.

»Meine nächste Frage ist nicht allgemein, und sie betrifft nicht seine Meinungen.« Er beließ es dabei, in der Hoffnung, sie würde es verstehen und von sich aus etwas sagen. Aber es kam keine Hilfe. »Ich meine Ihre Beziehung. Gab es da irgendwelche Eigentümlichkeiten?«

Er beobachtete sie, wie sie den Impuls niederkämpfte

aufzuspringen. Statt dessen strich sie mit dem Mittelfinger ihrer rechten Hand ein paar Mal über ihre Unterlippe, während der Ellbogen auf der Sessellehne ruhte. »Ich nehme an, Sie sprechen von meiner sexuellen Beziehung zu meinem Mann.« Er nickte. »Und ich nehme an, ich könnte jetzt wütend werden und von Ihnen verlangen, daß Sie mir erklären, wie Sie das meinen, wenn Sie in unserer Zeit von ›Eigentümlichkeiten‹ reden. Aber ich sage Ihnen schlicht, nein, an unserer sexuellen Beziehung war nichts ›eigentümlich‹, und das ist alles, was Sie von mir dazu erfahren.«

Sie hatte seine Fragen beantwortet. Ob er jetzt die Wahrheit wußte, war eine andere Sache, eine, mit der er sich im Augenblick nicht befassen wollte. »Hatte er Ihres Wissens Schwierigkeiten mit einem der Gesangssolisten in dieser Produktion? Oder mit sonst jemandem, der damit zu tun hatte?«

»Nicht mehr als sonst. Der Regisseur ist bekanntermaßen homosexuell, und von der Sopranistin hört man es sagen.«

»Kennen Sie einen oder beide?«

»Mit Santore habe ich nie gesprochen, höchstens mal ein ›Hallo‹ bei den Proben. Flavia kenne ich, wenn auch nicht gut, weil wir uns gelegentlich auf Parties begegnet sind und uns unterhalten haben.«

»Was halten Sie von ihr?«

»Ich halte sie für eine hervorragende Sängerin, und dieser Meinung war Helmut auch«, antwortete sie, seine Frage bewußt mißverstehend.

»Und persönlich?«

»Persönlich finde ich sie reizend. Vielleicht hat sie

manchmal ein bißchen wenig Sinn für Humor, aber für ein paar Stunden ist sie eine angenehme Gesellschaft. Und sie ist überraschend intelligent. Das sind die meisten Sänger nicht.« Es war klar, daß sie weiterhin bewußt seine Fragen mißdeutete und nicht bereit war, ihm zu liefern, was er wollte, solange er nicht direkt fragte.

»Und die Gerüchte?«

»Ich habe sie nie so wichtig genommen, um groß darüber nachzudenken.«

»Und Ihr Mann?«

»Ich denke, er hat ihnen geglaubt. Nein, das stimmt nicht. Ich weiß, daß er ihnen geglaubt hat. Er hat einmal so etwas gesagt. Ich kann mich nicht mehr genau erinnern, was es war, aber er ließ keinen Zweifel daran, daß er den Gerüchten glaubte.«

»Aber es war nicht genug, um Sie zu überzeugen?«

»Commissario«, sagte sie übertrieben geduldig, »ich bin nicht sicher, ob Sie verstehen, was ich meine. Es geht nicht darum, ob Helmut mich von der Wahrheit dieser Gerüchte überzeugen konnte oder nicht. Er konnte mich nur nicht davon überzeugen, daß sie wichtig waren. Darum habe ich alles vergessen, bis Sie es eben erwähnten.«

Er ließ sich seine Zustimmung nicht anmerken. Statt dessen fragte er: »Und Santore? Hat Ihr Mann etwas Bestimmtes über ihn gesagt?«

»Nicht, daß ich wüßte.« Sie zündete sich eine neue Zigarette an. »Das war ein Thema, über das wir nicht einig waren. Ich hatte kein Verständnis für seine Vorurteile, und er wußte das, also haben wir einvernehmlich jede Diskussion darüber vermieden. Helmut war Musiker genug, um seine persönlichen Gefühle beiseite lassen zu können. Das gehörte zu den Eigenschaften, die ich an ihm geliebt habe.«

»Waren Sie ihm treu, Signora?«

Diese Frage hatte sie eindeutig vorausgesehen. »Ja, ich glaube schon«, meinte sie nach langem Schweigen.

»Es tut mir leid, aber ich weiß nicht recht, wie ich diese Antwort interpretieren soll«, sagte Brunetti.

»Es hängt davon ab, was Sie unter ›treu‹ verstehen.«

Ja, da hatte sie wohl recht, aber andererseits hielt er das Wort für relativ eindeutig, selbst in Italien. Er hatte die ganze Sache plötzlich ziemlich satt. »Hatten Sie sexuelle Beziehungen zu anderen, solange Sie mit ihm verheiratet waren?«

Ihre Antwort kam ohne Zögern. »Nein.«

Er wußte, daß es von ihm erwartet wurde, darum fragte er: »Warum haben Sie dann gesagt, Sie glauben, daß Sie ihm treu waren?«

»Das hatte keinen Grund. Ich war dieser vorhersehbaren Fragen schlicht müde.«

»Und ich der unvorhersehbaren Antworten«, schnauzte er.

»Ja, das kann ich mir vorstellen.« Sie lächelte und bot ihm damit Waffenstillstand an.

Da er das Spielchen mit dem Notizbuch nicht gespielt hatte, konnte er nun auch nicht das Ende des Gespräches signalisieren, indem er es in die Tasche steckte. Statt dessen stand er auf und sagte: »Noch eine Sache.«

»Ja?«

»Seine Papiere sind Ihnen gestern vormittag zurückgebracht worden. Ich würde sie mit Ihrer Erlaubnis gern noch einmal ansehen.«

»Hätten Sie das nicht tun sollen, solange sie bei Ihnen waren?« fragte sie und machte kein Hehl aus ihrer Verärgerung.

»Es gab ein Durcheinander auf dem Präsidium. Sie wurden den Übersetzern vorgelegt und dann zu Ihnen zurückgebracht, bevor ich Gelegenheit hatte, sie einzusehen. Es tut mir leid, wenn ich Ihnen Ungelegenheiten bereite, aber ich würde gern jetzt einen Blick darauf werfen, wenn ich darf. Außerdem möchte ich mit Ihrer Haushälterin reden. Ich habe kurz mit ihr gesprochen, als ich kam, aber ich habe noch ein paar Fragen an sie.«

»Die Papiere sind in Helmuts Büro. Zweite Tür links.« Sie tat, als hätte sie seine Frage zu der Haushälterin überhört, blieb sitzen und streckte ihm auch nicht die Hand hin. Sie sah zu, wie er sich zurückzog, und widmete sich wieder dem Warten auf ihre Zukunft.

Brunetti ging in den Flur und zur zweiten Tür. Beim Eintreten fiel sein Blick als erstes auf den dicken hellbraunen Umschlag der Questura, der noch ungeöffnet auf dem Schreibtisch lag. Er setzte sich und zog den Umschlag zu sich herüber. Erst jetzt blickte er zufällig aus dem Fenster und sah die Dächer, die von ihm weg über die Stadt dahinzuschweben schienen. Ganz in der Nähe war der spitze Glockenturm von San Marco zu erkennen, links die strenge Fassade des Opernhauses. Er riß sich von dem Anblick los und wandte seine Aufmerksamkeit dem Umschlag zu.

Was er schon in der Übersetzung gelesen hatte, legte er zur Seite. Diese Papiere betrafen, wie er wußte, Verträge,

Engagements, Plattenaufnahmen, und er hatte sie als unwichtig eingestuft.

Dann zog er drei Fotos aus dem Umschlag. Wie nicht anders zu erwarten, waren sie in dem Bericht, den er gelesen hatte, nicht erwähnt, wahrscheinlich, weil nichts darauf stand. Das erste zeigte Wellauer mit seiner Frau an einem See. Sie wirkten sonnengebräunt und gesund, und Brunetti mußte sich ins Gedächtnis rufen, daß der Mann bestimmt schon über siebzig gewesen sein mußte, als das Foto gemacht wurde, denn er sah darauf nicht viel älter aus als der Commissario selbst. Auf dem zweiten Bild war ein junges Mädchen zu sehen, das neben einem Pferd stand, einem gutmütig wirkenden Tier, so breit wie hoch. Das Mädchen hatte eine Hand am Zaumzeug des Pferdes und einen Fuß auf halbem Weg zwischen Boden und Steigbügel. Ihr Kopf war in einem merkwürdigen Winkel verdreht, offensichtlich hatte der Fotograf gerade in dem Augenblick gerufen, als sie aufsitzen wollte. Sie war groß und schlank und hatte das helle Haar ihrer Mutter, das in zwei langen Zöpfen unter ihrer Reitkappe hervorhing. Vor lauter Überraschung hatte sie keine Zeit zum Lächeln gehabt und wirkte seltsam düster.

Das dritte Foto zeigte sie alle drei zusammen. In der Mitte stand das Mädchen, fast so groß wie ihre Mutter, aber selbst in der entspannten Haltung linkisch, hinter ihr die beiden Erwachsenen, die Arme umeinander gelegt. Das Mädchen schien hier etwas jünger zu sein als auf dem anderen Bild. Alle drei sandten ein einstudiertes Lächeln in die Kamera.

Als letztes zog Brunetti ein ledergebundenes Notizbuch

mit goldgeprägter Jahreszahl aus dem Umschlag. Er blätterte es durch. Es war ein deutschsprachiger Kalender, und bei vielen Tagen standen Vermerke in der gotischen Schrift, die er auf der Partitur von *La Traviata* gesehen hatte. Die meisten Notizen waren Namen von Orten und Opern, oder Abkürzungen, die er leicht als Konzertprogramme identifizieren konnte. »Salz-D.G.«, »Wien, Maskenb.«, »Bonn, Moz. 40.«, »Lndn. Così«. Andere waren offenbar privat, oder hatten jedenfalls nichts mit Musik zu tun: »Von S-17 Uhr«, »Erich & H. 20 Uhr«, »D.&G. Tee-Demel-16 Uhr«.

Ausgehend vom Todestag des Dirigenten, blätterte er systematisch drei Monate zurück. Er sah einen Terminkalender, der einen halb so alten Mann wie Wellauer geschafft hätte, eine Liste von Verabredungen, die immer dichter wurde, je weiter er zurückging. Als ihm das aufgefallen war, schlug er den August auf und las diesmal vorwärts; nun sah er das Muster andersherum, ein allmähliches Abnehmen der Zahl von Abendessen, Teeverabredungen und Mittagstreffs. Er nahm ein Blatt Papier aus einer der Schubladen und brachte das Muster rasch in eine Ordnung: private Verabredungen rechts, Musik links. Im August und September war, bis auf eine zweiwöchige Pause, in der so gut wie nichts notiert war, beinah für jeden Tag irgendein Termin eingetragen. Im Oktober wurde es dann weniger, und gegen Ende des Monats waren so gut wie keine privaten Verabredungen mehr verzeichnet. Selbst die beruflichen Termine waren von mindestens zwei in der Woche auf einen oder zwei alle paar Wochen geschrumpft.

Er blätterte nach vorn ins kommende Jahr, das Wellauer

nicht erleben würde, und fand Ende Januar eine Notiz: »Lndn.-Così«. Dabei fesselte ein kleines Zeichen hinter dem Namen der Oper Brunettis Aufmerksamkeit. War das ein Fragezeichen oder nur ein schludrig hingekritzelter Akzent?

Er nahm sich ein neues Blatt Papier und machte, beginnend im Oktober, eine zweite Liste der privaten Notizen. Am sechsten las er: »Erich & H. 21 Uhr«. Da er die beiden Namen schon kannte, war ihm klar, was das bedeutete. Am siebten: »Erich 8 Uhr«. Am fünfzehnten: »Petra & Nicolai, 20 Uhr«, dann nichts bis zum siebenundzwanzigsten, da stand: »Erich 8 Uhr«. Das schien eine merkwürdige Zeit, um sich mit einem Freund zu treffen. Der letzte Eintrag war zwei Tage vor der Abreise nach Venedig gemacht: »Erich 9 Uhr«.

Das war alles, bis auf eine Notiz, die Brunetti sich auf der linken Seite seines Blattes unter dem dreizehnten November eintrug: »Venedig-Trav«.

Er schlug den Terminkalender zu und steckte ihn wieder in den Umschlag, zusammen mit den Fotos und anderen Papieren. Dann faltete er die Blätter mit seinen Notizen zusammen und ging zurück in das Zimmer, in dem er mit Signora Wellauer gesprochen hatte. Sie saß noch immer vor dem offenen Kamin und rauchte.

»Sind Sie fertig?« fragte sie, als er eintrat.

»Ja«, antwortete er. Und als er merkte, daß er die Blätter mit seinen Notizen noch in der Hand hielt, fuhr er fort: »Als ich mir den Terminkalender Ihres Mannes durchsah, fiel mir auf, daß er in den letzten Monaten weit weniger aktiv war als früher. Gab es dafür einen besonderen Grund?«

Sie ließ sich einen Moment Zeit, bevor sie antwortete. »Helmut sagte, er sei müde, hätte nicht mehr die alte Energie. Wir trafen uns gelegentlich mit Freunden, allerdings nicht mehr so oft wie früher, wie Sie ganz richtig festgestellt haben. Aber er hat nicht alle unsere Verabredungen in seinen Terminkalender eingetragen.«

»Das wußte ich nicht. Aber dieser Wandel interessiert mich. Sie haben das in unserem Gespräch gar nicht erwähnt.«

»Sie erinnern sich vielleicht, Commissario, daß Sie mich nach der sexuellen Beziehung zu meinem Mann gefragt haben. Davon steht bedauerlicherweise nichts in dem Terminkalender.«

»Mir fiel auf, daß der Name Erich häufig auftaucht.«

»Und was soll Ihrer Meinung nach daran wichtig sein?«

»Ich habe nicht gesagt, daß es wichtig ist, Signora; ich habe nur gesagt, daß der Name in den letzten Lebensmonaten Ihres Mannes häufig auftaucht. Meist in Verbindung mit dem Buchstaben ›H‹, aber auch allein.«

»Ich sagte ja schon, daß nicht alle Verabredungen in dem Terminkalender stehen.«

»Aber diese waren Ihrem Mann offenbar wichtig genug, um sie zu notieren. Darf ich fragen, wer Erich ist?«

»Erich Steinbrunner. Er und seine Frau Hedwig sind Helmuts älteste Freunde.«

»Aber Ihre nicht?«

»Sie sind auch meine Freunde geworden, aber Helmut kannte sie seit mehr als vierzig Jahren, und ich erst seit zwei, da ist es wohl einleuchtend, wenn ich sie eher als Helmuts älteste Freunde sehe, und nicht als meine.«

»Ich verstehe. Könnten Sie mir ihre Adresse geben?«

»Ich sehe nicht recht ein, wozu das wichtig sein soll, Commissario.«

»Ich habe Ihnen ja erklärt, warum ich es für wichtig halte. Wenn Sie mir die Anschrift nicht geben wollen, finde ich sicher andere Freunde Ihres Mannes, die es tun.«

Sie leierte einen Straßennamen herunter und erklärte, das sei in Berlin; dann wartete sie, während er seinen Stift zückte und über die Zettel hielt, die er noch in der Hand hatte. Als er soweit war, wiederholte sie das Ganze langsam, buchstabierte Wort für Wort, sogar »Straße«, was er als eine überflüssige Anspielung auf seine Dämlichkeit wertete.

»War's das dann?« fragte sie, als er fertig war.

»Ja, Signora. Danke. Kann ich jetzt mit Ihrer Haushälterin sprechen?«

»Ich bin nicht sicher, ob ich die Notwendigkeit einsehe.«

Er ignorierte ihren Einwand und fragte: »Ist sie noch da?«

Signora Wellauer antwortete nicht, sondern stand auf und ging quer durchs Zimmer, wo an der Seite eine Kordel von der Decke hing. Schweigend zog sie daran und trat dann ans Fenster, das einen Blick über die Dächer der Stadt bot.

Kurz danach ging die Tür auf, und die Haushälterin trat ein. Brunetti wartete, daß Signora Wellauer etwas sagte, aber sie blieb reglos am Fenster stehen und beachtete sie beide nicht. Brunetti, dem nichts anderes übrigblieb, sprach so, daß sie hören konnte, was er zu der Frau sagte.

»Signora Breddes, ich möchte gern kurz mit Ihnen reden, wenn ich darf.«

Die Frau nickte, sagte aber nichts.

»Vielleicht könnten wir dazu ins Arbeitszimmer gehen«, schlug er vor, doch die Witwe war unnachgiebig und drehte sich nicht um. Er ging zur Tür und bedeutete der Haushälterin vorauszugehen. Dann folgte er ihr durch den Flur zum Arbeitszimmer. Drinnen schloß er die Tür und deutete auf einen Stuhl. Er selbst ging zum Schreibtisch und setzte sich auf den Platz, auf dem er vorhin bei Durchsicht der Papiere gesessen hatte.

Sie war eine unscheinbare Frau Mitte Fünfzig in einem dunklen Kleid, das ebenso Zeichen ihrer Stellung wie ihrer Trauer sein konnte. Die Länge bis zur Wade entsprach nicht der Mode, und der Schnitt unterstrich ihre knochige Figur, die schmalen Schultern und die flache Brust. Ihr Gesicht paßte zum Körper, die Augen standen etwas zu eng beieinander, und die Nase war mehr als nur ein bißchen zu lang. Wie sie da so aufrecht auf der Stuhlkante saß, erinnerte sie ihn an einen der Seevögel mit langen Beinen und langem Hals, wie sie auf den Pfählen längs der Kanäle hockten.

»Ich möchte Ihnen einige Fragen stellen, Signora Breddes.«

»Signorina«, verbesserte sie automatisch.

»Ich hoffe, es ist Ihnen recht, wenn wir Italienisch sprechen«, sagte er.

»Natürlich. Ich lebe seit zehn Jahren hier.« Ihre Antwort klang etwas beleidigt.

»Wie lange haben Sie für den Maestro gearbeitet, Signorina?«

»Zwanzig Jahre. Zehn in Deutschland, und die letzten zehn hier. Als der Maestro die Wohnung hier gekauft hat, bat er mich, herzukommen und mich darum zu kümmern. Ich habe eingewilligt. Ich wäre überallhin gegangen für den Maestro.« Aus der Art, wie sie das sagte, entnahm Brunetti, daß sie das Leben in einer Zehnzimmerwohnung in Venedig als eine Form des Leidens betrachtete, das sie nur aus Ergebenheit für ihren Arbeitgeber auf sich nahm.

»Haben Sie die Verantwortung für den Haushalt?«

»Ja. Ich bin, kurz nachdem er die Wohnung gekauft hatte, hergekommen. Dann kam er selbst und hat seine Anweisungen für die Möblierung und die Malerarbeiten gegeben. Ich habe dafür gesorgt, daß alles organisiert und dann in seiner Abwesenheit in Ordnung gehalten wurde.«

»Und wenn er hier war?«

»Dann auch.«

»Wie oft kam er nach Venedig?«

»Zwei- oder dreimal im Jahr. Selten häufiger.«

»Kam er zum Arbeiten? Zum Dirigieren?«

»Manchmal. Aber auch, um Freunde zu besuchen, oder zur Biennale.« Das klang aus ihrem Mund alles wie ein Katalog irdischer Eitelkeiten.

»Und was hatten Sie zu tun, wenn er hier war?«

»Ich habe gekocht, obwohl wir für Parties einen italienischen Koch hatten. Ich habe die Blumen ausgesucht. Die Arbeit der Mädchen überwacht. Es sind alles Italienerinnen.« Das erklärte wohl die Notwendigkeit, sie zu überwachen, nahm er an.

»Wer hat für den Haushalt eingekauft? Lebensmittel? Wein?«

»Wenn der Maestro hier war, habe ich den Speiseplan gemacht und die Mädchen jeden Morgen zum Rialtomarkt geschickt, um frisches Gemüse zu holen.«

Brunetti dachte, daß sie jetzt vielleicht soweit sei, die Fragen zu beantworten, die ihn wirklich interessierten. »Dann hat der Maestro also geheiratet, als Sie schon bei ihm gearbeitet haben?«

»Ja.«

»Hat sich dadurch etwas verändert? Wenn er nach Venedig kam, meine ich.«

»Ich weiß nicht, wie Sie das meinen«, sagte sie, obwohl sie es eindeutig wußte.

»In der Haushaltsführung. Hat sich an Ihren Pflichten etwas geändert, nachdem der Maestro verheiratet war?«

»Nein. Manchmal hat die Signora gekocht, aber nicht oft.«

»Und sonst?«

»Nichts.«

»Hatten Sie durch die Tochter der Signora irgendwelche Probleme?«

»Nein. Sie hat viel Obst gegessen. Aber Probleme gab es keine mit ihr.«

»Ich verstehe«, sagte Brunetti, nahm ein Blatt Papier aus der Tasche und malte irgendwelche x-beliebigen Wörter darauf. »Sagen Sie, Signorina Breddes, ist Ihnen in diesen letzten Wochen, die der Maestro hier war, irgend etwas, ich meine eine Veränderung in seinem Verhalten, aufgefallen, etwas, das Ihnen merkwürdig vorkam?«

Sie schwieg; ihre Hände ruhten fest ineinandergelegt auf ihrem Schoß. Schließlich meinte sie: »Ich verstehe nicht.«

»Kam er Ihnen irgendwie seltsam vor?« Schweigen.
»Gut, wenn nicht seltsam«, sagte er mit einem Lächeln, das
um Verständnis für seine Schwierigkeiten warb, »dann vielleicht ungewöhnlich, anders als sonst?« Und als sie immer
noch nichts sagte, fügte er hinzu: »Sie hätten doch sicher
jede Veränderung bemerkt, da Sie so lange bei ihm waren
und ihn bestimmt besser kannten als alle anderen im
Hause.« Damit schmeichelte er schamlos ihrer Eitelkeit,
aber das hieß ja nicht, daß es seinen Zweck nicht erfüllen
konnte.

»Meinen Sie in bezug auf seine Arbeit?«

»Nun«, sagte er und warf ihr ein Komplizenlächeln zu,
»es könnte mit seiner Arbeit zu tun haben, aber es könnte
auch alles mögliche sein, vielleicht etwas ganz Persönliches,
das mit seinem Beruf und seiner Musik nichts zu tun hatte.
Wie gesagt, ich bin sicher, daß Sie durch Ihre langjährige
Vertrautheit mit dem Maestro für so etwas besonders sen-
sibel waren.«

Er beobachtete, wie der Köder näher zu ihr hintrieb, und
zupfte an der Leine, um ihn noch näher zu bringen. »Da Sie
ihn schon so lange kannten, hätten Sie wahrscheinlich
Dinge bemerkt, die andere übersehen hätten.«

»Ja, das stimmt«, gab sie zu. Sie fuhr sich nervös mit der
Zunge über die Lippen, näherte sich dem Köder. Er blieb
schweigend und reglos sitzen, wollte das Wasser nicht auf-
rühren. Sie fingerte abwesend an einem Knopf vorn an
ihrem Kleid herum, drehte ihn abwechselnd zur einen und
zur anderen Seite. Endlich sagte sie: »Mir ist etwas aufgefallen, aber ich weiß nicht, ob es wichtig ist.«

»Vielleicht ist es wichtig. Denken Sie daran, Signorina,

alles, was Sie mir sagen können, hilft dem Maestro.« Aus irgend einem Grund wußte er, daß sie blind war für die kolossale Idiotie dieser Aussage. Er legte seinen Stift weg, faltete die Hände wie ein Priester und wartete.

»Es waren zwei Dinge. Seit er diesmal hergekommen war, wirkte er immer abwesender, als sei er mit den Gedanken woanders. Nein, das ist es nicht, nicht ganz. Es war eher so, als ob es ihn nicht mehr interessierte, was um ihn herum vorging.« Sie ließ die Worte verklingen, unzufrieden mit sich.

»Vielleicht könnten Sie mir ein Beispiel nennen«, bohrte er.

Sie schüttelte den Kopf; das gefiel ihr ganz und gar nicht. »Nein, ich habe es nicht richtig beschrieben. Ich weiß nicht, wie ich es erklären soll. Früher hat er mich immer gefragt, was während seiner Abwesenheit passiert ist, hier im Haus und bei den Mädchen, und was ich so gemacht habe.« Errötete sie etwa? »Der Maestro wußte, daß ich Musik liebe, daß ich in Konzerte und in die Oper ging, wenn er nicht hier war, und er hat sich immer die Zeit genommen, danach zu fragen. Aber diesmal nichts davon. Als er ankam, hat er mich begrüßt und gefragt, wie es mir geht, ja, aber meine Antworten schienen ihn gar nicht zu interessieren. Ein paarmal, nein, einmal mußte ich in sein Arbeitszimmer gehen, um zu fragen, wann er essen wollte. Er hatte eine Probe an dem Nachmittag, und ich wußte nicht, wie lange sie dauern würde, also bin ich zu ihm gegangen, um mich zu erkundigen. Ich habe geklopft und bin hineingegangen wie immer. Aber er hat mich gar nicht beachtet, tat so, als sei ich nicht da, ließ mich minutenlang warten, während er etwas schrieb. Ich weiß nicht, warum er das tat, aber er ließ mich warten wie einen Dienstboten. Schließlich war es mir so peinlich, daß ich schon gehen wollte. Nach zwanzig Jahren würde er mir das doch nicht antun, mich warten lassen wie einen Verbrecher vor dem Richter.« Brunetti sah, wie sich noch in der Erinnerung die Pein auf ihrem Gesicht spiegelte.

»Endlich, als ich mich schon umgedreht hatte und wieder gehen wollte, sah er auf und tat so, als hätte er mich eben erst bemerkt. Als wäre ich aus dem Nichts aufgetaucht, um ihn etwas zu fragen. Ich habe dann gefragt, wann er wohl zurücksein werde. Leider ließ ich mir meinen Ärger anmerken. Zum ersten Mal in zwanzig Jahren bin ich ihm gegenüber laut geworden. Aber er hat es ignoriert und mir nur gesagt, wann er zurücksein wollte. Und dann war er wohl etwas verlegen, weil er mich so behandelt hatte, denn er sagte, wie schön die Blumen seien. Er hatte immer gern Blumen im Haus, wenn er da war.« Sie blickte an Brunetti vorbei ins Leere und fügte unsinnigerweise hinzu: »Sie werden von Biancat gebracht. Den ganzen Weg über den Canal Grande.«

Brunetti hatte keine Ahnung, ob diese Mitteilungen ihrem Zorn entsprangen oder ihrem Schmerz, oder beidem. Zwanzig Jahre als Dienstbote geben einem sicherlich das Recht, nicht wie ein Dienstbote behandelt zu werden.

»Es gab noch andere Dinge, aber ich habe mir damals nichts weiter dabei gedacht.«

»Was für Dinge?«

»Er kam mir…« begann sie und überlegte beim Sprechen offenbar, wie sie etwas sagen und gleichzeitig doch nicht sagen konnte. »Er kam mir älter vor. Natürlich war ein Jahr vergangen, seit ich ihn zuletzt gesehen hatte, aber der Unterschied war größer. Er hatte immer so jugendlich gewirkt, so voller Leben. Aber diesmal kam er mir vor wie ein alter Mann.« Um das zu belegen, fügte sie hinzu: »Er hatte angefangen, eine Brille zu tragen. Aber nicht zum Lesen.«

»Kam Ihnen das merkwürdig vor, Signorina?«

»Ja, Leute in meinem Alter brauchen normalerweise eine zum Lesen, für die Nähe, aber er hat sie nicht zum Lesen getragen.«

»Woher wissen Sie das?«

»Weil er manchmal, wenn ich ihm seinen Nachmittagstee brachte, beim Lesen war, aber dabei hatte er die Brille nicht auf. Wenn er mich sah, nahm er sie und setzte sie auf die Nase, oder er bedeutete mir nur, das Tablett hinzustellen, als wollte er nicht gestört werden.« Sie hielt inne.

»Sie sagten, es wären zwei Dinge, Signorina. Darf ich fragen, was das andere war?«

»Ich glaube, das sollte ich lieber nicht sagen«, antwortete sie nervös.

»Wenn es nicht wichtig ist, dann spielt es keine Rolle. Aber wenn es wichtig ist, könnte es dazu beitragen, denjenigen zu finden, der dieses Verbrechen begangen hat.«

»Ich bin nicht ganz sicher, es ist nichts, dessen ich mir ganz sicher wäre«, meinte sie, schon nachgiebiger. »Es ist etwas, das ich eigentlich eher gespürt habe. Zwischen den beiden.« Die Art und Weise, wie sie das letzte Wort aussprach, machte klar, wer der andere Teil von ›beiden‹ war. Brunetti sagte nichts, zum Warten entschlossen.

»Dieses Mal waren sie anders. Sonst waren sie immer so ... ich weiß nicht, wie ich es sagen soll. Sie waren sich nah, waren immer zusammen, redeten, taten Dinge gemeinsam, faßten sich an.« Ihr Tonfall enthüllte, wie ungehörig solches Benehmen in ihren Augen für ein verheiratetes Paar war. »Aber als sie diesmal kamen, gingen sie anders miteinander um. Außenstehende hätten das gar nicht gemerkt. Sie waren immer noch sehr höflich zueinander, aber sie berührten sich nie mehr wie sonst immer, wenn es keiner sah.« Außer ihr. Sie sah Brunetti an. »Ich weiß nicht recht, ob das irgendeinen Sinn ergibt.«

»Ja, ich glaube schon, Signorina. Können Sie sich vorstellen, wie es zu dieser Abkühlung zwischen den beiden gekommen sein könnte?«

Er sah die Antwort, oder zumindest die Ahnung einer Antwort, in ihren Augen aufblitzen und ebensoschnell wieder verlöschen. Obwohl er es gesehen hatte, konnte er nicht sicher sein, daß sie selbst gemerkt hatte, was da eben passiert war. »Irgendeine Vorstellung?« bohrte er weiter und sah schon beim Sprechen, daß er zu weit gegangen war.

»Nein, gar keine.« Sie schüttelte energisch den Kopf, als wollte sie sich von etwas frei machen.

»Wissen Sie, ob die anderen Hausangestellten das vielleicht beobachtet haben?«

Sie richtete sich kerzengerade auf. »So etwas würde ich nicht mit Dienstboten besprechen.«

»Natürlich, natürlich«, murmelte er. »Das habe ich damit bestimmt nicht sagen wollen.« Er merkte, daß es ihr schon leid tat, ihm auch nur das wenige erzählt zu haben. Am besten spielte er es herunter, damit sie keine Skrupel bekam, es zu wiederholen, sollte das je nötig werden, oder zu ergänzen, sollte das je möglich sein. »Ich weiß zu schätzen, was Sie mir erzählt haben, Signorina. Es bestätigt, was wir aus anderen Quellen schon gehört haben. Ich muß Ihnen wohl kaum sagen, daß alles streng vertraulich behandelt wird. Wenn Ihnen noch irgend etwas einfallen sollte, rufen Sie mich bitte im Präsidium an.«

»Ich möchte nicht, daß Sie denken, ich . . .«, fing sie an, konnte sich aber nicht dazu durchringen auszusprechen, was er von ihr denken könnte.

»Ich versichere Ihnen, ich denke nur, daß Ihre Loyalität dem Maestro gegenüber ungebrochen ist.« Da es stimmte, war es das mindeste, was er ihr sagen konnte. Daraufhin entspannte sich ihr Gesicht etwas. Er stand auf und streckte ihr die Hand hin. Die ihre war klein und überraschend zerbrechlich, wie ein Vögelchen. Sie brachte ihn durch den Korridor zur Tür, verschwand kurz und kam mit seinem Mantel zurück. »Sagen Sie, Signorina«, fragte er, »was haben Sie jetzt für Pläne? Werden Sie in Venedig bleiben?«

Sie sah ihn an, als sei er ein Irrer, der sie auf der Straße angehalten hatte. »Nein, ich will so schnell wie möglich nach Gent zurück.«

»Wissen Sie schon, wann das sein wird?«

»Die Signora muß entscheiden, was sie mit der Wohnung machen will. Bis dahin bleibe ich noch hier, dann fahre ich nach Hause, wo ich hingehöre.« Während sie das sagte, öffnete sie die Tür, ließ ihn hinaus und schloß sie leise hinter ihm. Auf dem Weg nach unten blieb Brunetti auf dem ersten Treppenabsatz stehen und schaute aus dem Fenster. Nicht weit entfernt breitete der Engel auf dem Glockenturm segnend die Flügel über die Stadt und alle, die darin lebten. Selbst wenn das Exil in der schönsten Stadt der Welt liegt, dachte Brunetti, bleibt es doch Exil.

16

Da er schon ganz in der Nähe war, ging Brunetti direkt zum Theater, aß unterwegs nur rasch ein Sandwich und trank ein Bier dazu, nicht weil er richtig Hunger hatte, sondern um das vage Unwohlsein loszuwerden, das ihn immer überkam, wenn er längere Zeit nichts gegessen hatte.

Am Bühneneingang zeigte er seinen Ausweis und fragte, ob Signor Traverso schon da sei. Der Portier sagte ihm, Signor Traverso sei vor einer Viertelstunde gekommen und erwarte den Commissario in der Theaterbar. Dort angelangt, sah er sich einem großen, ausgemergelten Mann gegenüber, der tatsächlich eine gewisse Familienähnlichkeit mit Brunettis Zahnarzt hatte. Der Lärm und die Unruhe durch das ständige Kommen und Gehen von Ensemblemitgliedern, manche schon im Kostüm, machte eine Unterhaltung schwierig, und Brunetti fragte, ob es nicht irgendwo ein ruhigeres Plätzchen gebe.

»Tut mir leid«, sagte der Musiker. »Daran hätte ich denken sollen. Wir könnten höchstens in eine der Garderoben gehen, die im Moment nicht benutzt werden.« Er legte einen Schein auf den Tresen und nahm seinen Violinkasten auf. Dann ging er voraus durchs Theater und die Treppe hinauf, die Brunetti am ersten Abend benutzt hatte. Oben kam eine stämmige Frau im blauen Kittel auf sie zu und fragte, was sie wollten.

Traverso sprach kurz mit ihr, erklärte, wer Brunetti war und was sie suchten. Sie nickte und ging ihnen durch einen schmalen Gang voraus. An einer Tür zog sie einen gewaltigen Schlüsselbund aus der Tasche, schloß auf und trat zur Seite, um sie an sich vorbei in ein kleines Zimmerchen zu lassen. Kein Theaterglanz in dieser Kammer, nur zwei Stühle links und rechts von einem niedrigen Tisch sowie eine Bank vor einem Spiegel. Sie setzten sich einander gegenüber auf die Stühle.

»Ist Ihnen bei den Proben irgend etwas Ungewöhnliches aufgefallen?« fragte Brunetti. Da er nicht schon durch die Fragestellung darauf hinweisen wollte, was er suchte, hatte er sie ganz allgemein formuliert – wie er merkte, so allgemein, daß sie buchstäblich keinen Sinn ergab.

»Meinen Sie an der Aufführung oder am Maestro?«

»An beiden.«

»Die Vorstellung? Derselbe alte Kram. Bühnenbild und Inszenierung waren neu, aber die Kostüme haben wir schon zweimal benutzt. Die Sänger sind allerdings gut, bis auf den Tenor. Den sollte man erschießen. Ist aber nicht sein Fehler. Schlechte Anleitung vom Maestro. Keiner von uns wußte so recht, was er eigentlich machen sollte. Also, das war nicht von Anfang an so, aber ab der zweiten Woche. Ich glaube, wir haben aus dem Gedächtnis gespielt. Ich weiß nicht, ob Sie das verstehen.«

»Könnten Sie es etwas genauer sagen?«

»Es lag an Wellauer. Als hätte ihn plötzlich sein Alter ereilt. Ich habe schon früher unter ihm gespielt. Zweimal. Der beste Dirigent, mit dem ich je gearbeitet habe. Es gibt heute keinen wie ihn, obwohl viele ihn imitieren. Letztes Mal haben wir *Così* gespielt. Wir waren noch nie so gut. Aber diesmal nicht. Er war plötzlich ein alter Mann. Es war, als ob er gar nicht darauf achtete, was er tat. Manchmal, wenn wir zu einem Crescendo kamen, horchte er und deutete dann mit dem Stab auf jeden, der auch nur eine Achtelnote nachhinkte. Das war phantastisch. Aber sonst war es einfach nicht gut. Allerdings hat keiner etwas gesagt. Wir waren uns offenbar stillschweigend einig, so zu spielen, wie es in der Partitur stand, und uns ansonsten nach unserem Konzertmeister zu richten. Das hat wohl einigermaßen geklappt. Der Maestro war's offenbar zufrieden. Aber es war nicht wie die anderen Male.«

»Glauben Sie, daß der Maestro es gemerkt hat?«

»Meinen Sie, ob er wußte, wie schlecht wir geklungen haben?«

»Ja.«

»Muß er wohl. Man wird nicht der Welt bester Dirigent und hört nicht, was sein Orchester macht, oder? Aber es war eher so, als ob er die meiste Zeit an etwas anderes dächte. Als wäre er gar nicht richtig da, als paßte er einfach nicht auf.«

»Und am Abend der Vorstellung, ist Ihnen da etwas Ungewöhnliches aufgefallen?«

»Nein, eigentlich nicht. Wir waren alle so damit beschäftigt, im Takt zu bleiben, damit es nicht noch schlechter klang.«

»Also nichts? Und er hat auch nichts Eigenartiges zu irgend jemandem gesagt?«

»Er hat an dem Abend mit keinem von uns gesprochen. Wir haben ihn erst gesehen, als er in den Orchestergraben kam und ans Pult trat.« Er dachte ein Weilchen nach. »Eine Sache fällt mir noch ein, eigentlich kaum der Rede wert.«

»Ja?«

»Es war am Ende des zweiten Aktes, nach der großen Szene, in der Alfredo sein beim Spiel gewonnenes Geld Violetta vor die Füße wirft. Ich weiß nicht, wie die Sänger das Ganze durchgestanden haben. Wir im Orchester waren jedenfalls völlig durch den Wind. Aber es ging zu Ende, und das Publikum – die Leute haben keine Ohren – fing an zu applaudieren, und der Maestro, er lächelte so ein komisches kleines Lächeln, als hätte ihm gerade jemand einen Witz erzählt. Dann legte er den Stab weg. Er warf ihn nicht hin wie sonst. Er legte ihn ganz vorsichtig ab und lächelte wieder. Dann stieg er von seinem Podium und ging hinter die Bühne. Das war das letzte Mal, daß ich ihn gesehen habe. Ich dachte, er lächelte, weil der zweite Akt vorbei war und der Rest vielleicht einfach sein würde. Und dann haben sie uns zum dritten Akt einen neuen Dirigenten geschickt.« Er warf einen Blick auf seine Armbanduhr. »Ich weiß nicht, ob das die Dinge sind, nach denen Sie gesucht haben.«

Er griff nach seinem Violinkasten, und Brunetti sagte: »Noch eines. Ist das den anderen Orchestermusikern auch aufgefallen? Nicht das Lächeln, aber die Veränderung?«

»Einigen ja, denen von uns, die früher schon mit ihm gearbeitet hatten. Bei den übrigen kann ich es nicht sagen. Wir kriegen hier so viele schlechte Dirigenten, da bin ich mir nicht sicher, ob sie den Unterschied überhaupt merken. Aber vielleicht bin ich ja besonders empfindlich, weil es mich an meinen Vater erinnert.« Er sah Brunettis fragenden Blick und erklärte: »Mein Vater ist siebenundachtzig. Er macht es genauso, schaut uns über seine Brille an, als würden wir ihm etwas verheimlichen, und will wissen, was es ist.« Wieder sah er auf die Uhr. »Ich muß los. In zehn Minuten geht der Vorhang auf.«

»Vielen Dank für Ihre Hilfe«, sagte Brunetti, obwohl er nicht recht wußte, wie er das eben Gehörte einordnen sollte.

»Klang für mich alles wie unnützer Klatsch. Weiter nichts. Aber ich hoffe, es hilft Ihnen«, meinte der andere.

»Kann ich vielleicht während der Vorstellung hier im Theater bleiben, oder gibt es da Schwierigkeiten?« fragte Brunetti.

»Nein, ich glaube nicht. Sagen Sie nur Lucia Bescheid, wenn Sie gehen, damit sie hier wieder abschließen kann.« Dann eilig: »Jetzt muß ich aber gehen.«

»Nochmals vielen Dank.«

»Keine Ursache.« Sie gaben sich die Hand, und der Musiker ging.

Brunetti blieb in dem Zimmerchen sitzen und plante bereits, daß er die Gelegenheit nutzen würde, um zu sehen, wie viele Leute während einer Vorstellung und in den Pausen hinter der Bühne herumliefen, und wie leicht man unbemerkt in der Garderobe des Dirigenten ein und aus gehen konnte.

Er wartete eine Viertelstunde, dankbar für die Gelegenheit, an einem ruhigen Ort allein sein zu können. Nach und nach verebbten die vielen Geräusche von draußen, und ihm wurde klar, daß die Sänger nach unten gegangen waren, um ihre Plätze auf der Bühne einzunehmen. Trotzdem verweilte er noch etwas in der beruhigenden Stille.

Als dann, durch Treppenhaus und Wände gefiltert, die Ouvertüre zu ihm heraufdrang, hielt er es für an der Zeit, die Garderobe des Dirigenten zu suchen. Er trat in den Gang und sah sich nach der Frau um, die ihnen aufgeschlossen hatte, aber sie war nirgends zu sehen. Da er versprochen hatte, dafür zu sorgen, daß wieder abgeschlossen wurde, ging er durch den Flur bis zur Treppe und schaute nach unten. »Signora Lucia?« rief er, aber niemand antwortete. Er klopfte an die erste Garderobe, nichts. Ebenso bei der zweiten. Bei der dritten rief von drinnen eine Stimme: »*Avanti!*« und er stieß die Tür auf, um zu erklären, daß er die Garderobe nicht mehr brauche und sie abgeschlossen werden könne.

»Signora Lucia«, fing er an und hielt abrupt inne, als er in einem Sessel ausgestreckt Brett Lynch sah, auf dem Schoß ein aufgeschlagenes Buch, in der Hand ein Glas Rotwein.

Sie war ebenso verblüfft wie er, erholte sich aber schneller. »Guten Abend, Commissario. Kann ich Ihnen irgendwie helfen?« Sie setzte das Glas auf dem Tisch neben ihrem Sessel ab, klappte das Buch zu und lächelte.

»Ich wollte Signora Lucia sagen, daß sie die andere Garderobe jetzt abschließen kann«, erklärte er.

»Sie ist wahrscheinlich unten und sieht aus den Kulissen zu. Sie ist eine große Verehrerin von Flavia. Wenn sie wiederkommt, sage ich ihr, daß sie abschließen soll. Keine Sorge, das geht schon in Ordnung.«

»Sehr nett von Ihnen. Sehen Sie sich die Vorstellung nicht an?«

»Nein«, antwortete sie, und als sie sein Gesicht sah, fragte sie: »Überrascht Sie das?«

»Ich weiß es nicht genau. Aber da ich Sie gefragt habe, überrascht es mich wohl.«

Ihr Grinsen gefiel ihm, einmal, weil er es nicht von ihr erwartet hätte, und zum anderen, weil es ihr kantiges Gesicht weicher machte.

»Wenn Sie versprechen, es Flavia nicht zu erzählen, gestehe ich Ihnen hiermit, daß ich Verdi nicht sonderlich mag, und die *Traviata* auch nicht.«

»Warum nicht?« fragte er, erstaunt zu hören, daß die Sekretärin und Freundin – dabei beließ er es – der berühmtesten Verdi-Sopranistin zugab, diese Musik nicht zu mögen.

»Setzen Sie sich doch, Commissario«, sagte sie und deutete auf den Sessel ihr gegenüber. »In den nächsten«, sie sah auf die Uhr, »vierundzwanzig Minuten passiert nicht viel.« Er setzte sich, drehte den Sessel so, daß er sie besser sehen konnte, und fragte: »Warum mögen Sie Verdi nicht?«

»So kann man es eigentlich nicht sagen. Ich mag einiges von ihm, *Othello* zum Beispiel. Aber das Jahrhundert ist nichts für mich.«

»Welches ist denn nach Ihrem Geschmack?« wollte er wissen, obwohl er ziemlich sicher war, was sie antworten würde. Als reiche und aufgeschlossene Amerikanerin würde sie die Musik ihres Jahrhunderts bevorzugen, des Jahrhunderts, das sie hervorgebracht hatte.

»Das achtzehnte«, antwortete sie überraschenderweise. »Mozart und Händel, die Flavia leider beide nicht so gern singt.«

»Haben Sie versucht, sie zu bekehren?«

Sie nahm ihr Glas, trank einen Schluck und stellte es wieder ab. »Ich habe sie zu einigen Dingen bekehrt, aber von Verdi kann ich sie offenbar nicht weglocken.«

»Ich glaube, das muß man als unser großes Glück bezeichnen«, antwortete er, indem er locker ihren Ton übernahm, der viel mehr ausdrückte als die Worte. »Das andere ist dann wohl Ihres.«

Sie überraschte ihn aufs neue, als sie kicherte, und er überraschte sich selbst, als er mitlachte. »Gut, das hätten wir also. Ich habe gestanden. Jetzt können wir uns wie menschliche Wesen unterhalten und nicht wie die Protagonisten eines billigen Romans.«

»Sehr gern, Signorina.«

»Ich heiße Brett, und ich weiß, daß Sie Guido heißen«, sagte sie und tat damit den ersten Schritt zu einem vertrauteren Umgangston. Sie stand auf und ging zu einem kleinen Spülbecken in der Ecke. Daneben stand eine Flasche Wein. Sie goß Wein in ein zweites Glas, brachte es zusammen mit der Flasche herüber und reichte es ihm.

»Sind Sie gekommen, um noch einmal mit Flavia zu sprechen?« fragte sie.

»Nein, das hatte ich nicht vor. Aber früher oder später muß ich noch einmal mit ihr reden.«

»Warum?«

»Um sie zu fragen, was sie neulich nach dem ersten Akt in Wellauers Garderobe zu suchen hatte.« Falls sie das überraschte, ließ sie es sich nicht anmerken. »Haben Sie eine Ahnung?«

»Wie kommen Sie darauf, daß sie bei ihm war?«

»Weil mindestens zwei Leute gesehen haben, wie sie hineinging. Nach dem ersten Akt.«

»Aber nicht nach dem zweiten?«

»Nein, nicht nach dem zweiten.«

»Nach dem zweiten war sie hier oben bei mir.«

»Bei unserer letzten Unterhaltung haben Sie gesagt, daß sie nach dem ersten Akt auch hier oben bei Ihnen war, Brett. Aber es war nicht so. Können Sie einen Grund nennen, warum ich glauben sollte, daß Sie jetzt die Wahrheit sagen, nachdem Sie neulich gelogen haben?« Er trank von dem Wein. Es war ein Barolo, sehr gut.

»Es ist die Wahrheit.«

»Warum sollte ich das glauben?«

»Dafür gibt es wohl keinen plausiblen Grund.« Sie nippte wieder an ihrem Glas, als hätten sie noch den ganzen Abend für ihre Unterhaltung vor sich. »Aber sie war hier.« Sie trank aus, goß sich nach und sagte: »Sie ist nach dem ersten Akt bei ihm gewesen. Sie hat es mir erzählt. Seit Tagen hatte er Katz und Maus mit ihr gespielt, hatte gedroht, ihrem Exmann zu schreiben. Da ist sie schließlich zu ihm gegangen, um mit ihm zu reden.«

»Das scheint mir ein merkwürdiger Zeitpunkt zu sein, während einer Vorstellung.«

»So ist Flavia eben. Sie denkt nicht viel darüber nach, was sie tut. Sie tut es einfach, tut, was sie will. Einer der Gründe, warum sie eine große Sängerin ist.«

»Ich könnte mir vorstellen, daß es sich damit gar nicht so leicht leben läßt.«

»Ja, stimmt«, grinste sie. »Aber dafür gibt's Entschädigungen.«

»Was hat sie Ihnen gesagt?« Als sie ihn nicht gleich verstand, fügte er hinzu: »Über ihr Gespräch mit ihm.«

»Daß sie eine Auseinandersetzung hatten. Er wollte ihr nicht eindeutig sagen, ob er an ihren Mann geschrieben hatte oder nicht. Viel mehr hat sie nicht gesagt, aber sie zitterte noch vor Wut, als sie hier ankam. Ich weiß nicht, wie sie überhaupt singen konnte.«

»Und hatte er dem Ehemann geschrieben?«

»Ich weiß es nicht. Sie hat seit neulich abend nicht mehr darüber gesprochen.« Sie sah sein erstauntes Gesicht. »Wie ich schon sagte, so ist sie eben. Wenn sie singen muß, redet sie nicht gern über Dinge, die sie beunruhigen.« Und bedauernd fügte sie hinzu: »Sie tut es auch sonst nicht gern, aber sie sagt, es stört ihre Konzentration, wenn sie sich mit anderen Dingen als ihrer Musik befassen muß. Und ich nehme an, alle haben ihr das immer durchgehen lassen. Weiß Gott, ich tue es jedenfalls.«

»War er dazu fähig, ihrem Exmann zu schreiben, meine ich.«

»Der Mann war zu allem fähig. Glauben Sie mir. Er sah sich als eine Art Hüter menschlicher Moral. Er ertrug es nicht, daß jemand seiner Definition von richtig und falsch zuwiderlebte. Es machte ihn fuchsteufelswild, wenn jemand das wagte. Er meinte, so etwas wie ein gottgegebenes Recht zu haben, ihn dann der Gerechtigkeit zuzuführen, seiner Gerechtigkeit.«

»Und wozu war sie fähig?«

»Flavia?«

»Ja.«

Die Frage überraschte sie nicht. »Ich weiß es nicht, ich glaube nicht, daß sie es auf diese Weise tun könnte, nicht so kaltblütig. Sie würde alles mögliche tun, um ihre Kinder zu behalten, aber ich glaube nicht ... nein, nicht mit solchen Mitteln. Außerdem würde sie wohl kaum Gift mit sich herumtragen, oder?« Sie schien erleichtert, daß ihr dieser

Gedanke gekommen war. »Die Sache ist aber noch nicht ausgestanden. Wenn es eine Verhandlung oder so etwas wie eine Anhörung gibt, kommt doch heraus, worum es in ihrer Auseinandersetzung ging, oder?« Brunetti nickte. »Und mehr braucht ihr Mann nicht.«

»Da bin ich nicht so sicher«, meinte Brunetti.

»Ach, hören Sie auf«, schnauzte sie. »Wir sind hier in Italien, dem Land der glücklichen Familie, der geheiligten Familie. Liebhaber könnte sie haben, so viele sie wollte, solange es Männer sind. Das bringt den Vater, oder etwas Ähnliches wie einen Vater, wieder ins Haus. Aber sobald dieses publik würde, hätte sie keine Chance gegen ihn.«

»Glauben Sie nicht, daß Sie da übertreiben?«

»Was übertreiben?« wollte sie wissen. »Mein Leben war nie ein Geheimnis. Ich war immer zu reich, als daß es eine Rolle gespielt hätte, was die Leute über mich sagten oder dachten. Das hat sie aber nicht davon abgehalten, es auszusprechen. Selbst wenn uns also nichts bewiesen werden könnte, denken Sie nur einmal daran, was ein gerissener Anwalt daraus machen würde – ›Die Sopranistin mit der millionenschweren Sekretärin‹. Nein, man würde genau die richtigen Schlüsse daraus ziehen.«

»Sie könnte ja lügen«, sagte Brunetti, obwohl das auf Meineid hinauslief.

»Für einen italienischen Richter würde das keinen Unterschied machen. Außerdem glaube ich nicht, daß sie lügen würde. Nein, das täte sie bestimmt nicht. Nicht, was uns betrifft. Flavia ist wirklich überzeugt, daß sie über dem Gesetz steht.« Es schien ihr gleich wieder leid zu tun, daß sie das gesagt hatte. »Aber es sind alles nur Worte, Gerede, wie auf der Bühne. Sie schreit und wütet herum, aber das sind nur Gesten. Ich habe nie erlebt, daß sie gewalttätig geworden wäre, niemandem gegenüber. Nur Worte.«

Brunetti war Italiener genug, um zu glauben, daß Worte sich leicht zu etwas anderem auswachsen konnten, wenn es einer Frau um ihre Kinder ging, aber das behielt er für sich. »Darf ich Ihnen ein paar persönliche Fragen stellen?«

Sie seufzte resigniert, schon ahnend, was kommen würde, und schüttelte den Kopf.

»Hat man je versucht, Sie beide oder eine von Ihnen zu erpressen?«

Das war eindeutig nicht die Frage, die sie befürchtet hatte. »Nein, nie. Weder mich noch Flavia, oder jedenfalls hat sie nie etwas erzählt.«

»Und die Kinder? Wie kommen Sie mit Ihnen zurecht?«

»Recht gut. Paolo ist dreizehn, und Vittoria ist acht, er zumindest könnte also ahnen, was los ist. Aber andererseits hat Flavia nie etwas gesagt, es ist überhaupt nie darüber gesprochen worden.« Sie hob die Schultern und spreizte die Finger, womit sie alles Italienische ablegte und wieder ganz Amerikanerin wurde.

»Und die Zukunft?«

»Sie meinen das Alter? Nachmittags zusammen im Florian Tee trinken?«

Es war ein etwas milderes Bild, als er es vielleicht gezeichnet hätte, aber es entsprach ungefähr dem, was er meinte. Er nickte.

»Ich habe nicht die leiseste Ahnung. Solange ich mit ihr zusammen bin, kann ich nicht arbeiten, also muß ich darüber entscheiden, darüber, was ich will.«

»Was arbeiten Sie denn?«

»Ich bin Archäologin. China. Dadurch habe ich Flavia kennengelernt. Ich habe vor drei Jahren bei der Ausstellung chinesischer Kunst im Dogenpalast geholfen. Da haben irgendwelche Honoratioren sie mitgebracht; sie sang zu der Zeit gerade die *Lucia* an der Scala. Und nach der Eröffnung war sie beim Empfang. Dann mußte ich wieder nach Xian, dort ist das Ausgrabungsfeld. Wir sind dort nur zu dritt, drei aus dem Westen. Und ich bin jetzt schon seit drei Monaten weg, ich muß zurück, sonst bekommt jemand anderes meinen Platz.«

»Die Soldaten?« fragte er. Die Terrakottastatuen, die er in jener Ausstellung gesehen hatte, waren ihm noch lebhaft im Gedächtnis. Jede einzelne hatte etwas ganz Individuelles und wirkte wie das Porträt eines Mannes.

»Das ist nur der Anfang«, sagte sie. »Es sind Tausende, viel mehr als wir uns vorstellen können. Wir haben noch nicht einmal angefangen, die Schätze im Hauptgrab auszugraben. Es gibt derart viel amtlichen Papierkram. Aber im vergangenen Herbst haben wir die Erlaubnis bekommen, mit den Arbeiten am Schatzgewölbe zu beginnen. Nach dem wenigen, was ich bisher gesehen habe, wird dies der bedeutendste archäologische Fund seit Tutanchamun. Genaugenommen wird Tut zu einem Nichts, wenn wir erst angefangen haben herauszuholen, was da begraben liegt.«

Er hatte immer angenommen, die Leidenschaft von Wissenschaftlern sei eine Erfindung der Leute, die Bücher schrieben, der Versuch, sie etwas menschenähnlicher darzustellen. Aber wenn er ihr so zuhörte, wurde ihm klar, daß er sich da geirrt hatte.

»Selbst ihre Werkzeuge sind wunderschön, selbst die kleinen Eßschalen der Arbeiter.«

»Und wenn Sie nicht zurückgehen?«

»Wenn ich nicht zurückgehe, geht mir alles verloren. Ich meine nicht den Ruhm. Der gebührt den Chinesen. Aber die Möglichkeit, diese Dinge zu sehen, zu berühren, ein Gefühl dafür zu bekommen, was es für Menschen waren, die alle diese Dinge gemacht haben. Das alles verliere ich, wenn ich nicht zurückgehe.«

»Und ist Ihnen das wichtiger als dieses hier?« fragte er, mit seiner Geste den Garderobenraum umfassend.

»Das ist keine faire Frage.« Sie machte ihrerseits eine ausladende Geste, die das Make-up auf dem Frisiertisch, die Kostüme hinter der Tür und die Perücken auf ihren Ständern mit einschloß. »Dies hier ist nicht meine Zukunft. Meine besteht aus Tongefäßen und Scherben und Stückchen einer Zivilisation, die Tausende von Jahren alt ist. Und Flavias ist hier, inmitten all dieser Dinge. In fünf Jahren wird sie die berühmteste Verdi-Sängerin der Welt sein. Ich glaube nicht, daß es für mich dann noch einen Platz gibt. Sie hat das noch nicht erkannt, aber ich habe Ihnen ja gesagt, wie sie ist. Sie weigert sich einfach, daran zu denken, bis es soweit ist.«

»Aber Sie haben schon daran gedacht?«

»Natürlich.«

»Und was werden Sie tun?«

»Sehen, was hier passiert, mit all dem.« Sie machte wieder eine Bewegung, die diesmal den Tod miteinbezog, der sich vor vier Tagen in diesem Theater ereignet hatte. »Und dann gehe ich zurück nach China. Das glaube ich wenigstens.«

»Einfach so?«

»Nein, nicht ›einfach so‹, aber ich werde trotzdem gehen.«

»Lohnt es sich?«

»Lohnt sich was?«

»China.«

Sie zuckte wieder die Achseln. »Es ist mein Beruf. Meine Arbeit. Und es ist wohl auch das, was ich liebe. Ich kann nicht mein Leben damit verbringen, in Garderoben herumzusitzen, chinesische Gedichte zu lesen und zu warten, daß die Oper aus ist, damit ich mit meinem eigenen Leben anfangen kann.«

»Haben Sie ihr das gesagt?«

»Ob sie mir was gesagt hat?« wollte Flavia Petrelli wissen und schlug nach einem vollendet theatralischen Auftritt die Tür hinter sich zu. Sie rauschte durchs Zimmer und zog dabei die Schleppe eines blaßblauen Kleides hinter sich her. Sie war völlig verwandelt, strahlend und so schön, wie Brunetti nur je eine Frau gesehen hatte. Und der Wandel hatte nichts mit Kostüm oder Make-up zu tun; sie war als das gekleidet, was sie war und was sie tat. Das hatte sie verändert. Sie ließ den Blick im Zimmer umherschweifen, bemerkte die beiden Gläser und die freundliche Atmosphäre. »Ob sie mir was gesagt hat?« fragte sie zum zweiten Mal.

»Daß sie die *Traviata* nicht leiden kann«, sagte Brunetti. »Ich habe mich gewundert, daß sie hier sitzt und liest, während Sie singen, und sie erklärte mir, die *Traviata* sei nicht gerade ihre Lieblingsoper.«

»Und ich wundere mich, Sie hier zu sehen, Commissario. Und daß es nicht ihre Lieblingsoper ist, weiß ich.« Falls sie ihm seine Erklärung nicht abnahm, ließ sie es sich nicht anmerken. Er war bei ihrem Eintritt aufgestanden. Jetzt ging sie an ihm vorbei, nahm sich ein Glas von der Spüle, füllte es mit Mineralwasser und trank es in vier großen Schlucken aus. Dann füllte sie es wieder und trank die Hälfte. »Es ist die reinste Sauna da draußen, mit all den Scheinwerfern.« Sie trank aus und stellte das Glas ab. »Worüber habt ihr beide geredet?«

»Er hat es schon gesagt, Flavia, über die *Traviata*.«

»Das ist gelogen«, fuhr die Sängerin auf. »Aber ich habe keine Zeit, weiter darüber zu reden.« Sie wandte sich an Brunetti und sagte mit zorngepreßter Stimme, die wie immer bei Sängern, wenn sie gesungen haben, ganz hoch war: »Wenn Sie so freundlich wären, jetzt meine Garderobe zu verlassen, ich würde mich gern für den nächsten Akt umziehen.«

»Aber sicher, Signora«, sagte er, ganz Höflichkeit und Entschuldigung. Er nickte Brett Lynch zu, die mit einem kurzen Lächeln antwortete, aber sitzen blieb. Dann ging er rasch hinaus. Draußen blieb er stehen und lauschte, ein Ohr dicht an der Tür, nicht im mindesten beschämt über sein Tun. Aber was immer sie sich zu sagen hatten, wurde mit leiser Stimme gesagt.

An der Treppe tauchte die Frau im blauen Kittel auf. Brunetti riß sich von der Tür los und ging auf sie zu, um ihr zu sagen, daß er die Garderobe nicht mehr brauche. Dann stieg er über die Treppe nach unten in den Bereich hinter der Bühne, wo ein verblüffendes Chaos herrschte. Kostümierte Gestalten lehnten rauchend und lachend an den Wänden. Männer im Smoking unterhielten sich über Fußball. Bühnenarbeiter liefen mit Farnen aus Papier hin und her und trugen Tabletts vorbei, auf denen Champagnergläser festgeklebt waren.

Im Korridor lag rechts vor ihm die Garderobe des Maestro, deren Tür jetzt hinter dem neuen Dirigenten geschlossen war. Brunetti stand mindestens zehn Minuten am Ende des Flurs, und niemand kümmerte sich darum, wer er war oder was er hier zu suchen hatte. Schließlich ertönte eine Klingel, und ein bärtiger Mann in Jackett und Krawatte ging von einer Gruppe zur anderen, deutete in die verschiedensten Richtungen und schickte sie alle fort, um zu tun, was immer sie zu tun hatten.

Der Dirigent kam aus seiner Garderobe, machte die Tür hinter sich zu und ging an Brunetti vorbei, ohne auf ihn zu achten. Sobald er außer Sicht war, ging Brunetti ganz beiläufig den Gang hinunter und in die Garderobe. Niemand sah ihn hineingehen, und wenn doch, so interessierte es keinen, was er dort wollte.

Das Zimmer sah weitgehend noch so aus wie neulich abends, nur daß eine kleine Tasse mit Untertasse auf dem Tisch stand und nicht auf dem Boden lag. Er blieb nur einen Moment, dann ging er wieder. Sein Abgang wurde ebensowenig bemerkt wie sein Auftritt, und das nur vier Tage, nachdem in dem Zimmer ein Mensch gestorben war.

17

Als er nach Hause kam, war es zu spät, um noch Paola und die Kinder zum Essen auszuführen, wie er versprochen hatte. Außerdem erschnupperte er schon auf der Treppe die vermischten Düfte von Knoblauch und Rosmarin.

Er trat in die Wohnung und erlebte einen Augenblick völliger Orientierungslosigkeit; denn aus seinem Wohnzimmer tönte ihm die Stimme von Flavia Petrelli entgegen, die er noch vor zwanzig Minuten im Theater hatte singen hören – inzwischen war es das Ende des zweiten Aktes. Er machte unwillkürlich ein paar Schritte nach vorn, bevor ihm einfiel, daß die heutige Vorstellung live übertragen wurde. Paola war nicht besonders opernbegeistert und sah sich die Übertragung wahrscheinlich nur an, um herauszufinden, wer von den Sängern ein Mörder sein könnte. Diese Neugier teilten sicher Millionen in Italien mit ihr.

Aus dem Wohnzimmer hörte er die Stimme seiner Tochter Chiara rufen: »*Papà* ist da«, während gleichzeitig Violetta Alfredo bat, sie für immer zu verlassen.

Er trat ein, als der Tenor gerade eine Handvoll Papiergeld in Flavia Petrellis Gesicht warf. Sie sank anmutig zu Boden, weinte, und Alfredos Vater eilte über die Bühne, um seinen Sohn zurechtzuweisen. Chiara fragte: »Warum hat er das getan, *Papà*? Ich dachte, er liebt sie.« Sie blickte ihn fragend über ihren Papierwust hinweg an, der nach Mathematikhausaufgaben aussah, und als sie keine Antwort bekam, wiederholte sie: »Warum hat er das getan?«

»Er dachte, sie geht mit einem anderen Mann aus«, war das Beste, was Brunetti als Erklärung einfiel.

»Aber was soll das? Sie sind ja schließlich nicht verheiratet oder so was.«

»*Ciao*, Guido«, rief Paola aus der Küche.

»Also«, beharrte Chiara, »warum ist er so sauer?«

Brunetti stellte den Fernseher leiser und überlegte, was es wohl sein könnte, das alle Teenager taub machte. Daran, wie sie ihren Stift hochhielt und in der Luft damit herumwackelte, sah er, daß sie nicht vorhatte, das Thema fallenzulassen. Er entschloß sich, ihr entgegenzukommen. »Sie haben immerhin zusammengelebt, oder?«

»Ja, und?«

»Also, wenn zwei Leute zusammenleben, gehen sie gewöhnlich nicht mit anderen aus.«

»Aber sie ist nicht mit einem anderen ausgegangen. Sie hat doch alles bloß getan, damit er glauben soll, daß sie es tut.«

»Wahrscheinlich hat er es wirklich geglaubt und ist eifersüchtig geworden.«

»Er hat aber gar keinen Grund, eifersüchtig zu sein, sie liebt ihn echt. Das sieht doch jeder. Er ist ein Blödmann. Außerdem ist es ihr Geld, oder?«

»Hmm«, machte er, während er verzweifelt versuchte, sich an die Einzelheiten der Handlung von *La Traviata* zu erinnern.

»Warum hat er sich nicht einfach einen Job gesucht? Solange sie alles bezahlt, hat sie auch das Recht zu tun, was sie will.« Vom Bildschirm ertönte donnernder Applaus.

»Das ist nicht immer so, mein Schätzchen.«

»Gut, aber manchmal doch, stimmt's, *Papà*? Warum auch nicht? Bei den meisten meiner Freunde ist es so; wenn ihre Mütter nicht arbeiten wie *Mamma*, dann entscheiden die Väter alles, wo sie in den Ferien hinfahren und alles. Und manche haben sogar eine Geliebte.« Das letzte kam zaghaft, war mehr Frage als Feststellung. »Und sie können es tun, weil sie das Geld verdienen, also können sie bestimmen, was gemacht wird.« Nicht einmal Paola hätte wohl das patriarchalische System so genau zusammenfassen können. Genaugenommen hörte er aus Chiaras Rede die Stimme seiner Frau heraus.

»Ganz so einfach ist das alles nicht, Liebes.« Er zog an seiner Krawatte. »Chiara, sei ein Engel und hol deinem armen alten Vater ein Glas Wein aus der Küche, ja?«

»Klar.« Sie warf ihren Stift hin, bereit, das Thema jetzt auf sich beruhen zu lassen. »Weiß oder rot?«

»Sieh mal nach, ob noch etwas von dem Prosecco da ist. Wenn nicht, dann bring mir irgendeinen, von dem du meinst, daß er mir schmeckt.« In der Sprachregelung der Familie hieß das, sie konnte den Wein nehmen, von dem sie am liebsten probieren wollte.

Er ließ sich aufs Sofa fallen, streifte die Schuhe ab und legte die Füße auf den Couchtisch. Im Fernsehen informierte ein Sprecher die Zuschauer ganz unnötigerweise über die Ereignisse der letzten Tage. Sein eifriger, düsterer Tonfall ließ das Ganze klingen wie die Inhaltsangabe zu einer Oper aus dem eher blutig-veristischen Repertoire.

Chiara kam zurück. Sie war groß und ohne jede körperliche Anmut. Wenn sie mit dem Abwasch dran war, konnte man es noch zwei Zimmer weiter an dem Geklapper und

Gebummer hören. Aber sie war hübsch, würde sich vielleicht zu einer Schönheit entwickeln, mit ihren weit auseinanderstehenden Augen und dem zarten Flaum unter den Ohren, der jedesmal sein Herz schmelzen ließ, wenn er ihn gegen das Licht schimmern sah.

»Fragolino«, sagte sie hinter ihm und gab ihm das Glas, wobei sie tatsächlich nur einen einzigen Tropfen verschüttete, und der fiel auf den Fußboden. »Kann ich mal probieren? Mamma wollte ihn nicht aufmachen. Sie sagte, es wäre dann nur noch eine Flasche da, aber ich habe ihr erklärt, daß du sehr müde bist, da war sie einverstanden.« Noch bevor er einwilligen konnte, nahm sie ihm das Glas wieder ab und nippte daran. »Wie kann ein Wein nach Erdbeeren schmecken, *Papà*?« Wie kam es, daß man allwissend war, wenn seine Kinder einen liebten, und gar nichts mehr wußte, wenn sie böse auf einen waren?

»Es ist die Traube. Sie riecht nach Erdbeeren, das überträgt sich auf den Wein.« Er roch und schmeckte die Wahrheit dieser Aussage. »Machst du gerade Hausaufgaben?«

»Ja, Mathe«, sagte sie, und daraus klang eine Begeisterung, die ihn völlig verwirrte. Aber richtig, dieses Kind erklärte ihm ja alle drei Monate seine Kontoauszüge und wollte im Mai seine Steuerformulare für ihn ausfüllen.

»Was für Mathe?« fragte er mit vorgetäuschtem Interesse.

»Ach, das verstehst du doch nicht, *Papà*.« Und blitzschnell: »Wann kaufst du mir einen Computer?«

»Wenn ich in der Lotterie gewinne.« Er hatte guten Grund anzunehmen, daß sein Schwiegervater ihr zu

Weihnachten einen Laptop schenken würde, und es mißfiel ihm, daß ihm das mißfiel.

»Ach, das sagst du immer.« Sie setzte sich ihm gegenüber, knallte ihre Füße auf den Tisch und legte ihre Fußsohlen gegen die seinen. Dann gab sie ihm mit dem einen Fuß einen sanften Stoß. »Maria Rinaldi hat einen, und Fabrizio auch. Ich werde in der Schule nie gut sein, nicht richtig gut, solange ich keinen habe.«

»Es sieht aus, als ob du es ganz gut mit dem Bleistift könntest.«

»Sicher kann ich es, aber es dauert Ewigkeiten.«

»Ist es nicht besser, wenn du dein Gehirn trainierst, statt alles die Maschine machen zu lassen?«

»Das ist Quatsch, *Papà*. Unser Gehirn ist kein Muskel. Das haben wir in Biologie gelernt. Außerdem läufst du doch auch nicht in der Stadt herum, um Informationen zu kriegen, wenn du's telefonisch erledigen kannst, oder?« Er drückte gegen ihren Fuß, antwortete aber nicht. »Stimmt doch, *Papà*, nicht?«

»Was würdest du denn mit der ganzen Zeit anfangen, die du sparen würdest, wenn du so ein Ding hättest?«

»Ich würde mir kompliziertere Probleme vornehmen. Der Computer löst sie ja nicht für mich, weißt du. Er macht es nur schneller. Das ist alles, eine Maschine, die eine millionmal schneller addiert und subtrahiert, als wir das können.«

»Hast du eine Ahnung, was diese Dinger kosten?«

»Klar, der kleine Toshiba, den ich haben möchte, kostet zwei Millionen.«

Glücklicherweise kam Paola ins Zimmer, sonst hätte er

seiner Tochter sagen müssen, welche Aussichten sie hatte, von ihm einen Computer zu kriegen. Und dann wäre sie vielleicht auf die Idee gekommen, ihren Großvater zu erwähnen, darum war er doppelt froh, Paola zu sehen. Sie brachte die Flasche Fragolino und ein zweites Glas. Gleichzeitig verebbten die Stimmen im Fernseher, und das Vorspiel zum dritten Akt begann.

Paola stellte die Flasche hin und setzte sich neben ihn auf die Sofalehne. Auf dem Bildschirm enthüllte der Vorhang ein karges Zimmer. Es war schwer, in der zerbrechlichen Frau, die dort unter einem Schal auf dem Diwan hingestreckt lag und eine Hand schlaff auf den Boden hängen ließ, Flavia Petrelli wiederzuerkennen, die er vor noch nicht einmal einer Stunde im vollen Glanz ihrer Schönheit gesehen hatte. Sie glich eher Signora Santina als einer berühmten Kurtisane. Die dunklen Ringe unter den Augen und das Elend in den heruntergezogenen Mundwinkeln sprachen überzeugend von Krankheit und Verzweiflung. Selbst die Stimme, mit der sie Annina bat, das bißchen Geld, das sie noch hatte, den Armen zu geben, war schwach und klang nach Schmerz und Entsagung.

»Sie ist sehr gut«, sagte Paola.

Brunetti machte: »Psst.« Sie sahen zu.

»Und er ist dumm«, fügte Chiara hinzu, als Alfredo ins Zimmer gestürmt kam und sie in die Arme schloß.

»Psst«, zischten sie beide.

Chiara wandte sich wieder ihren Zahlen zu und murmelte »Blödmann«, gerade so laut, daß ihre Eltern es hören konnten.

Er beobachtete, wie sich das Gesicht der Petrelli in der

Ekstase der Wiedervereinigung verwandelte, wie es in echter Freude errötete. Gemeinsam planten sie eine Zukunft, die es nie geben würde, und ihre Stimme veränderte sich; er hörte, wie sie wieder Kraft und Klarheit gewann.

Die Freude brachte sie auf die Beine und ließ sie die Hände zum Himmel erheben. »Ich fühle mich wie neu geboren«, rief sie, und da es eine Oper war, brach sie danach prompt zusammen und starb.

»Ich finde immer noch, daß er ein Blödmann ist«, beharrte Chiara über Alfredos Klagen und dem wilden Applaus des Publikums. »Selbst, wenn sie noch leben würde, wovon sollten sie denn leben? Soll sie vielleicht wieder das tun, was sie getan hat, bevor sie sich kennenlernten?« Brunetti wollte lieber nicht wissen, wieviel seine Tochter von solchen Dingen wußte. Nachdem sie ihre Meinung kundgetan hatte, kritzelte Chiara eine lange Zahlenreihe unten auf ihr Blatt, steckte es in ihr Mathematikbuch und klappte das Buch zu.

»Ich hatte keine Ahnung, daß sie so gut ist«, sagte Paola respektvoll und ohne die Kommentare ihrer Tochter zu beachten. »Was ist sie denn für ein Mensch?« Es war typisch für sie: Daß diese Frau in einen Mordfall verwickelt war, hatte nicht ausgereicht, um sie für Paola interessant zu machen, sie mußte erst sehen, wie gut sie war.

»Nichts weiter als eine Sängerin«, meinte er achselzuckend.

»Ja, ja, und Reagan war nichts weiter als ein Schauspieler«, sagte Paola. »Was ist sie für ein Mensch?«

»Sie ist arrogant, hat Angst, ihre Kinder zu verlieren, und trägt viel Braun.«

»Wollen wir nicht essen?« sagte Chiara. »Ich sterbe vor Hunger.«

»Dann geh schon mal den Tisch decken. Wir kommen gleich.«

Chiara erhob sich äußerst widerwillig und ging in die Küche, nicht ohne vorher erklärt zu haben: »Und jetzt läßt du dir wahrscheinlich von *Papà* erzählen, wie sie wirklich ist, und ich verpasse wieder das Interessanteste. Wie immer.« Zu ihren größten Kümmernissen gehörte es, daß sie ihrem Vater nie irgendwelche Informationen entlocken konnte, die sich in Schulhofpopularität ummünzen ließen.

»Ich frage mich«, sagte Paola, während sie ihre Gläser nachfüllte, »wie sie so gut spielen gelernt hat. Ich hatte eine Tante, die an Tb gestorben ist, als ich noch ein Kind war, und ich kann mich noch gut erinnern, wie sie aussah und wie sie immer so nervös ihre Hände bewegt hat, genau wie die Petrelli auf der Bühne; immerzu waren die Hände auf ihrem Schoß in Bewegung, und eine griff nach der anderen.« Und dann, mit der ihr eigenen Sprunghaftigkeit: »Glaubst du, sie hat es getan?«

Er zuckte die Achseln. »Möglicherweise. Alle bemühen sich, mir einzureden, sie sei ein südländischer Hitzkopf, ganz Leidenschaft, Messer in die Rippen, sobald das beleidigende Wort heraus ist. Aber du hast ja eben gesehen, was für eine gute Schauspielerin sie ist, sie könnte also ebensogut kalt und berechnend und durchaus in der Lage sein, die Tat so auszuführen, wie sie ausgeführt wurde. Zudem ist sie, glaube ich, intelligent.«

»Und ihre Freundin?«

»Die Amerikanerin?«

»Ja.«

»Bei ihr weiß ich nicht recht. Sie hat mir erzählt, daß die Petrelli nach dem ersten Akt bei ihm war, aber nur, um mit ihm herumzustreiten.«

»Worüber?«

»Er hatte gedroht, ihren Exmann über die Affäre mit Brett zu informieren.«

Wenn Paola erstaunt war, daß er den Vornamen benutzte, ließ sie es sich nicht anmerken.

»Sind Kinder da?«

»Ja. Zwei.«

»Dann ist es eine ernste Drohung. Aber was ist mit *ihr*, Brett, wie du sie nennst, könnte sie es gewesen sein?«

»Nein, ich glaube nicht. Die Affäre ist für sie nicht so tiefgreifend. Oder sie läßt es nicht zu. Nein, das halte ich für unwahrscheinlich.«

»Du hast mir immer noch nicht geantwortet, was mit der Petrelli ist.«

»Ach komm, Paola, du weißt doch, daß ich mich immer irre, wenn ich es mit Intuition versuche, wenn ich zuviel Verdacht hege oder zu früh. Ich weiß nicht, was ich von ihr halten soll. Ich weiß nur eins, die ganze Sache muß etwas mit seiner Vergangenheit zu tun haben.«

»Also gut«, sagte sie, bereit, es dabei bewenden zu lassen, »essen wir. Es gibt Huhn und Artischocken, und eine Flasche Merlot.«

»Gott sei Dank«, meinte er, stand auf und zog sie von der Sofalehne hoch. Zusammen gingen sie in die Küche.

Wie immer erschien in dem Moment, da das Essen auf dem Tisch stand, Raffaele, Brunettis Erstgeborener und

Erbe, aus seinem Zimmer. Er war fünfzehn und groß für sein Alter. In Erscheinung und Gebärden ähnelte er seinem Vater. Ansonsten ähnelte er niemandem aus der Familie und hätte sicher energisch bestritten, daß sein Gehabe irgendwem ähnelte, ob tot oder lebendig. Er hatte ganz von selbst erkannt, daß die Welt korrupt und das System ungerecht war und die Mächtigen nur an der Macht interessiert waren und an nichts sonst. Weil er der erste Mensch war, den diese Erkenntnis je mit solcher Macht und Reinheit überkommen hatte, bestand er darauf, all denen seine Verachtung zu zeigen, die noch nicht mit seiner klaren Sicht gesegnet waren. Das schloß natürlich seine Familie ein, ausgenommen vielleicht Chiara, die er von sozialer Schuld freisprach, weil sie noch so jung war und weil er sich darauf verlassen konnte, daß sie ihm die Hälfte ihres Taschengeldes abgab. Auch sein Großvater war offenbar irgendwie durchs Nadelöhr geschlüpft, wie er das geschafft hatte, verstand keiner.

Er besuchte das humanistische Gymnasium, das ihn auf die Universität vorbereiten sollte, aber im letzten Jahr waren seine Leistungen schlechter geworden, und seit kurzem redete er davon, abzugehen, denn: »Bildung ist auch nur ein Teil des Systems, das die Arbeiter unterdrückt.« Auch hatte er nicht vor, sich dann eine Arbeit zu suchen, denn das würde ihn abhängig machen von »dem System, das die Arbeiter unterdrückt«. Folglich weigerte er sich also, Bildung anzunehmen, um nicht zum Unterdrücker zu werden, und um nicht unterdrückt zu werden, weigerte er sich, eine Arbeit anzunehmen. Brunetti fand Raffaeles Argumentation in ihrer Schlichtheit geradezu jesuitisch.

Raffaele lümmelte mit aufgestützten Ellbogen am Tisch, und Brunetti fragte ihn nach seinem Befinden, ein Thema, das man immer noch gefahrlos anschneiden konnte.

»Okay.«

Darauf Chiara: »Raffi, gib mal das Brot rüber.«

Und Paola: »Iß diese Knoblauchzehe nicht mit, Chiara. Den Gestank wirst du tagelang nicht los.«

Und Brunetti: »Schmeckt prima. Soll ich die zweite Flasche Wein aufmachen?«

»Ja, bitte«, zwitscherte Chiara, die ihr Glas hochhielt. »Ich hatte noch gar keinen.«

Brunetti holte die Flasche aus dem Kühlschrank und entkorkte sie. Dann ging er um den Tisch herum und goß allen ein. Als er zu seinem Sohn kam, legte er ihm beim Eingießen die Hand auf die Schulter. Raffaele schüttelte sie ab und tat, als wollte er nach den Artischocken greifen, die er nie aß.

»Was gibt's zum Nachtisch?« fragte Chiara.

»Obst.«

»Keinen Kuchen?«

»Gierschlund«, sagte Raffaele, aber das sollte eine Feststellung sein, keine Kritik.

»Hat jemand Lust, nach dem Essen Monopoly zu spielen?« fragte Paola, legte aber, bevor die Kinder zustimmen konnten, die Bedingungen fest. »Nur, wenn die Hausaufgaben erledigt sind.«

»Ich habe meine fertig«, sagte Chiara.

»Ich meine auch«, log Raffaele.

»Ich übernehme die Bank«, sagte Chiara.

»Bürgerlicher Gierschlund«, war Raffaeles Kommentar.

»Ihr beide wascht ab«, bestimmte Paola, »dann können

wir spielen.« Beim ersten Protestgejaule fuhr sie auf. »An diesem Tisch wird nicht Monopoly gespielt, bevor das Geschirr nicht abgeräumt, abgewaschen und im Schrank ist.« Und als Raffaele den Mund öffnete, um etwas zu entgegnen, meinte sie zu ihm gewandt: »Und wenn du das für eine bürgerliche Sichtweise hältst, hast du eben Pech gehabt. Hühnchen essen ist auch ganz schön bürgerlich, aber ich habe keine Beschwerden über das Essen gehört. Also, wasch ab, dann spielen wir.«

Brunetti war immer wieder verblüfft darüber, daß sie in diesem Ton mit Raffaele reden konnte und damit durchkam. Jedesmal, wenn er seinen Sohn auch nur andeutungsweise zurechtweisen wollte, endete die Szene mit zugeschlagenen Türen und tagelangem Beleidigtsein. Raffaele wußte, daß er verloren hatte, und machte seinem Ärger Luft, indem er die Teller vom Tisch riß und sie auf den Tresen neben der Spüle knallte. Brunetti dem seinen, indem er die Flasche und sein Glas mit ins Wohnzimmer nahm, um dort abzuwarten, bis das unvermeidliche Gebummer und Geklapper widerwilligen Gehorsams verklungen war.

»Wenigstens baut er keine Bomben in seinem Zimmer«, meinte Paola tröstend, als sie sich zu ihm setzte. Aus der Küche hörten sie die gedämpften Töne, die ihnen sagten, daß Raffaele abwusch, und die hellen Klapperlaute, die davon sprachen, daß Chiara abtrocknete und wegräumte. Gelegentlich war ein Ausbruch plötzlichen Gelächters zu vernehmen.

»Glaubst du, er macht sich noch?« fragte er.

»Solange sie ihn zum Lachen bringen kann, müssen wir uns wohl keine Sorgen machen. Er würde Chiara nie etwas

Böses tun, und ich kann mir nicht vorstellen, daß er jemanden in die Luft jagen würde.« Brunetti war nicht sicher, ob das die Sorgen, die er sich um seinen Sohn machte, schon hinreichend beschwichtigte, aber fürs erste wollte er es so hinnehmen.

Chiara steckte den Kopf durch die Tür und rief: »Raffi hat das Brett geholt. Kommt, laßt uns anfangen.«

Als er und Paola in die Küche kamen, war das Monopoly-Brett auf dem Küchentisch aufgebaut, und Chiara als Bankhalterin verteilte schon das Spielgeld. Paola durfte die Bank schon lange nicht mehr übernehmen, denn allzuoft war sie im Lauf der Jahre dabei erwischt worden, wie sie sich an der Kasse vergriff. Raffaele hatte zweifellos Bedenken, daß man ihm Geldgier nachsagen könnte, wenn er den Posten übernahm, und weigerte sich. Brunetti hatte schon so viel damit zu tun, sich aufs Spiel zu konzentrieren, daß er nicht auch noch den Bankhalter machen konnte, und so überließen sie es immer Chiara, der das Zählen und Einsammeln, das Auszahlen und Wechseln Spaß machte.

Sie würfelten, wer anfangen durfte. Raffaele verlor und mußte als letzter ziehen, genug, um die anderen drei von Anfang an kribbelig zu machen. Brunetti fand es beängstigend, daß der Junge unbedingt gewinnen mußte, und er spielte oft bewußt schlecht, um seinem Sohn alle Vorteile einzuräumen.

Nach einer halben Stunde besaß Chiara alle Grünen: Via Roma, Corso Impero und Largo Augusto. Raffaele hatte zwei rote Straßen und brauchte, um seinen Grundbesitz zu vervollständigen, nur noch die Via Marco Polo, die Brunetti besaß. Nach vier weiteren Runden ließ Brunetti sich beschwatzen, Raffaele das fehlende rote Grundstück für das Aquädukt und fünfzigtausend Lire zu verkaufen. Die Familienregel verbot jeglichen Kommentar, was Chiara nicht davon abhielt, ihrem Bruder unter dem Tisch einen kräftigen Tritt zu versetzen.

Raffaele protestierte, wie nicht anders zu erwarten: »Hör auf, Chiara. Wenn er unbedingt ein schlechtes Geschäft machen will, dann laß ihn doch.« Und das von dem Jungen, der das kapitalistische System zum Einsturz bringen wollte.

Brunetti händigte ihm die Karte aus und sah zu, wie unverzüglich Hotels auf alle drei Straßen gesetzt wurden. Während Raffaele damit beschäftigt war und aufpaßte, daß Chiara ihm richtig herausgab, sah Brunetti, wie Paola heimlich, still und leise einen Stapel Zehntausendlirescheine von der Bank zu sich hinschob. Sie blickte auf, merkte, daß ihr Mann beobachtete hatte, wie sie ihre eigenen Kinder bestahl, und bedachte ihn mit einem strahlenden Lächeln. Ein Polizist, der mit einer Diebin verheiratet war, ein Computermonster zur Tochter und einen Anarchisten zum Sohn hatte.

In der nächsten Runde landete er auf einem von Raffaeles neuen Hotels und mußte ihm alles aushändigen, was er besaß. Paola entdeckte plötzlich, daß sie noch genug Geld hatte, um sechs Hotels zu bauen, besaß aber immerhin soviel Anstand, seinem Blick auszuweichen, als sie der Bank das Geld gab.

Brunetti lehnte sich zurück und beobachtete, wie das Spiel seinen Lauf nahm, bis zu dem durch seine Verluste an Raffaele unausweichlich gewordenen Ende. Paolas Ellbogen näherte sich erneut den Zehntausendlirescheinen, aber diesmal gebot ein eisiger Blick von Chiara ihr Einhalt. Chiara indessen konnte Raffaele nicht dazu überreden, ihr den Parco della Vittoria zu verkaufen, landete zweimal hintereinander auf den roten Hotels und machte Bankrott. Paola hielt noch zwei Runden lang durch, bis sie auf dem Hotel in der Viale Costantino landete und nicht mehr zahlen konnte.

Das Spiel war zu Ende; Raffaele verwandelte sich im Handumdrehen vom erfolgreichen Wirtschaftskapitän in den verdrießlichen Feind der herrschenden Klasse; Chiara ging den Kühlschrank räubern, und Paola gähnte und meinte, es sei Zeit, ins Bett zu gehen. Brunetti folgte ihr über den Flur und dachte, daß der Polizeikommissar der Serenissima schon wieder einen Abend mit der unerbittlichen Verfolgung der Person verbracht hatte, die für den Tod des berühmtesten Musikers der Zeit verantwortlich war.

18

Micheles Anruf kam um eins und riß Brunetti aus einem
wirren, unruhigen Schlaf. Beim vierten Klingeln nahm er ab
und meldete sich.

»Guido, hier ist Michele.«

»Michele«, wiederholte Brunetti dämlich und versuchte
sich zu erinnern, ob er jemanden mit Namen Michele
kannte. Er öffnete unter gewaltiger Willensanstrengung die
Augen, und es fiel ihm wieder ein. »Michele, Michele, gut.
Fein, daß du anrufst.« Er knipste die Nachttischlampe an
und setzte sich auf. Paola schlief neben ihm wie ein Stein.

»Ich habe mit meinem Vater gesprochen. Er konnte sich
an alles erinnern.«

»Und?«

»Genau, wie du gesagt hast: wenn es etwas zu wissen
gibt, weiß er es.«

»Spar dir das Triumphgeheul, und leg los.«

»Es gab Gerüchte über Wellauer und die Schwester, die
Opernsängerin war, Clemenza. *Papà* wußte nicht mehr genau wo, aber es fing wohl in Deutschland an, wo sie unter
ihm gesungen hat. Einmal ist es offenbar zu einer Szene
zwischen der Ehefrau Wellauers und La Santina gekommen, bei einer Premierenfeier. Sie haben sich gegenseitig
Beleidigungen an den Kopf geworfen, und Wellauer ist
dann gegangen.« Michele machte eine Kunstpause. »Mit
der Santina. Nach diesen Gastspielen – mein Vater glaubt,
daß es 1937 oder 38 gewesen sein muß – kam die Santina

dann hierher, nach Rom, und Wellauer fuhr nach Hause, um sich den Marsch blasen zu lassen.« Michele lachte über seinen eigenen Witz, auch wenn er nicht besonders gut war. Brunetti lachte nicht.

»Offenbar ist es ihm gelungen, seine Frau zu besänftigen. *Papà* meinte, da habe er ziemlich viel Besänftigungsarbeit leisten müssen, auch später.«

»War er so einer?« wollte Brunetti wissen.

»Sieht so aus. *Papà* sagt, einer der schlimmsten. Oder der besten, wie man's nimmt. Nach dem Krieg haben sie sich dann scheiden lassen.«

»Aus diesen Gründen?«

»Da war er sich nicht ganz sicher. Man kann wohl davon ausgehen. Vielleicht aber auch, weil er die falsche Seite unterstützt hat.«

»Und dann, als die Santina wieder in Italien war?«

»Er kam, um eine Aufführung von *Norma* zu dirigieren, das war die, bei der sie sich geweigert hat zu singen. Kennst du die Geschichte?«

»Ja.« Er hatte sie inzwischen in der Mappe gelesen, die Miotti ihm zusammengestellt hatte, Fotokopien jahrzehntealter Zeitungsausschnitte aus römischen und venezianischen Zeitungen.

»Sie haben eine andere Sopranistin gefunden, und Wellauer feierte einen Triumph.«

»Und sie, hatte sie weiterhin Kontakt zu ihm?«

»An diesem Punkt wird die Sache etwas undurchsichtig, meint *Papà*. Manche sagten, sie seien danach noch eine Weile zusammengeblieben, während andere meinten, er habe die Beziehung abgebrochen, als sie nicht mehr sang.«

»Und was ist mit den Schwestern?«

»Es sieht aus, als habe Wellauer eine nach der anderen aufgerissen, nachdem Clemenza nicht mehr sang.« Michele war nicht gerade für feine Ausdrucksweise bekannt, besonders, wenn er über Frauen redete.

»Und dann?«

»Das ging so eine Weile. Und dann kam es zu dem, was man eine ›illegale Operation‹ nannte. Kein Problem, selbst zu der Zeit nicht, wenn man die richtigen Leute kannte. Und Wellauer kannte sie. Niemand hat damals etwas Genaues erfahren, aber sie ist gestorben. Vielleicht war das Kind gar nicht von ihm, aber die meisten haben es offenbar damals angenommen.«

»Und weiter?«

»Na ja, sie ist gestorben, wie ich schon sagte. Natürlich wurde nichts darüber geschrieben. Man konnte über solche Dinge damals nicht schreiben. Als Todesursache wurde in den Zeitungen eine ›plötzliche Erkrankung‹ angegeben. Na ja, das war es wohl gewissermaßen auch.«

»Und die andere Schwester?«

»*Papà* meint, die sei nach Argentinien gegangen, entweder direkt nach dem Krieg oder bald danach. Er glaubt, daß sie dort gestorben ist, aber erst Jahre später. Soll ich *Papà* noch mal fragen, ob er darüber etwas herausfinden kann?«

»Nein, Michele. Sie ist nicht wichtig. Was ist mit Clemenza?«

»Sie versuchte ein Comeback nach dem Krieg, aber ihre Stimme war nicht mehr dieselbe. Also hörte sie auf zu singen. *Papà* glaubt zu wissen, daß sie in Venedig wohnt. Stimmt das?«

»Ja. Ich habe mit ihr gesprochen. Konnte dein Vater sich an noch etwas erinnern?«

»Nur, daß er Wellauer einmal vor etwa fünfzehn Jahren begegnet ist. Er mochte ihn nicht, konnte aber nicht direkt sagen, warum. Er mochte ihn einfach nicht.«

Brunetti hörte an Micheles Tonfall den Wechsel vom Freund zum Journalisten. »Hilft dir das irgendwie weiter, Guido?«

»Ich weiß es noch nicht, Michele. Ich wollte mir einfach ein Bild von dem Mann machen, und ich wollte wissen, wie das mit der Santina war.«

»Gut, das weißt du nun.« Micheles Antwort klang kurzangebunden. Er hatte aus dem letzten Satz den Polizisten herausgehört.

»Michele, hör mal, es könnte mir durchaus weiterhelfen, aber ich weiß es einfach noch nicht.«

»Gut, gut. Wenn es so ist, dann ist es ja gut.« Er konnte sich nicht dazu durchringen, um den Gefallen zu bitten.

»Wenn sich etwas daraus ergibt, rufe ich dich an, Michele.«

»Klar, tu das, Guido. Es ist spät, und du willst sicher wieder schlafen. Sag mir Bescheid, wenn du noch was brauchst, ja?«

»Versprochen. Und vielen Dank, Michele. Sag auch deinem Vater vielen Dank von mir.«

»Er dankt dir. Er konnte sich dadurch wieder nützlich und wichtig vorkommen. Gute Nacht, Guido.«

Bevor Brunetti noch etwas antworten konnte, wurde am anderen Ende aufgelegt. Er machte das Licht aus und schlüpfte wieder unter die Decke, erst jetzt merkte er, wie kalt es im Zimmer war. Im Dunkeln sah er das Foto in Clemenza Santinas Behausung vor sich, das sorgfältig arrangierte Dreieck, in dem die drei Schwestern posierten. Eine war seinetwegen gestorben, die andere hatte sich durch ihre Liaison mit ihm womöglich die Karriere verdorben. Nur die jüngste war ihm entkommen, und dazu hatte sie nach Argentinien gehen müssen.

19

Am nächsten Morgen, noch bevor Paola wach war, tapste Brunetti in die Küche, wo er ziemlich verschlafen Kaffee aufsetzte. Anschließend ging er ins Bad und spritzte sich Wasser ins Gesicht. Beim Abtrocknen mied er den Blick des Mannes im Spiegel. Vor der ersten Tasse Kaffee traute er keinem.

Er kam genau in dem Augenblick in die Küche zurück, als der Kaffee überkochte. Er hielt sich nicht einmal damit auf zu schimpfen, riß nur den Topf von der Flamme und drehte das Gas ab. Dann goß er sich Kaffee in eine Tasse, löffelte drei Stück Zucker hinein und trat mit der Tasse in der Hand auf die Terrasse, die nach Westen ging. Vielleicht gelang es der morgendlichen Kühle, ihn wach zu machen, falls der Kaffee es nicht schaffte.

Stoppelbärtig und zerknittert stand er draußen und blickte zu der Stelle am Horizont, wo die Dolomiten anfingen. Es mußte nachts ziemlich geregnet haben, denn die Berge waren aufgetaucht, hatten sich über Nacht herangeschlichen und standen wie hingezaubert in der klaren Morgenluft. Noch vor dem Abend würden sie wieder verschwunden sein, dem Blick entzogen durch die Rauchwolken, die ständig von den Fabriken auf dem Festland hochstiegen, oder durch die Dunstschleier, die von der Lagune hereindrifteten.

Von links riefen die Glocken von San Polo zur Frühmesse. Unter ihm, in dem Haus auf der gegenüberliegenden

Straßenseite, wurden die Vorhänge zurückgezogen, und ein nackter Mann erschien am Fenster. Er merkte nicht, daß Brunetti ihn von oben beobachtete. Plötzlich wuchsen dem Mann noch ein Paar Hände mit roten Fingernägeln, die sich von hinten um ihn schlangen. Er lächelte, trat vom Fenster zurück, und die Vorhänge schlossen sich hinter ihm.

Die Morgenkühle wurde langsam beißend und trieb Brunetti in die Küche zurück, wo er die Wärme ebenso genüßlich wahrnahm wie die Tatsache, daß Paola inzwischen am Tisch saß und weit attraktiver aussah, als jemand morgens vor neun eigentlich aussehen durfte.

Sie wünschte ihm fröhlich guten Morgen; er antwortete mit einem Grunzen. Dann stellte er seine leere Kaffeetasse in den Spülstein und griff nach einer zweiten mit heißer Milch, die Paola für ihn bereitgestellt hatte. Nachdem die erste ihn dem Wachzustand etwas näher gebracht hatte, gelang es dieser zweiten vielleicht ganz.

»War das Michele, der heute nacht angerufen hat?«

»Hm.« Er fuhr sich übers Gesicht, trank von seinem Kaffee. Sie zog sich vom Ende des Tisches eine Zeitschrift heran und blätterte darin herum, während sie an ihrem eigenen Kaffee nippte. Noch nicht mal sieben, und sie sah sich Armani-Jacketts an. Sie blätterte weiter. Er kratzte sich an der Schulter. Die Zeit verrann.

»War das Michele heute nacht?«

»Ja.« Sie war froh, ihm ein richtiges Wort entlockt zu haben, und fragte nicht weiter. »Er hat mir die Sache mit Wellauer und der Santina erzählt.«

»Wie lange ist das alles her?«

»Ungefähr vierzig Jahre. Es war kurz nach dem Krieg, nein, kurz vorher, dann wären es eher fünfzig Jahre.«

»Und was ist passiert?«

»Er hat ihre Schwester geschwängert, und nach einer Abtreibung ist sie dann gestorben.«

»Hat die alte Frau dir davon auch erzählt?«

»Kein Wort.«

»Was willst du machen?«

»Ich muß noch mal mit ihr reden.«

»Heute vormittag?«

»Nein, ich muß erst ins Büro. Heute nachmittag. Morgen.« Er merkte, wie wenig Lust er hatte, noch einmal in diese Kälte und dieses Elend zu gehen.

»Wenn du gehst, zieh deine braunen Schuhe an.« Sie würden ihn gegen die Kälte schützen; aber gegen das Elend konnte ihn nichts schützen.

»Ja, danke«, sagte er. »Willst du zuerst duschen?« fragte er dann, weil ihm eben eingefallen war, daß sie heute schon früh unterrichten mußte.

»Nein, geh nur. Ich lese das hier fertig und mache frischen Kaffee.«

Im Vorbeigehen küßte er sie aufs Haar und fragte sich, wie sie es fertigbrachte, so zivilisiert, ja sogar freundlich mit diesem Brummbär umzugehen, der er morgens war. Der blumige Duft ihres Shampoos stieg ihm in die Nase, und er sah, daß ihr Haar über der Schläfe schon etwas grau wurde. Das war ihm noch nie aufgefallen, und er küßte sie noch einmal auf die Stelle, gerührt ob der Zerbrechlichkeit dieser Frau.

Als er ins Büro kam, nahm er sich alle Zeitungen und Berichte zum Tod des Dirigenten vor, die sich angesammelt hatten, und las sie durch, manche zum dritten oder vierten Mal. Die Übersetzungen der deutschen Berichte machten ihn ungeduldig. In ihrer erschöpfenden Detailgenauigkeit – etwa bei den Listen der Dinge, die bei zwei Einbrüchen aus Wellauers Wohnung gestohlen wurden – waren sie Monumente deutscher Gewissenhaftigkeit. Und durch die fast völlig fehlenden Informationen über die Aktivitäten des Dirigenten während der Kriegsjahre, sei es privater oder beruflicher Natur, waren sie ein Beispiel für die ebenso deutsche Fähigkeit, eine Wahrheit durch schlichtes Ignorieren zu beseitigen. Wenn man an einen gewissen österreichischen Präsidenten dachte, war diese Taktik bemerkenswert erfolgreich, wie Brunetti zugeben mußte.

Wellauer selbst hatte die Leiche seiner zweiten Frau gefunden. Kurz bevor sie in den Keller gegangen war, um sich zu erhängen, hatte sie noch eine Freundin angerufen und zum Kaffee eingeladen, eine Mischung aus Makabrem und Prosaischem, die Brunetti jedesmal erschütterte, wenn er den Bericht las. Die Freundin war aufgehalten worden und erst angekommen, als Wellauer seine Frau bereits gefunden und die Polizei verständigt hatte. Das hieß, er hätte eine Nachricht oder einen Brief von ihr inzwischen gefunden und vernichtet haben können.

Paola hatte ihm beim Frühstück Padovanis Telefonnummer gegeben und ihm gesagt, daß der Journalist am nächsten Tag nach Rom zurückfahren wollte. Da Brunetti das Essen als »Befragung eines Zeugen« auf sein Spesenkonto setzen konnte, rief er Padovani an und lud ihn zum Mittagessen ins Galleggiante ein, das er schätzte, sich aber selten leisten konnte. Sie verabredeten, sich um eins in dem Restaurant zu treffen.

Danach rief er im Büro der Übersetzer unten im Präsidium an und bat, ihm die Deutschübersetzerin heraufzuschicken. Als sie kam – eine junge Frau, der er schon oft auf der Treppe zugenickt hatte –, erklärte er ihr, er wolle mit Berlin telefonieren und brauche vielleicht ihre Hilfe, falls die Person am anderen Ende weder Englisch noch Italienisch spreche.

Er wählte die Nummer, die ihm Signora Wellauer gegeben hatte. Beim vierten Klingeln wurde der Hörer abgenommen und eine Frauenstimme sagte harsch – Deutsch klang in seinen Ohren immer harsch – »Steinbrunner«. Er gab den Hörer an die Übersetzerin weiter und bekam genügend mit, um daraus zu schließen, daß der Doktor derzeit in seiner Praxis war, und nicht zu Hause, nämlich der Nummer, die er hatte. Er bedeutete der Übersetzerin, die neue Nummer anzurufen, und hörte zu, während sie erklärte, wer sie war und worum es ging. Sie hielt die Hand hoch, zum Zeichen, daß sie wartete, und nickte. Dann reichte sie ihm den Hörer, und er dachte schon, ein Wunder sei geschehen und Dr. Steinbrunner habe auf Italienisch geantwortet. Statt dessen tönte auf Kosten der Stadt Venedig sanfte, fade Musik über die Alpen. Er gab ihr den Hörer zurück und sah zu, wie sie beim Warten mit der Hand den Takt schlug.

Plötzlich drückte sie den Hörer fester ans Ohr und sagte etwas auf Deutsch. Nach einigen weiteren Sätzen erklärte sie Brunetti: »Seine Sekretärin verbindet gerade. Sie sagt, er spricht Englisch. Wollen Sie dann übernehmen?«

Er nickte, nahm ihr den Hörer ab, bedeutete ihr aber, zu bleiben. »Warten wir ab, ob sein Englisch so gut ist wie Ihr Deutsch.«

Bevor er seinen Satz noch beendet hatte, hörte er am anderen Ende eine tiefe Stimme sagen: »Hier ist Dr. Erich Steinbrunner. Mit wem spreche ich bitte?«

Brunetti stellte sich vor und signalisierte der Übersetzerin, daß sie gehen könne. Bevor sie das tat, beugte sie sich über seinen Schreibtisch und schob ihm Block und Bleistift hin.

»Ja, Commissario, was kann ich für Sie tun?«

»Ich untersuche den Tod von Maestro Wellauer und habe von seiner Witwe erfahren, daß Sie eng mit ihm befreundet waren.«

»Ja, das stimmt. Meine Frau und ich waren viele Jahre mit ihm befreundet. Sein Tod hat uns beide tief getroffen.«

»Das kann ich mir vorstellen, Doktor.«

»Ich wollte zur Beerdigung kommen, aber meiner Frau geht es gesundheitlich nicht gut, und ich wollte sie nicht allein lassen.«

»Signora Wellauer wird dafür sicher Verständnis haben«, sagte er, überrascht, wie international Platitüden waren.

»Ich habe mit Elisabeth gesprochen«, sagte der Arzt. »Sie schien mir sehr gefaßt.«

Angestachelt durch irgend etwas an seinem Tonfall, sagte Brunetti: »Sie schien etwas ... ich weiß nicht recht, wie ich es ausdrücken soll ... sie schien nicht ganz damit einverstanden, daß ich Sie anrufe, Doktor.« Und als er darauf keine Antwort bekam, fügte er hinzu. »Vielleicht ist es noch zu früh, als daß sie sich glücklicherer Zeiten erinnern möchte.«

»Ja, das wäre möglich«, antwortete der Doktor trocken, ließ aber keinen Zweifel daran, daß er nicht so dachte.

»Doktor, darf ich Ihnen ein paar Fragen stellen?«

»Aber sicher.«

»Ich habe mir den Terminkalender des Maestro angesehen, dabei fiel mir auf, daß er Sie und Ihre Frau in den letzten Monaten seines Lebens regelmäßig getroffen hat.«

»Ja, wir haben drei- oder viermal zusammen gegessen.«

»Aber es gab auch andere Eintragungen, Doktor, nur Ihr Name, und früh am Morgen. Die Tageszeit brachte mich darauf, daß es sich um einen offiziellen Besuch gehandelt haben könnte, mit anderen Worten, daß er Sie als Arzt aufgesucht hat, und nicht als Freund.« Mit einiger Verzögerung fragte er: »Darf ich fragen, ob Sie ein …« er hielt inne, wollte den anderen nicht kränken, indem er fragte, ob er praktischer Arzt sei, und meinte schließlich: »Tut mir leid, ich habe den englischen Ausdruck vergessen. Könnten Sie mir Ihr Spezialgebiet nennen?«

»Hals-Nasen-Ohren. Aber besonders Hals. So habe ich Helmut vor Jahren kennengelernt. Vor vielen Jahren.« Seine Stimme klang wärmer, als er das sagte. »Ich bin hier in Deutschland als der ›Sängerdoktor‹ bekannt.« Überraschte es ihn, das tatsächlich jemandem erklären zu müssen?

»Hat er Sie aufgesucht, weil einer seiner Sänger Sie brauchte? Oder hatte er Schwierigkeiten mit der Stimme?«

»Nein, sein Hals beziehungsweise seine Stimme war völlig in Ordnung. Einmal bat er mich zum Frühstück und wollte mit mir über eine Sängerin sprechen.«

»Und danach, Doktor? Es waren noch weitere Morgentermine in seinem Kalender eingetragen.«

»Ja, er war zweimal bei mir. Das erste Mal sollte ich ihn untersuchen. Und eine Woche später habe ich ihm die Ergebnisse mitgeteilt.«

»Würden Sie mir diese Ergebnisse sagen?«

»Bevor ich das tue, hätte ich gern gewußt, warum Sie das für wichtig halten.«

»Es hat den Anschein, als ob irgend etwas den Maestro sehr beschäftigt oder besorgt gemacht hätte. Das habe ich aus Gesprächen mit Leuten hier erfahren. Deshalb versuche ich herauszufinden, was es gewesen sein könnte – alles, was seinen Gemütszustand beeinflußt haben könnte.«

»Es tut mir leid, aber ich verstehe nicht recht, was das damit zu tun haben könnte«, sagte der Doktor.

»Wissen Sie, ich versuche so viel wie möglich über seinen Gesundheitszustand zu erfahren. Denken Sie bitte daran, daß mir jeder Hinweis helfen könnte, den an seinem Tod Schuldigen zu finden und zur Rechenschaft zu ziehen.« Paola hatte ihm oft gesagt, daß man von einem Deutschen nur etwas bekommen konnte, wenn man ihm mit Recht und Gesetz kam. Die schnelle Reaktion seines Gesprächspartners zeigte ihm, daß sie offenbar recht hatte.

»In dem Fall helfe ich Ihnen gern.«

»Was war das für eine Untersuchung?«

»Wie gesagt, Stimme und Hals waren völlig in Ordnung. Seine Augen bestens. Allerdings bestand ein geringfügiger Hörverlust, und das war es auch, was ihn eigentlich zu mir geführt hatte.«

»Und Ihre Ergebnisse, Doktor?«

»Wie ich schon sagte, ein leichter Hörverlust. Minimal. Wie in seinem Alter nicht anders zu erwarten.« Er korrigierte sich rasch. »In unserem Alter.«

»Wann haben Sie die Untersuchung durchgeführt? Die Termine, die ich habe, sind für Oktober eingetragen.«

»Ja, irgendwann im Oktober. Ich müßte in meinen Unterlagen nachsehen, wenn Sie die genauen Daten haben wollen, aber so ungefähr stimmt es.«

»Und erinnern Sie sich an die exakten Ergebnisse, Doktor?«

»Nein, das nicht. Aber der Verlust des Hörvermögens betrug sicher weniger als zehn Prozent, sonst würde ich mich bestimmt erinnern.«

»Ist das ein erheblicher Verlust?«

»Nein.«

»Würde man es merken?«

»Merken?«

»Hätte es ihn beim Dirigieren behindert?«

»Genau das wollte Helmut wissen. Ich habe ihm gesagt, es fiele nicht ins Gewicht, die Beeinträchtigung sei kaum meßbar. Er glaubte mir. Aber ich hatte ihm am selben Tag noch ein anderes Untersuchungsergebnis mitzuteilen, und das machte ihn besorgt.«

»Was war das?«

»Er hatte eine junge Sängerin zu mir geschickt, die Probleme mit ihrer Stimme hatte. Bei ihr hatte ich Stimmbandknötchen festgestellt, die operativ entfernt werden mußten. Ich sagte Helmut, daß sie frühestens in einem halben Jahr wieder singen könnte. Er hatte geplant, sie im Frühjahr in München einzusetzen, aber das war unmöglich.«

»Erinnern Sie sich sonst noch an etwas, Doktor?«

»Nein, an nichts weiter. Helmut sagte, er würde sich nach seiner Rückkehr aus Venedig wieder melden, aber ich nahm an, er meinte das eher auf geselliger Ebene, wir vier.«

Brunetti hörte das fast unmerkliche Zögern am anderen Ende und fragte: »Noch etwas, Doktor?«

»Er fragte mich, ob ich ihm in Venedig einen Arzt empfehlen könne. Ich sagte ihm, er solle nicht albern sein, er habe eine Roßnatur. Im Falle einer Krankheit würde die Oper ihm den besten Arzt besorgen, den es gebe. Aber er bestand darauf, von mir eine Empfehlung mitzubekommen.«

»Einen Spezialisten?«

»Ja. Schließlich nannte ich ihm den Namen eines Kollegen, mit dem ich einige Male zu tun hatte. Er lehrt an der Universität von Padua.«

»Und wie heißt er?«

»Valerio Treponti. Er hat eine Privatpraxis in der Stadt, aber die Nummer habe ich nicht. Helmut fragte nicht danach, er schien ganz zufrieden damit, bloß den Namen zu haben.«

»Erinnern Sie sich, ob er sich den Namen notiert hat?«

»Nein, das hat er nicht. Ehrlich gesagt dachte ich damals, er sei nur starrköpfig. Außerdem galt unsere Unterhaltung ja eigentlich der Sängerin.«

»Eine letzte Frage noch, Doktor.«

»Ja?«

»Ist Ihnen in den letzten Monaten eine Veränderung an ihm aufgefallen, irgendein Anzeichen, daß ihn etwas besonders beschäftigte oder ängstigte?«

Die Antwort des Doktors kam nach einer langen Pause. »Vielleicht war da etwas, aber ich weiß nicht, was es war.«

»Haben Sie ihn danach gefragt?«

»Solche Fragen stellte man Helmut nicht.«

Brunetti unterließ es, zu erwidern, daß Männer nach über vierzig Jahren Freundschaft manchmal durchaus so etwas taten. Statt dessen fragte er: »Können Sie sich vorstellen, was es gewesen sein könnte?«

Wieder eine lange Pause. »Ich dachte, es könnte etwas mit Elisabeth zu tun haben. Aus dem Grunde habe ich es Helmut gegenüber nicht erwähnt. Er war immer sehr empfindlich, wenn es um sie ging, um den großen Altersunterschied zwischen ihnen. Aber vielleicht könnten Sie mit ihr selbst darüber reden, Commissario?«

»Ja, Doktor, das habe ich vor.«

»Gut. War das dann alles? Ich sollte wieder zu meinen Patienten zurück.«

»Ja, Doktor, das war alles. Sie haben mir sehr geholfen, und ich danke Ihnen für das Gespräch.«

»Keine Ursache. Ich hoffe, Sie finden den Schuldigen und bringen ihn vor Gericht.«

»Ich werde tun, was ich kann, Doktor«, sagte Brunetti höflich und verschwieg, daß er hauptsächlich an ersterem interessiert war und nicht im geringsten an dem letzteren.

Sobald der andere aufgelegt hatte, wählte Brunetti die Auskunft und ließ sich die Nummer von Dr. Valerio Treponti in Padua geben. Als er in der Praxis des Arztes anrief, sagte man ihm, der Dottore habe einen Patienten und könne nicht ans Telefon kommen. Brunetti erklärte der Sekretärin, wer er war und daß es dringend sei, er werde warten.

Während er wartete, blätterte er die Morgenzeitungen durch. Wellauers Tod war aus den wichtigsten nationalen Blättern verschwunden und erschien nur auf der zweiten Seite des Lokalteils des *Gazzettino*, und dort auch nur, weil am Konservatorium ein Stipendium auf seinen Namen eingerichtet worden war.

Ein Klicken tönte aus dem Apparat, und eine sonore Stimme sagte: »Treponti.«

»Dottore, hier spricht Commissario Brunetti von der venezianischen Polizei.«

»Das sagte mir meine Sprechstundenhilfe schon. Worum geht es?«

»Ich möchte gern wissen, ob Sie im letzten Monat einen älteren, hochgewachsenen Mann als Patienten hatten, der sehr gut Italienisch sprach, allerdings mit deutschem Akzent.«

»Wie alt?«

»Um die siebzig.«

»Sie meinen den Österreicher? Wie hieß er noch? Doerr? Ja, genau, Hilmar Doerr. Aber er war nicht Deutscher, sondern Österreicher. Mehr oder weniger dasselbe. Was möchten Sie über ihn wissen?«

»Könnten Sie ihn mir beschreiben, Dottore?«

»Halten Sie das wirklich für so wichtig? Ich habe sechs Patienten im Wartezimmer und muß in einer Stunde in der Klinik sein.«

»Könnten Sie ihn mir beschreiben, Dottore?«

»Habe ich das nicht schon? Groß, blaue Augen, Mitte Sechzig.«

»Wann war er bei Ihnen, Dottore?«

Im Hintergrund hörte Brunetti eine andere Stimme etwas sagen. Dann hielt der Doktor offenbar die Hand über die Sprechmuschel, denn es wurde still am anderen Ende. Eine Minute verging, dann war Treponti wieder da, noch eiliger und ungeduldiger als vorher.

»Commissario, ich kann jetzt nicht mit Ihnen sprechen. Ich muß wichtige Dinge erledigen.«

Brunetti ließ das durchgehen und fragte: »Könnten Sie mit mir sprechen, wenn ich heute noch in Ihre Praxis käme, Dottore.«

»Heute nachmittag, fünf Uhr. Ich kann Ihnen zwanzig Minuten reservieren. Hier.« Er hatte aufgelegt, bevor Brunetti nach der Adresse fragen konnte. Geduldig und bemüht, gelassen zu bleiben, wählte er noch einmal und bat die Sprechstundenhilfe um die Anschrift. Er bedankte sich mit ausgesuchter Höflichkeit und legte auf.

Dann saß er da und überlegte, wie er am besten nach Padua kam. Patta würde sich garantiert einen Wagen mit Fahrer bestellen, und vielleicht noch eine Motorradeskorte, falls an dem Tag besonders viele Terroristen auf der Autobahn unterwegs sein sollten. Brunetti stand dem Rang nach ein Wagen zu, aber er wollte Zeit sparen, und so rief er beim Bahnhof an, um sich nach den Nachmittagszügen in Richtung Padua zu erkundigen. Er erfuhr, daß der Eilzug nach Mailand ihn so günstig nach Padua bringen würde, daß er rechtzeitig um fünf in Trepontis Praxis sein konnte. Er müßte also nach dem Essen mit Padovani direkt zum Bahnhof gehen.

20

Als Brunetti ankam, wartete Padovani schon im Restaurant. Der Journalist stand zwischen der Bar und einer Vitrine mit verschiedenen Vorspeisen: Tintenfisch, Strandschnecken, Krabben. Sie schüttelten sich kurz die Hand und wurden von Signora Antonia, der junohaften Bedienung, die hier das Kommando hatte, zu ihrem Tisch gebracht. Nachdem sie saßen, verschoben sie erst einmal ihr Gespräch über Verbrechen und Klatsch und berieten sich mit Signora Antonia über das Essen. Es gab zwar eine Speisekarte, aber die meisten Stammkunden hielten sich nicht daran auf; die wenigsten hatten sie je gesehen. Die Gerichte und Spezialitäten des Tages hatte Antonia im Kopf. Rasch ging sie die Liste durch, aber Brunetti wußte, daß es reine Formsache war. Sie entschied schnell, daß sie den Antipasto di Mare essen wollten, dann den Risotto mit Scampi und den gegrillten Seebarsch, der am Morgen frisch vom Fischmarkt gekommen war, wie sie versicherte. Padovani fragte, ob er vielleicht, wenn die Signora es für angeraten hielt, noch einen grünen Salat haben könnte. Sie widmete seinem Wunsch die gebührende Aufmerksamkeit, erklärte ihn für gerechtfertigt, meinte dann, eine Flasche des weißen Hausweins sei das richtige dazu, und ging sie holen.

Als der Wein auf dem Tisch stand und das erste Glas eingegossen war, eröffnete Brunetti das Gespräch und fragte Padovani, ob er noch viel zu tun hätte, bevor er Venedig wieder den Rücken kehrte. Der Kritiker erklärte, er müsse noch über zwei Vernissagen schreiben, eine in Treviso und eine in Mailand, aber wahrscheinlich würde er das telefonisch erledigen.

»Sie per Telefon an die Redaktion nach Rom durchgeben?« fragte Brunetti.

»Nein, wo denkst du hin«, entgegnete Padovani, während er ein Grissino durchbrach und die Hälfte in den Mund steckte, »ich mache die Kritiken telefonisch.«

»Kunstkritiken?« wollte Brunetti wissen. »Über Bilder?«

»Sicher«, antwortete Padovani, »du glaubst doch nicht, daß ich meine Zeit damit veschwende, mir diesen Mist anzusehen.« Als er Brunettis Verwirrung sah, erklärte er: »Ich kenne die Arbeiten von beiden Malern, und sie sind nicht die Leinwand wert, auf der sie gemalt sind. Beide haben die Galerien gemietet, und beide werden Freunde und Bekannte hinschicken, die ihre Bilder kaufen. Die eine ist die Frau eines Anwalts in Mailand, der andere der Sohn eines Neurochirurgen aus Treviso, dem die teuerste Privatklinik der Gegend gehört. Beide haben zu viel Zeit und nichts zu tun, da haben sie beschlossen, Künstler zu werden.« Das letzte äußerte er mit unverhohlener Verachtung.

Padovani unterbrach sich und lehnte sich breit lächelnd zurück, während Signora Antonia die ovalen Platten mit der Vorspeise vor sie hinstellte.

»Und wie sehen deine Kritiken dann aus?«

»Das kommt darauf an«, sagte Padovani und spießte ein Stück Tintenfisch auf seine Gabel. »Dem Arztsohn bescheinige ich ›totale Ignoranz in der Farbgebung und Linienführung‹. Aber der Anwalt ist mit einem unserer Direktoren befreundet, darum werde ich der Frau andichten, sie sei ›ein Phänomen in der Beherrschung von Komposition und Technik‹. Dabei kann sie nicht mal ein Rechteck malen, ohne daß es aussieht wie ein Dreieck.«

»Macht dir das zu schaffen?«

»Was? Wenn ich schreibe, was ich nicht empfinde?« fragte Padovani und brach ein weiteres Grissino durch.

»Ja.«

»Zu Anfang hat es mich schon belastet. Aber dann wurde mir irgendwann klar, daß ich nur so dazu komme, die Kritiken zu schreiben, an denen mir wirklich liegt.« Er sah Brunettis Blick und lächelte. »Komm schon, Guido, erzähl mir nicht, du hättest noch nie ein Indiz unbeachtet gelassen oder einen Bericht so formuliert, daß er in eine andere Richtung wies, als es dieses Indiz nahelegte.«

Bevor Brunetti antworten konnte, kam Antonia an ihren Tisch. Padovani aß die letzte Krabbe und hob lächelnd den Kopf. »Hervorragend, Signora.« Sie nahm seinen Teller weg, dann Brunettis.

Gleich darauf kam sie mit dem dampfenden, appetitlichen Risotto zurück. Als sie sah, daß Padovani die Hand nach dem Salz ausstreckte, sagte sie: »Es ist genug Salz drin.« Er zog die Hand zurück, als habe er sich verbrannt, und griff nach seiner Gabel.

»Aber sag mal, Guido, du hast mich doch nicht hierher zum Essen eingeladen – ich hoffe auf Kosten der Stadtkasse –, um über meine Karriere zu plaudern oder mein Gewissen zu erforschen. Du sagtest, du wolltest mehr Informationen.«

»Ich wüßte gern, was du noch über Signora Santina erfahren konntest.«

Anmutig klaubte sich Padovani ein Stückchen Scampischale aus dem Mund, legte es auf seinen Tellerrand und meinte: »Dann muß ich mein Essen leider selbst bezahlen.«

»Warum?«

»Weil ich dir nichts weiter über sie sagen kann. Narciso mußte gerade weg, als ich anrief, und konnte mir nur noch die Adresse geben. Ich weiß also nicht mehr, als ich dir neulich abend gesagt habe. Tut mir leid.«

Brunetti fand die Bemerkung, er wolle sein Essen selbst bezahlen, geschmacklos. »Na, vielleicht kannst du mir dann statt dessen etwas über ein paar andere Leute erzählen.«

»Ich gebe zu, daß ich nicht ganz untätig gewesen bin, Guido. Ich habe einige Freunde hier und in Mailand und Rom angerufen; du brauchst nur einen Namen zu nennen, und ich werde sprudeln wie eine Quelle.«

»Flavia Petrelli?«

»Ah, die göttliche Flavia.« Er steckte eine Gabel voll Reis in den Mund, und seine Aussprache war hervorragend, als er sagte: »Zweifellos möchtest du auch alles über die ebenso göttliche Miss Lynch wissen?«

»Alles, was du über die eine und die andere weißt.«

Padovani aß noch etwas Risotto und schob dann seinen Teller weg. »Willst du bestimmte Fragen stellen, oder soll ich einfach drauflosplaudern?«

»Drauflosplaudern wäre wahrscheinlich am besten.«

»Ja. Sicher. Das hat man mir schon oft gesagt.« Er trank einen Schluck Wein und fing an. »Ich habe vergessen, wo

Flavia studiert hat. Wahrscheinlich in Rom. Jedenfalls geschah das Unerwartete, und sie konnte in letzter Minute für die ewig-kränkelnde Caballé einspringen. Die Kritiker überschlugen sich, und über Nacht war sie berühmt.« Er beugte sich vor und berührte Brunettis Handrücken mit einem Finger. »Ich dachte, vielleicht teile ich die Geschichte um der Dramatik willen in zwei Teile: den beruflichen und den privaten.« Brunetti nickte.

»Soviel zum Beruflichen. Sie war berühmt und blieb es. Bleibt es.« Er trank wieder von seinem Wein und goß sich nach.

»Jetzt also zum Privaten. Auftritt des Ehemannes. Sie sang in Barcelona, zwei oder drei Jahre nach ihrem Erfolg in Rom. Er war irgend etwas Bedeutendes in Spanien. Kunststoffe, Fabriken, glaube ich; jedenfalls etwas ebenso Langweiliges wie Einträgliches. Auf alle Fälle viel Geld, Freunde mit großen Häusern und wichtigen Namen. Romanze wie aus dem Märchen, Blumengirlanden, Geschenke lastwagenweise, wo immer sie auftrat, Schmuck, all die üblichen Versuchungen; und La Petrelli, nebenbei bemerkt nur ein einfaches kleines Mädchen vom Lande, aus einer Kleinstadt bei Trento, ging hin und verliebte sich und heiratete ihn. Mitsamt seinen Kunststoffen und Fabriken und wichtigen Freunden.«

Antonia kam und nahm ihre Teller mit, offensichtlich nicht begeistert, daß Padovanis noch halb voll war.

»Sie sang weiter, sie wurde noch berühmter. Und er genoß es offenbar, mit ihr zu reisen, genoß die Rolle des Ehemannes einer berühmten Diva, genoß es, noch mehr berühmte Leute kennenzulernen, sein Bild in den Zeitungen zu sehen – all die Dinge, die Leute aus seiner Schicht brauchen. Dann kamen die Kinder, aber sie sang weiter, wurde immer noch berühmter. Doch bald wurde klar, daß der Honigmond vorbei war. Sie sagte eine Vorstellung ab, dann noch eine. Bald danach hörte sie für ein Jahr auf zu singen, ging mit ihm nach Spanien zurück. Und sang nicht.«

Antonia kam mit einem großen Metalltablett, auf dem ihr Seebarsch lag. Sie stellte es auf einen kleinen Serviertisch neben ihnen und löste geschickt zwei Portionen des zarten weißen Fisches von den Gräten. Sie stellte die Teller vor sie hin. »Ich hoffe, es wird Ihnen schmecken.« Die Männer tauschten einen Blick und nahmen die Herausforderung schweigend an.

»Vielen Dank, Signora«, sagte Padovani. »Darf ich Sie an den grünen Salat erinnern?«

»Wenn Sie den Fisch aufgegessen haben«, erwiderte sie und ging ab in Richtung Küche. Und das ist eines der besten Restaurants in dieser Stadt, dachte Brunetti.

Padovani aß ein paar Bissen von seinem Fisch. »Und dann war sie so plötzlich wieder da, wie sie verschwunden war, und ihre Stimme war gereift in diesem Jahr, in dem sie nicht öffentlich aufgetreten war, und war zu der großen, klaren Stimme geworden, die sie heute hat. Aber den Ehemann sah man nicht mehr, und dann gab es eine stille Trennung und eine noch stillere Scheidung, die sie zuerst hier bekam und dann auch in Spanien, nachdem das möglich wurde.«

»Was waren die Gründe für die Scheidung?« wollte Brunetti wissen.

Padovani hielt abwehrend die Hand hoch. »Alles zu seiner Zeit, ich möchte dem Ganzen gern Ton und Tempo eines Romans aus dem neunzehnten Jahrhundert geben. Sie sang also wieder, unsere Flavia, und wie ich schon sagte, sie war wunderbarer denn je. Aber wir sahen sie nie. Nicht bei offiziellen Essen, nicht bei Parties, nicht bei den Vorstellungen anderer Sänger. Sie war so etwas wie eine Einsiedlerin geworden, lebte zurückgezogen mit ihren Kindern in Mailand, wo sie regelmäßig sang.« Er beugte sich über den Tisch. »Wächst die Spannung?«

»Ins Unerträgliche«, sagte Brunetti und steckte sich einen Bissen Fisch in den Mund. »Und die Scheidung?«

Padovani lachte. »Paola hat mich gewarnt, du seist ein Spürhund. Gut, gut, ich will dir die Wahrheit nicht vorenthalten. Aber leider ist die Wahrheit, wie so oft, ziemlich vulgär. Er hat sie geprügelt, ziemlich regelmäßig und ziemlich brutal. Wahrscheinlich hatte nach seinem Begriff ein rechter Mann seine Frau so zu behandeln.« Er zuckte die Achseln. »Das entzieht sich meiner Kenntnis.«

»Aber sie hat ihn verlassen?« fragte Brunetti.

»Erst als er sie krankenhausreif geschlagen hatte. Selbst in Spanien gibt es Leute, für die das die Grenze ist. Sie ist mit ihren Kindern in die italienische Botschaft geflüchtet. Ohne Geld und Papiere. Unser damaliger Botschafter war ein Speichellecker, wie alle, und wollte sie zu ihrem Mann zurückschicken. Aber seine Frau, eine Sizilianerin – und man sage ja nichts gegen Sizilianerinnen –, stürmte ins Büro der Botschaft und blieb da, bis drei Pässe ausgestellt waren. Dann fuhr sie Flavia und ihre Kinder zum Flughafen, wo sie auf Kosten der Botschaft drei Erster-Klasse-Tickets nach Mailand ausstellen ließ und so lange wartete, bis die Maschine gestartet war. Offenbar hatte sie Flavia drei Jahre zuvor als Dorabella gehört und meinte, ihr zumindest so viel schuldig zu sein.«

Brunetti fragte sich langsam, inwieweit das alles mit Wellauers Tod zu tun hatte und – durch Padovanis ironischen Tonfall mißtrauisch geworden – wieviel davon wahr sein mochte.

Als hätte der andere seine Gedanken gelesen, beugte Padovani sich vor und sagte: »Die reine Wahrheit. Glaub mir.«

»Woher weißt du das alles?«

»Guido, du bist doch lange genug bei der Polizei, um zu wissen, daß nichts mehr geheim ist, wenn jemand einen bestimmten Grad von Berühmtheit erreicht hat.« Brunetti lächelte zustimmend, und Padovani nahm den Faden wieder auf. »Jetzt kommt der interessante Teil: die Rückkehr unserer Heldin ins Leben. Und der Grund ist, wie stets in solchen Geschichten, die Liebe. Oder auf jeden Fall«, fügte er nach kurzem Überlegen hinzu, »die Lust«.

Brunetti, der merkte, wie sehr der andere seine Geschichte genoß, war versucht, Rache zu üben, indem er Antonia verriet, daß Padovani seinen Fisch nicht aufgegessen, sondern in der Serviette versteckt hatte.

»Ihr Einsiedlerleben währte fast drei Jahre. Dann folgte eine Reihe von – nun ja, Liaisons. Erst ein Tenor, mit dem sie zufälligerweise sang. Ein schlechter Tenor, aber zu ihrem Glück ein netter Mann. Zu ihrem Unglück hatte er aber eine ebenso nette Frau, zu der er bald zurückkehrte. Dann kamen kurz hintereinander« – er zählte sie an den Fingern ab, während er sie nannte – »ein Bariton, ein weiterer Tenor, ein Tänzer, oder war das vielleicht der Regisseur, ein Arzt, der irgendwie versehentlich mit reingerutscht sein muß, und, Wunder über Wunder, ein Kontratenor. Und dann brach das Ganze ebenso plötzlich ab, wie es angefangen hatte.« Auch er brach ab, während Antonia ihm seinen Salat hinstellte. Er machte ihn sich zurecht, viel zu viel Essig für Brunettis Geschmack. »Ungefähr ein Jahr lang sah man sie mit niemandem. Dann erschien plötzlich *l'Americana* auf der Bildfläche und hatte die göttliche Flavia offenbar erobert.« Er spürte Brunettis Interesse und fragte: »Kennst du sie?«

»Ja.«

»Und was hältst du von ihr?«

»Ich mag sie.«

»Ich auch«, stimmte Padovani zu. »Diese Geschichte zwischen ihr und Flavia ergibt absolut keinen Sinn.«

Brunetti hatte Hemmungen, ein direktes Interesse an dem Thema zu zeigen, und ermunterte Padovani nicht, ausführlicher darauf einzugehen.

Das war allerdings kaum nötig. »Sie lernten sich vor etwa drei Jahren bei der China-Ausstellung kennen. Danach sah man sie ein paar Mal zusammen beim Essen oder im Theater, aber dann mußte *l'Americana* nach China zurück.«

Alles Neckische wich aus Padovanis Stimme. »Ich habe ihre Bücher über chinesische Kunst gelesen, die beiden ins Italienische übersetzten und das kurze in Englisch. Wenn sie nicht schon die bedeutendste Archäologin auf dem Gebiet ist, wird sie es bald sein. Ich verstehe nicht, was sie in Flavia sieht, denn Flavia ist, so genial sie auch sein mag, im Grunde ein ziemliches Miststück.«

»Aber was ist mit der Liebe?« fragte Brunetti und ergänzte dann, wie Padovani vorhin: »Oder der Lust?«

»Das mag für Menschen wie Flavia richtig sein; es entzieht sie ihrer Arbeit nicht. Aber die andere hält eine der wichtigsten archäologischen Entdeckungen unserer Zeit in Händen, und ich glaube, sie hat die Urteilsgabe und die Fähigkeit ...« Padovani hielt plötzlich inne, hob sein Glas und leerte es in einem Zug. »Entschuldige, ich lasse mich selten so hinreißen. Das muß der Einfluß der imposanten Antonia sein.«

Auch wenn es nichts mit den Ermittlungen zu tun hatte, konnte Brunetti doch nicht umhin zu fragen: »Ist sie die erste, äh, lesbische Beziehung der Petrelli?«

»Ich glaube nicht, aber alles andere war vorübergehendes Geplänkel.«

»Und dies? Ist es etwas anderes?«

»Für welche?«

»Beide.«

»Da es schon über drei Jahre währt, würde ich sagen, ja, es ist ernst. Für beide.« Padovani klaubte das letzte grüne Blatt aus seiner Salatschüssel und sagte: »Vielleicht bin ich ja nicht ganz fair Flavia gegenüber. Diese Affäre kostet sie einiges.«

»Inwiefern?«

»Es gibt viele lesbische Sängerinnen«, erklärte er. »Seltsamerweise sind das meist Mezzosoprane. Aber das gehört nicht zur Sache. Die Schwierigkeit ist, daß man ihnen weit weniger Toleranz entgegenbringt als ihren schwulen männlichen Kollegen. Darum wagen sie es nicht, offen zu ihrer Veranlagung zu stehen, und die meisten verkleiden ihre

Geliebten diskret als Sekretärin oder Agentin. Aber Flavia kann Brett kaum als irgend etwas verkleiden. Also gibt es Gerede und sicher auch schiefe Blicke und Geflüster, wenn die beiden irgendwo zusammen auftauchen.«

Brunetti brauchte nur an den Tonfall des Portiers zu denken, um zu wissen, wie sehr das zutraf. »Bist du mal in ihrer Wohnung hier gewesen?«

»Diese Oberlichter«, sagte Padovani, und beide lachten.

»Wie hat sie das nur geschafft?« fragte Brunetti, dem man die Erlaubnis verweigert hatte, Thermopanescheiben einsetzen zu lassen.

»Sie stammt aus einer von diesen alten amerikanischen Familien, die sich ihr Geld vor mehr als hundert Jahren zusammengestohlen haben und darum als ehrenwert gelten. Die Wohnung hat sie von einem Onkel geerbt, der sie, soviel ich weiß, vor etwa fünfzig Jahren beim Kartenspiel gewonnen hat. Und was die Fenster angeht, erzählt man sich, sie habe versucht, Handwerker dafür zu bekommen, aber keiner habe es ohne die Genehmigung machen wollen. Da sei sie schließlich einfach selbst aufs Dach gestiegen, habe die Ziegel heruntergenommen, Löcher geschnitten und die Rahmen gebaut.«

»Ist sie denn nicht beobachtet worden?« In Venedig mußte man nur einen Hammer an der Außenseite eines Hauses heben, schon wurden im ganzen Umkreis die Telefonhörer abgenommen. »Hat niemand die Polizei angerufen?«

»Du hast ja gesehen, wie hoch sie wohnt. Wer sie da oben sah, konnte nicht erkennen, was sie wirklich machte, und nahm wohl an, sie wolle nur ihr Dach inspizieren. Oder einen Ziegel auswechseln.«

»Und dann?«

»Als die Fenster eingebaut waren, hat sie beim Stadtplanungsamt angerufen und denen erzählt, was sie getan hatte. Sie bat, jemanden vorbeizuschicken, um die Höhe der Strafe festzusetzen.«

»Und?« fragte Brunetti, verblüfft darüber, daß eine Ausländerin sich eine so perfekt italienische Lösung ausdenken konnte.

»Ein paar Monate später kamen sie dann tatsächlich. Aber als sie sahen, wie ordentlich es gemacht war, wollten sie ihr nicht glauben, daß sie es selbst bewerkstelligt hatte, und bestanden darauf, die Namen ihrer ›Komplizen‹ zu erfahren. Sie wiederholte, sie habe es allein gemacht, aber sie glaubten ihr immer noch nicht. Schließlich ging sie ans Telefon, rief im Büro des Bürgermeisters an und verlangte ›Lucio‹ zu sprechen. Und das, während zwei Architekten vom Stadtplanungsamt mit ihren Meßlatten in der Hand neben ihr standen. Sie wechselte ein paar Worte mit ›Lucio‹, gab den Hörer an einen der beiden weiter und sagte, der Bürgermeister wolle ihn kurz sprechen.« Padovani, der die ganze Szene nachspielte, reichte einen unsichtbaren Telefonhörer über den Tisch.

»Der Bürgermeister sprach also kurz mit ihm, worauf die beiden aufs Dach stiegen, die Oberlichter ausmaßen, die Strafe berechneten und sich dann mit einem Scheck von ihr ins Büro zurückschicken ließen.« Brunetti warf den Kopf zurück und lachte so laut, daß die Gäste an den anderen Tischen sich nach ihnen umdrehten.

»Warte, es kommt noch schöner«, sagte Padovani, »der Scheck war ein Barscheck, und sie bekam nie eine Bestätigung, daß die Strafe bezahlt sei. Wie ich gehört habe, sind die Blaupausen im Grundbuchamt geändert und die Oberlichter eingezeichnet.« Sie freuten sich gemeinsam an diesem Sieg der Findigkeit über die Vorschrift.

»Woher hat sie denn ihr vieles Geld?« erkundigte sich Brunetti.

»Das weiß der Himmel. Woher kommt amerikanisches Geld? Stahl. Eisenbahnen. Du weißt ja, wie das da drüben ist. Es spielt keine Rolle, ob du raubst oder mordest, um es zu kriegen. Der Trick besteht darin, es hundert Jahre lang zu behalten, dann gehörst du zur Aristokratie.«

»Ist das so wesentlich anders als hier?« fragte Brunetti.

»Natürlich«, erklärte Padovani lächelnd. »Hier muß man es fünfhundert Jahre behalten, bevor man zur Aristokratie gehört. Und noch ein Unterschied. In Italien mußt du gut angezogen sein. In Amerika ist es schwer, Millionäre und Dienstboten auseinanderzuhalten.« Brunetti dachte an Bretts Stiefel und wollte Einspruch erheben. Aber Padovani war schon wieder in Fahrt und nicht zu bremsen. »Es gibt eine Zeitschrift drüben, ich habe vergessen, welche es ist, darin wird jedes Jahr eine Liste der reichsten Leute Amerikas veröffentlicht. Nur die Namen, und woher ihr Geld stammt. Ich glaube, sie scheuen sich davor, von allen auch noch ein Foto zu bringen. Bei den wenigen, wo sie es doch tun, könnte man leicht auf den Gedanken kommen, daß Geld wirklich die Wurzel allen Übels ist, zumindest allen schlechten Geschmacks. Die Frauen sehen samt und sonders aus wie am offenen Feuer geräuchert. Und die Männer, guter Gott, die Männer! Himmel, wer die bloß einkleidet? Glaubst du, die *essen* auch noch Kunststoff?«

Brunetti kam nicht mehr zu einer Antwort, denn Antonia trat an ihren Tisch und fragte, ob sie Obst oder Kuchen zum Nachtisch wollten. Kleinmütig antworteten beide, sie wollten aufs Dessert verzichten und lieber einen Kaffee trinken. Sie war nicht einverstanden, räumte aber den Tisch ab.

»Aber um deine Frage zu beantworten«, sagte Padovani, als sie wieder allein waren, »ich habe keine Ahnung, woher ihr Geld kommt, doch die Quelle scheint unversiegbar. Ihr Onkel war sehr großzügig gegenüber verschiedenen Krankenhäusern und karitativen Einrichtungen der Stadt, und sie setzt das offenbar fort, obwohl sie das meiste gezielt für Restaurierungsarbeiten spendet.«

»Das würde die Hilfe von ›Lucio‹ erklären.«

»Genau.«

»Und ihr Privatleben?«

Padovani warf ihm einen seltsamen Blick zu. Er hatte längst erkannt, wie wenig das alles mit den Ermittlungen zu Wellauers Tod zu tun hatte. Aber das konnte ihn kaum davon abhalten, sein Wissen weiterzugeben. Schließlich lag der größte Charme allen Klatsches darin, daß er völlig überflüssig war. »Sehr undurchsichtig. Das heißt, keiner weiß etwas Genaues. Sie scheint schon immer dieser Überzeugung gewesen zu sein, aber man weiß wenig über ihr Privatleben, bevor sie hierherkam.«

»Und wann war das?«

»Vor etwa sieben Jahren, jedenfalls wurde Venedig damals ihr fester Wohnsitz. Sie hat aber als Kind Jahre mit ihrem Onkel hier verbracht.«

»Daher also ihr *Veneziano*.«

Padovani lachte. »Schon seltsam, jemanden so reden zu hören, der gar nicht von hier ist, was?«

»Ja.«

In dem Moment kam Antonia mit dem Kaffee und zwei Gläschen Grappa, einer Aufmerksamkeit des Hauses, wie sie sagte. Obwohl keiner von ihnen Lust auf den scharfen Schnaps hatte, nippten sie demonstrativ daran und lobten seine vorzügliche Qualität. Antonia entfernte sich mißtrauisch, und Brunetti sah, wie sie von der Küchentür zu ihnen herüberblickte, als rechnete sie damit, daß sie sich den Grappa in die Schuhe kippten.

»Also, wie steht es mit ihrem Privatleben?« fragte Brunetti, ohne seine Neugierde zu verbergen.

»Ich glaube, sie hält es ziemlich unter Verschluß. Ich habe einen Freund in New York, der mit ihr studiert hat. Harvard natürlich. Dann Yale. Und danach hat sie erst in Taiwan und später auf dem Festland gearbeitet. Sie gehörte zu den ersten westlichen Archäologen, die dahin gingen. 1983 oder 1984 muß das gewesen sein. Da hatte sie schon ihr erstes Buch geschrieben, als sie noch in Taiwan war.«

»Ist sie nicht sehr jung für das alles?«

»Wahrscheinlich schon. Aber sie ist auch sehr gut.«

Antonia segelte mit einem Kaffeetablett für den Nebentisch an ihnen vorbei, und Brunetti machte ihr ein Zeichen, mimte das Ausstellen der Rechnung. Sie nickte.

»Ich hoffe, daß einiges hilfreich für dich ist«, sagte Padovani aufrichtig.

»Ich auch«, antwortete Brunetti, der nicht gern zugeben mochte, daß dem nicht so war, und ebenso ungern zugab, daß ihn schlicht die beiden Frauen interessierten.

»Wenn ich dir sonst noch irgendwie behilflich sein kann, ruf mich bitte an«, sagte Padovani, dann fügte er hinzu: »Wir könnten uns wieder hier treffen. Aber dann bestehe ich darauf, daß du zwei deiner stärksten Polizisten mitbringst, die mich beschützen gegen – ah, Signora Antonia«, sagte er übergangslos, als sie an den Tisch trat und Brunetti die Rechnung hinlegte, »wir haben hervorragend gegessen und hoffen, sobald als möglich wiederkommen zu dürfen.« Das Ergebnis dieser Schmeichelei überraschte Brunetti. Antonia lächelte sie zum erstenmal an, auf ihrem Gesicht erblühte ein Strahlen reinster Freude, das tiefe Grübchen auf beiden Seiten ihres Mundes zutage treten ließ, dazu eine Reihe makelloser, blitzender Zähne. Brunetti beneidete Padovani um diese Gabe; sie wäre bei der Befragung von Verdächtigen unbezahlbar.

21

Der Intercity nach Mailand fuhr langsam über den Damm, der Venedig mit dem Festland verbindet, und bald darauf rechts an dem Industriemoloch von Marghera vorbei. Wie einer, der es nicht lassen kann, mit der Zunge einen schmerzenden Zahn zu betasten, konnte Brunetti den Blick nicht von dem Wald aus Kränen und Schornsteinen wenden, den Schwaden verdreckter Luft, die übers Wasser der Lagune auf die Stadt zu trieben, aus der er gerade kam.

Hinter Mestre fiel der Blick auf öde winterliche Felder statt der industriellen Pestbeulen, aber im großen und ganzen war der Eindruck nicht wesentlich besser. Nach der vernichtenden Dürre des Sommers stand auf den meisten Feldern noch das Korn. Eine Bewässerung wäre zu kostspielig gewesen, und die Halme waren für die Ernte zu ausgetrocknet.

Der Zug hatte nur zehn Minuten Verspätung, so daß er rechtzeitig zu seiner Verabredung mit Treponti kam, dessen Praxis in einem modernen Gebäude nicht weit von der Universität lag. Als Venezianer kam Brunetti nicht auf die Idee, den Fahrstuhl zu benutzen, sondern ging die Treppe zum dritten Stock hinauf. Als er die Praxistür öffnete, war das Wartezimmer leer, bis auf eine Frau in weißem Kittel hinter einem Schreibtisch. »Der Dottore kann gleich mit Ihnen sprechen«, sagte sie, als er eintrat, ohne erst zu fragen, wer er war. Sah man das etwa? überlegte Brunetti.

Dottore Treponti war ein kleiner, adretter Mann mit

kurzgestutztem, dunklem Bart und braunen Augen, die durch seine dicken Brillengläser leicht vergrößert wurden. Seine Wangen waren rund und prall wie bei einem Streifenhörnchen, und er schob einen beutelähnlichen Bauchansatz vor sich her. Er lächelte nicht, als Brunetti hereinkam, streckte aber die Hand aus. Dann deutete er auf den Stuhl vor seinem Schreibtisch, wartete, bis Brunetti sich gesetzt hatte, bevor er seinen Platz wieder einnahm, und fragte: »Was wollten Sie denn wissen?«

Brunetti zog ein kleines Porträtfoto des Dirigenten aus seiner Brieftasche und hielt es dem Arzt hin. »Ist das der Mann, der bei Ihnen war? Der, von dem Sie sagten, er sei Österreicher?«

Der Arzt nahm das Foto, betrachtete es kurz und reichte es Brunetti zurück. »Ja, das ist der Mann.«

»Aus welchem Grund war er bei Ihnen, Dottore?«

»Wollen Sie mir nicht sagen, wer er ist? Wenn die Polizei ermittelt und er gar nicht Hilmar Doerr heißt?«

Brunetti konnte es kaum fassen, wie jemand in Italien leben und nichts vom Tode des Dirigenten wissen konnte, aber er sagte nur: »Das erzähle ich Ihnen, wenn Sie mir alles über Ihren Patienten berichtet haben, Dottore.« Und bevor der andere noch etwas einwenden konnte, fügte er hinzu: »Ich möchte nicht, daß Sie durch die Information beeinflußt werden.«

»Es geht doch wohl nicht um etwas Politisches, oder?« fragte der Arzt mit jenem tiefen Mißtrauen, das nur ein Italiener in diese Frage legen kann.

»Nein, es hat nichts mit Politik zu tun. Darauf gebe ich Ihnen mein Wort.«

Wie zweifelhaft der Wert dieser Versicherung dem Doktor auch erscheinen mochte, er erklärte sich einverstanden. »Also gut.« Er schlug die Patientenmappe vor sich auf und sagte: »Meine Sprechstundenhilfe gibt Ihnen nachher eine Kopie hiervon.«

»Vielen Dank, Dottore.«

»Wie ich Ihnen schon sagte, hat er sich mir als Hilmar Doerr vorgestellt und mir erzählt, er sei Österreicher und lebe in Venedig. Da er nicht unter die italienische Gesundheitsfürsorge falle, käme er als Privatpatient. Ich hatte keinen Anlaß, ihm nicht zu glauben.« Während er sprach, las der Doktor die Notizen auf dem linierten Papier vor sich. Brunetti fiel auf, wie feinsäuberlich sie geschrieben waren, obwohl er sie verkehrt herum sah.

»Er sagte, er höre seit einiger Zeit schlechter, und bat mich um eine Untersuchung. Das war«, er drehte die Karteikarte um und schaute auf das Datum, »am dritten November.

Ich habe die üblichen Tests gemacht und festgestellt, daß er, wie er selbst sagte, einen deutlichen Hörverlust erlitten hatte.« Er nahm Brunettis Frage vorweg und beantwortete sie gleich. »Meiner Schätzung nach hatte er noch sechzig bis siebzig Prozent des normalen Hörvermögens.

Was mich etwas bestürzte, war seine Äußerung, er habe vorher keinerlei Hörprobleme gehabt; sie seien ganz plötzlich im vergangenen Monat aufgetreten.«

»Wäre das bei einem Mann seines Alters normal?«

»Er sagte, er sei zweiundsechzig. Das ist dann wohl auch nicht richtig? Wenn Sie mir sein wahres Alter nennen, könnte ich Ihre Frage vielleicht besser beantworten.«

»Er war vierundsiebzig.«

Als er das hörte, drehte Treponti die Karte um, strich etwas aus und schrieb eine neue Zahl darüber. »Ich glaube nicht, daß es etwas ändern würde«, sagte er, als er damit fertig war, »zumindest nichts Wesentliches. Der Schaden trat plötzlich auf, und da er das Nervengewebe betraf, war er irreversibel.«

»Sind Sie da ganz sicher, Dottore?«

Brunettis Gegenüber machte sich nicht einmal die Mühe, darauf zu antworten. »Da mir das Ganze doch recht schwerwiegend erschien, schlug ich ihm vor, in vierzehn Tagen wiederzukommen. Das tat er, ich wiederholte meine Untersuchungen, und das Gehör war noch schlechter geworden, der Schaden hatte sich vergrößert. Auch dies irreversibel.«

»Wie viel mehr war es denn?«

»Schätzungsweise«, der andere studierte wieder die Zahlen und Aufzeichnungen auf dem Karteiblatt, »noch einmal zehn Prozent. Vielleicht etwas mehr.«

»Konnten Sie ihm auf irgendeine Weise helfen?«

»Ich schlug ihm eines der neuen Hörgeräte vor. Ich hoffte – wenn ich es auch nicht ernsthaft glaubte –, daß es ihm helfen würde.«

»Und?«

»Ich weiß es nicht.«

»Das verstehe ich nicht ganz.«

»Er ist nicht wieder erschienen.«

Brunetti rechnete kurz nach. Der zweite Besuch hatte stattgefunden, als die Proben für die Oper schon längst angefangen hatten. »Können Sie mir mehr über dieses Hörgerät sagen?«

»Es ist sehr klein und wird auf eine ganz normal aussehende Brille mit Fensterglas oder geschliffenen Gläsern gesetzt. Es funktioniert nach dem Prinzip eines...« Er unterbrach sich. »Ich weiß nicht, warum das hier eine Rolle spielt.«

Anstatt das zu erklären, fragte Brunetti: »Hätte es ihm denn helfen können?«

»Das ist schwer zu sagen. Vieles, was wir hören, nehmen wir gar nicht mit den Ohren auf.« Als er Brunettis fragenden Blick sah, erklärte er: »Wir lesen vieles von den Lippen ab und fügen fehlende Wörter automatisch aus dem Zusammenhang dessen ein, was wir tatsächlich gehört haben. Wenn also jemand so eine Hörbrille trägt, hat er endlich akzeptiert, daß etwas mit seinem Gehör nicht stimmt. Alle anderen Sinnesorgane fangen dann sozusagen an, Überstunden zu machen, versuchen die fehlenden Botschaften und Signale einzufügen, und weil das einzig Neue das Hörgerät ist, glauben die Leute, es sei dieses Gerät, das ihnen hilft, während im Grunde eigentlich nur ihre anderen Sinne alle Kapazitäten ausschöpfen, um den Verlust des Hörens auszugleichen.«

»War das hier der Fall?«

»Wie gesagt, ich weiß es nicht genau. Als ich ihm das Gerät bei seinem zweiten Besuch anpaßte, beharrte er darauf, jetzt besser zu hören. Er reagierte genauer auf meine Fragen, aber das tun alle, egal, ob eine physische Verbesserung eingetreten ist oder nicht. Allerdings sitze ich dann direkt vor ihnen, stelle ihnen meine Fragen direkt, sehe sie an, und werde von ihnen gesehen. Bei den Tests, bei denen die Stimme über Kopfhörer kommt, ist dann selten eine Verbesserung festzustellen, jedenfalls nicht in Fällen wie diesem.«

Brunetti ließ sich das durch den Kopf gehen, dann fragte er: »Dottore, Sie sagten, bei seinem zweiten Besuch hätte sich der Hörverlust noch verstärkt. Haben Sie eine Vorstellung, was einen solchen Verlust bewirken könnte, so plötzlich?«

An Trepontis Lächeln war leicht zu erkennen, daß er die Frage erwartet hatte. Er faltete die Hände auf seinen Unterlagen wie ein Fernseharzt in einer Seifenoper. »Es könnte das Alter sein, aber daraus ließe sich ein derart plötzlicher Hörverlust kaum befriedigend erklären. Es könnte sich auch um eine Infektion handeln, aber die geht meist mit Schmerzen einher, und er hatte keine, oder mit Gleichgewichtsstörungen, die er auch nicht hatte. Dann käme noch die fortgesetzte Einnahme von Diuretika in Frage, aber er sagte, daß er keine nehme.«

»Über all das haben Sie mit ihm gesprochen, Dottore?«

»Selbstverständlich. Er war so besorgt darüber, wie ich noch nie einen Patienten erlebt habe, und als Patient hatte er das Recht, alles zu erfahren.«

»Natürlich.«

Versöhnt fuhr der Arzt fort. »Eine andere Möglichkeit, die ich angesprochen habe, war die Einnahme von Antibiotika. Das schien ihn sehr zu interessieren, so erklärte ich ihm, daß die Dosierung sehr hoch gewesen sein müßte.«

»Antibiotika?« fragte Brunetti.

»Ja. Eine Nebenwirkung – durchaus nicht üblich, aber möglich – ist die Schädigung des Hörnervs. Allerdings müßte die Dosis, wie gesagt, schon massiv sein. Ich fragte ihn, ob er welche nehme, aber er verneinte. So blieb, nach Ausschluß all dieser Möglichkeiten, nur sein fortgeschrittenes Alter als vernünftige Erklärung. Als Arzt war ich damit nicht zufrieden und bin es immer noch nicht.« Er warf einen Blick auf seinen Kalender. »Wenn ich ihn jetzt noch einmal untersuchen könnte – es ist genügend Zeit vergangen. Ich könnte wenigstens den Grad der Verschlechterung überprüfen. Wenn sie mit derselben Geschwindigkeit fortgeschritten ist wie zwischen der ersten und der zweiten Untersuchung, müßte er inzwischen beinah taub sein. Es sei denn, ich hätte mich geirrt, und es war eine Infektion, die ich nicht bemerkt habe oder die sich bei den von mir durchgeführten Tests nicht gezeigt hat.« Er klappte die Mappe zu und fragte: »Besteht die Möglichkeit, daß er noch einmal zu einer Untersuchung herkommt?«

»Der Mann ist tot«, sagte Brunetti mit ausdrucksloser Stimme.

Im Gesicht des Arztes war keine Reaktion auszumachen. »Darf ich nach der Todesursache fragen?« fragte er und erklärte dann hastig: »Ich würde es gern wissen, falls ich irgendeine Infektion übersehen habe.«

»Er wurde vergiftet.«

»Vergiftet«, wiederholte Treponti, dann fügte er hinzu: »Ich verstehe, ich verstehe.« Er dachte nach und fragte dann merkwürdig zaghaft, weil er merkte, daß Brunetti jetzt die besseren Karten hatte: »Und mit welchem Gift, wenn ich fragen darf?«

»Zyankali.«

»Oh«, das klang enttäuscht.

»Ist das wichtig, Dottore?«

»Wenn es Arsen gewesen wäre, hätte es einen Hörverlust der Art auslösen können, wie er ihn offenbar hatte. Das heißt, wenn es ihm über einen längeren Zeitraum verabreicht worden wäre. Aber Zyankali. Nein, ich glaube nicht.« Er überlegte einen Moment, öffnete die Karte, machte eine kurze Notiz und zog dann einen dicken Strich darunter. »Ist eine Autopsie durchgeführt worden? Das ist in solchen Fällen ja wohl obligatorisch.«

»Ja.«

»Und ist über das Gehör etwas vermerkt?«

»Ich glaube nicht, daß darauf besonders geachtet wurde.«

»Das ist sehr schade«, meinte der Doktor, korrigierte sich aber gleich: »Es hätte wahrscheinlich sowieso nichts ergeben.« Er schloß die Augen, und Brunetti sah ihn im Geiste Lehrbücher durchblättern und den einen oder anderen Absatz mit besonderer Aufmerksamkeit lesen. Schließlich öffnete er die Augen wieder und sah Brunetti über den Schreibtisch hinweg an. »Nein, es wäre nicht erkennbar gewesen.«

Brunetti stand auf. »Wenn ich jetzt noch eine Kopie des Krankenblatts haben könnte, Dottore, dann werde ich Ihre Zeit nicht länger in Anspruch nehmen.«

»Ja, sicher«, sagte der andere, stand auf und folgte Brunetti zur Tür. Draußen gab er seiner Sprechstundenhilfe die Unterlagen und bat sie, eine Kopie für den Commissario zu machen, dann wandte er sich einer Patientin zu, die inzwischen hereingekommen war, und sagte: »Signora Mosca, Sie können jetzt mitkommen.« Er nickte Brunetti zu, ging hinter der Frau in sein Behandlungszimmer und schloß die Tür.

Die Arzthelferin kam zurück und händigte Brunetti eine Kopie der Unterlagen aus; das Papier war noch warm vom Fotokopierer. Er dankte ihr und ging. Im Fahrstuhl, den er diesmal nahm, sah er sich das Blatt an und las die letzte Eintragung. »Tod durch Zyankalivergiftung. Ergebnisse der vorgeschlagenen Behandlung unbekannt.«

22

Er war vor acht wieder zu Hause, wo er feststellen mußte, daß Paola mit den Kindern ins Kino gegangen war. Sie hatte ihm einen Zettel hingelegt mit der Notiz, eine Frau habe im Laufe des Nachmittags zweimal versucht, ihn zu erreichen, ohne jedoch einen Namen zu hinterlassen. Er durchstöberte den Kühlschrank, fand allerdings nur Salami und Käse und eine Plastiktüte mit schwarzen Oliven. Er nahm alles heraus und legte es auf den Tisch, dann holte er sich eine Flasche Wein und ein Glas. Er steckte eine Olive in den Mund, goß sich Wein ein, spuckte den Olivenkern in seine Hand und trank. Er sah sich um, wo er den Kern hinlegen konnte, während er an der nächsten kaute. Dann nahm er noch eine. Schließlich warf er die Kerne in den Plastiksack unter der Spüle.

Er schnitt zwei Scheiben Brot ab, legte Salamischeiben dazwischen und goß sich Wein nach. Auf dem Tisch lag die neue Ausgabe von *Epoca*, in der Paola offenbar gelesen hatte. Er setzte sich hin, schlug die Zeitschrift auf, biß von seinem Sandwich ab. Da klingelte das Telefon.

Kauend trottete er ins Wohnzimmer, in der Hoffnung, das Klingeln würde aufhören, bevor er zum Telefon kam. Beim siebten Mal nahm er ab und meldete sich mit Namen.

»Hallo, hier ist Brett«, sagte sie eilig. »Tut mir leid, daß ich Sie zu Hause störe, Guido, aber ich würde gern mit Ihnen reden. Wenn es geht.«

»Ist es wichtig?« fragte er, wohl wissend, daß sie sonst

wahrscheinlich nicht anrufen würde, aber gleichzeitig in der Hoffnung, daß er sich irrte.

»Ja. Es geht um Flavia.« Auch das war ihm klar. »Sie hat einen Brief von seinem Anwalt bekommen.« Er brauchte nicht zu fragen, von wessen Anwalt. »Und wir haben über die Auseinandersetzung gesprochen, die sie mit ihm hatte.« Das mußte wohl Wellauer sein. Brunetti wußte, daß er ihr eigentlich anbieten sollte, sich mit ihr zu treffen, aber ihm fehlte der rechte Wille.

»Guido, sind Sie noch da?« Er hörte an ihrer Stimme, wie angespannt sie war, auch wenn sie versuchte, sich nichts anmerken zu lassen.

»Ja. Wo sind Sie?«

»Ich bin bei mir zu Hause. Aber da können wir uns nicht treffen.« Sie stockte, und plötzlich wollte er mit ihr reden.

»Brett, passen Sie auf. Kennen Sie die Giro-Bar, am Campo Santa Marina?«

»Ja.«

»Ich bin in einer Viertelstunde da.«

»Danke, Guido.«

»Also, in einer Viertelstunde dann«, wiederholte er und legte auf. Er kritzelte ein paar Zeilen für Paola und aß den Rest seines Brotes, während er die Treppe hinunterlief.

Das Giro war eine verrauchte, trostlose Kneipe, eine der wenigen Bars in der Stadt, die nach zehn noch aufhatten. Vor ein paar Monaten hatte der Besitzer gewechselt, und der neue hatte sein Bestes getan, das Lokal mit weißen Vorhängen und flotter Musik aufzumöbeln. Doch dadurch war es nicht zur Szenekneipe geworden, hatte aber aufgehört, ein Treff für die Einheimischen zu sein, wo Freunde auf einen Kaffee oder Drink zusammenkamen. Es konnte weder mit Stil noch mit Charme aufwarten, dafür mit überteuerten Weinen und rauchgeschwängerter Luft.

Beim Eintreten sah er sie, den Blick auf die Tür gerichtet, an einem Tisch im Hintergrund sitzen. Dabei wurde sie ihrerseits von den drei oder vier jungen Männern beäugt, die, an der Bar stehend, Rotwein aus kleinen Gläsern tranken und mit ihrer extralauten Unterhaltung versuchten, ihr zu imponieren. Er spürte die Blicke im Rücken, während er zu ihrem Tisch ging. Als er ihr herzliches Lächeln sah, war er froh, daß er gekommen war.

»Danke«, sagte sie schlicht.

»Erzählen Sie mir von dem Brief.«

Sie blickte auf den Tisch, wo ihre Hände mit den Handflächen nach unten lagen, und bewegte sie nicht, während sie mit ihm sprach. »Er ist von einem Anwalt in Mailand, demselben, der ihn bei der Scheidung vertreten hat. Er schreibt, er habe Informationen, daß Flavia ein ›unmoralisches und widernatürliches Leben‹ führe – das waren seine Worte. Sie hat mir den Brief gezeigt. ›Ein unmoralisches und widernatürliches Leben‹.« Sie sah zu ihm hoch und versuchte zu lächeln. »Das soll wohl ich sein, was?« Sie hob in einer ohnmächtigen Geste die Hand. »Ich kann es nicht glauben«, meinte sie kopfschüttelnd. »Er schreibt, daß sie Anklage gegen sie erheben und darum bitten... vielmehr verlangen würden, daß der Vater wieder das Sorgerecht bekommt. Das war eine amtliche Absichtserklärung.« Sie hielt inne und bedeckte mit einer Hand ihre Augen. »Sie teilen es uns offiziell mit.« Ihre Hand fuhr unwillkürlich zum Mund, als wollte sie die Wörter zurückdrängen. »Nein,

nicht uns, nur Flavia. Gegen sie soll das Verfahren wieder-
aufgenommen werden.«

Brunetti merkte, daß sich ein Ober näherte, und winkte
ihn energisch weg. Als der Mann außer Hörweite war,
fragte er: »Und was noch?« Sie versuchte die Worte heraus-
zubringen, das sah man förmlich, aber sie schaffte es nicht.
Sie blickte auf und grinste nervös, genau wie Chiara, wenn
sie etwas angestellt hatte und es ihm beichten mußte.

Dann murmelte sie etwas Unverständliches und senkte
den Kopf.

»Was war das, Brett? Ich habe Sie nicht verstanden.«

Ihr Blick war auf die Tischplatte gerichtet. »Mußte mit
jemandem darüber reden. Hab sonst niemand.«

»Sonst niemand?« Sie hatte einen Großteil ihres Lebens
in dieser Stadt verbracht, und da gab es niemanden, mit dem
sie darüber reden konnte? Nur den Polizeibeamten, dessen
Aufgabe es war, herauszufinden, ob sie eine Mörderin
liebte?

»Niemanden?«

»Ich habe keinem Menschen von Flavia erzählt«, sagte
sie, und diesmal sah sie ihn an. »Sie wollte kein Gerede,
meinte, es sei nicht gut für ihre Karriere. Ich habe nie mit
jemandem über sie gesprochen. Über uns.« Er mußte plötzlich daran denken, was Padovani über Paolas erste Verliebt-
heit erzählt hatte, wie sie es allen ihren Freunden berichtet
und nichts anderes im Kopf gehabt hatte. Die Welt hatte ihr
nicht nur die Freude zugestanden, sondern auch das Recht,
sie öffentlich zu zeigen. Und diese Frau war seit zwei Jahren
verliebt, keine Frage, und hatte es keinem Menschen erzählt. Außer ihm. Dem Polizeibeamten.

»Wird Ihr Name in dem Brief genannt?«

Sie schüttelte den Kopf.

»Und Flavia? Was sagt sie dazu?«

Sie biß sich auf die Lippen, hob eine Hand und deutete auf ihr Herz.

»Sie gibt Ihnen die Schuld?«

Sie nickte, genau wie Chiara es getan hätte, und fuhr sich mit dem Handrücken unter der Nase entlang. Danach glänzte er feucht. Brunetti zog sein Taschentuch heraus und drückte es ihr in die Hand. Sie nahm es, offenbar ohne zu wissen, was sie damit anfangen sollte, hielt es fest und saß da, während ihr die Tränen übers Gesicht liefen und ihre Nase tropfte. Ohne die geringste Verlegenheit, nur mit dem Gedanken daran, daß er ja auch Vater war, nahm er das Taschentuch und tupfte ihr damit das Gesicht ab. Sie wich zurück und nahm es ihm aus der Hand, wischte sich übers Gesicht, schneuzte sich die Nase und steckte das Tuch ein, das zweite, das er innerhalb einer Woche los wurde.

»Sie sagt, es sei meine Schuld, das alles wäre ohne mich nicht passiert.« Ihre Stimme klang angespannt und rauh. Sie schnitt eine Grimasse. »Das Schlimme ist, daß es stimmt. Ich weiß, es stimmt nicht wirklich, aber so, wie sie es sagt, kann ich es nicht widerlegen.«

»Stand in dem Brief, woher die Information kam?«

»Nein. Aber es muß Wellauer gewesen sein.«

»Gut.«

Sie sah ihn erstaunt an. »Wieso soll das gut sein? Der Anwalt schreibt, daß sie Klage erheben wollen. Dann käme alles an die Öffentlichkeit.«

»Brett«, sagte er mit ruhiger, fast ausdrucksloser Stimme.

»Denken Sie doch mal nach. Falls Wellauer der Zeuge war, müßte er aussagen. Und selbst wenn er noch lebte, würde er sich niemals in eine solche Sache verwickeln lassen. Das Ganze ist nur eine Drohung.«

»Aber trotzdem, wenn sie Anklage erheben ...«

»Man will Ihnen nur Angst einjagen. Und das ist ja, wie man sieht, gelungen. Kein Gericht, nicht einmal ein italienisches, würde nur nach dem Hörensagen urteilen, und mehr ist der Brief ja nicht, solange der Schreiber keine Aussage macht.« Er beobachtete sie, während sie darüber nachdachte. »Es gibt doch keine Beweise, oder?«

»Was meinen Sie damit?«

»Briefe zum Beispiel. Ich weiß nicht. Gespräche.«

»Nein, es gibt nichts Derartiges. Ich habe nie geschrieben, nicht einmal aus China. Und Flavia ist immer viel zu beschäftigt, um zu schreiben.«

»Und Signora Petrellis Freunde? Wissen die etwas?«

»Keine Ahnung. Die Leute reden nicht gern über solche Dinge.«

»Dann glaube ich nicht, daß Sie sich Sorgen machen müssen.«

Sie versuchte zu lächeln, versuchte sich einzureden, daß es ihm gelungen sei, sie aus ihrer Verzweiflung zu erlösen. »Wirklich?«

»Ja, wirklich«, bestätigte er lächelnd. »Ich habe viel mit Anwälten zu tun, und dieser hier will Sie mit seiner Drohung nur einschüchtern.«

»Also«, begann sie mit einem Lachen, das sich in einen Schluckauf verwandelte, »das ist ihm jedenfalls gelungen.« Dann fügte sie leise hinzu: »Dem Mistkerl.«

Nun hielt Brunetti es für angebracht, zwei Cognacs zu bestellen, die der Ober unverzüglich brachte. Als die Gläser vor ihnen standen, sagte sie: »Flavia war abscheulich.«

Er nahm einen Schluck und wartete.

»Sie hat schreckliche Sachen gesagt.«

»Das tun wir alle manchmal.«

»Ich nicht«, entgegnete sie ohne Zögern, und er vermutete, daß es stimmte. Sie würde Sprache als Werkzeug benutzen, nicht als Waffe.

»Sie wird es vergessen, Brett. Wer solche Sachen sagt, vergißt es meist schnell wieder.«

Sie zuckte die Achseln, tat es als unwichtig ab. Sie würde es nicht vergessen, das war klar.

»Was wollen Sie jetzt tun?« fragte er, ernsthaft an ihrer Antwort interessiert.

»Nach Hause gehen. Sehen, ob sie da ist. Sehen, was passiert.«

Als er das hörte, merkte er, daß er sich nicht einmal dafür interessiert hatte, ob Flavia Petrelli eine eigene Wohnung in der Stadt besaß, daß er gar nicht auf die Idee gekommen war, ihr Verhalten sowohl vor wie nach Wellauers Tod zu untersuchen. Konnte man ihn so leicht hinters Licht führen? Unterschied er sich überhaupt von allen anderen Männern – ein hübsches Gesicht, ein paar Tränen, der Anschein von Intelligenz und Aufrichtigkeit, und schon verwarf er die Möglichkeit, daß ein solches Wesen jemanden umgebracht haben könnte oder jemanden liebte, der das getan hatte?

Es gab ihm zu denken, wie leicht er sich von dieser Frau hatte entwaffnen lassen. Er zog ein paar Scheine aus der

Tasche und legte sie auf den Tisch. »Ja, das ist eine gute Idee«, sagte er schließlich, schob seinen Stuhl zurück und stand auf.

Er spürte, daß sie plötzlich unsicher geworden war, als sie sah, wie er so unvermittelt vom Freund zum Fremden wurde. Er konnte es noch nicht einmal besonders gut. »Kommen Sie, ich begleite Sie bis San Giovanni e Paolo.« Draußen schob er, da es Nacht und für ihn Gewohnheit war, beim Gehen seinen Arm unter den ihren. Sie schwiegen beide. Ihm wurde bewußt, wie weiblich sie sich anfühlte, wie ihre Hüfte sich wölbte, wie angenehm es war, wenn sie sich enger an ihn drückte, um Entgegenkommenden auf den schmalen Straßen auszuweichen. All das bemerkte er, während er sie nach Hause begleitete zu ihrer Geliebten.

Unter dem Reiterstandbild Colleonis sagten sie sich gute Nacht, nichts weiter, nur ein schlichtes ›Gute Nacht‹.

23

Brunetti ging durch die stille Stadt nach Hause, aufge-
wühlt durch das, was er eben gehört hatte. Er hatte immer
geglaubt, von Liebe etwas zu verstehen, schon durch sein
Leben mit Paola. War er denn so konventionell, daß die
Liebe dieser Frau – denn Liebe war es zweifellos – ihm derart fremd bleiben mußte, nur weil sie nicht mit seinen Vorstellungen übereinstimmte? Dann verwarf er das alles als
Sentimentalität übelster Sorte und konzentrierte sich auf
die Frage, die er sich schon in der Bar gestellt hatte: ob seine
Sympathie für diese Frau, die Tatsache, daß er sich durch
irgend etwas zu ihr hingezogen fühlte, ihn blind gemacht
hatte für seine eigentliche Aufgabe. Flavia Petrelli schien
ihm einfach nicht der Mensch zu sein, der kaltblütig jemanden umbringen würde. Er zweifelte nicht daran, daß sie in
einem Augenblick der Erregung oder Leidenschaft fähig
sein würde, jemanden zu töten; das sind die meisten Menschen. Aber bei ihr wäre es wohl eher ein Messer zwischen
die Rippen oder ein Stoß die Treppe hinunter, nicht Gift,
das man kühl, fast leidenschaftslos verabreichte.

Wer dann? Die Schwester in Argentinien? War sie zurückgekehrt und hatte Rache für den Tod ihrer älteren
Schwester genommen? Nach fast einem halben Jahrhundert? Der Gedanke war absurd.

Wer also? Nicht Santore, der Regisseur. Nicht eines
Freundes wegen, dessen Vertrag nicht zustande kam. Santore hatte nach so vielen Jahren des Theaterlebens sicher

genug Verbindungen, um seinem Freund eine Rolle zu verschaffen, selbst wenn dessen Talent noch so bescheiden war. Selbst wenn er überhaupt kein Talent hatte.

Blieb die Witwe, aber sein Instinkt sagte Brunetti, daß ihre Trauer echt war und ihr mangelndes Interesse an der Ermittlung des Täters nichts mit Selbstschutz zu tun hatte. Überhaupt schien sie allenfalls den Toten schützen zu wollen, und das führte Brunetti wieder an den Anfang zurück, daß er nämlich mehr über die Vergangenheit dieses Mannes erfahren wollte und mußte, über seinen Charakter, über den Riß in seiner sorgsamen Pose moralischer Redlichkeit, der jemanden dazu gebracht haben könnte, ihm Gift in den Kaffee zu tun.

Es machte Brunetti zu schaffen, daß Wellauer ihm nicht sonderlich sympathisch war und er nicht das Mitgefühl und den Zorn aufbringen konnte, die er sonst für den empfand, dem man das Leben genommen hatte. Er konnte sich nicht davon frei machen, daß Wellauer – viel deutlicher vermochte er es nicht auszudrücken – auf irgendeine Weise in seinen eigenen Tod verwickelt war. Er schnaubte wütend; jeder ist in seinen eigenen Tod verwickelt. Aber so sehr er sich auch bemühte, der Gedanke ließ sich weder vertreiben noch klarer fassen, und so suchte er weiter nach dem Detail, das diesen Tod provoziert haben konnte – und fand es nicht.

Der nächste Morgen war so trübe wie seine Stimmung. Im Lauf der Nacht war dichter Nebel aufgekommen, der von dem Wasser hochstieg, auf das die Stadt gebaut war, nicht vom Meer. Als er aus dem Haus trat, schlugen ihm die kalten Schwaden ins Gesicht und krochen in seinen

Kragen. Er konnte nur ein paar Meter weit sehen, dann wurde alles undeutlich; Häuser erschienen und verschwanden wieder, als wären sie in Bewegung und nicht der Nebel. Phantome, in schimmerndes Grau gekleidet, begegneten ihm auf der Straße und glitten wie körperlos an ihm vorbei. Wenn er sich umdrehte und ihnen mit dem Blick folgte, sah er sie verschwinden, verschluckt von dem dichten Vorhang, der in den engen Gassen und über dem Wasser hing wie ein Fluch. Instinkt und langjährige Erfahrung sagten ihm, daß der Bootsverkehr auf dem Canal Grande eingestellt war, der Nebel war einfach zu dicht. Blind ging er weiter, verließ sich auf seine Füße und die jahrelange Vertrautheit mit Brücken, Straßen und Biegungen, bis er zur Haltestelle Zattere kam, wo die Boote der Linien acht und fünf auf ihrem Weg zur Giudecca hielten.

Der Bootsverkehr war eingeschränkt, und die Vaporetti mit ihren rotierenden Radarantennen tauchten wahllos aus dem Nebel auf, von jeglichem Fahrplan entbunden. Er wartete eine Viertelstunde, bevor eine Fünf kam und den Steg so heftig rammte, daß die wenigen Wartenden durcheinanderpurzelten. Nur das Radar sah die Überfahrt, die Passagiere drängten sich in der Kabine zusammen, blind wie Maulwürfe im Sand.

Als er das Boot verlassen hatte, blieb Brunetti keine Wahl, als geradeaus zu gehen, bis er beinah die Wände der Häuser entlang des Wassers berührte. So tastete er sich weiter bis zu der Stelle, wo seiner Erinnerung nach der Durchgang sein mußte. Als die Reihe der Fassaden durch eine Öffnung unterbrochen wurde, bog er ein, unsicher, ob dies tatsächlich die Corte Mosca war. Der Nebel war zu dicht, als daß er den Namen hätte lesen können, obwohl er nur zwei Handbreit über seinem Kopf an der Mauer stand.

In der feuchtkalten Luft war der Katzengeruch noch intensiver und stieg noch beißender in die Nase. Die toten Pflanzen im Hof lagen jetzt unter einer Nebeldecke. Er klopfte an die Tür, klopfte noch einmal lauter und hörte sie von der anderen Seite rufen: »Wer ist da?«

»Commissario Brunetti.«

Wieder hörte er das langsame, ärgerliche Knirschen von Metall auf Metall, als sie die schweren Riegel zurückschob. Dann zog sie die Tür auf. Weil es so feucht war, mußte sie in der Mitte kräftig rucken und sie etwas anheben, um die Unebenheiten des Bodens zu überwinden. Sie trug denselben Mantel, diesmal allerdings bis oben zugeknöpft, und fragte nicht einmal, was er wollte. Sie trat gerade so weit zurück, daß er eintreten konnte, dann knallte sie die Tür hinter ihm zu. Wieder schob sie sorgsam alle Riegel an ihren Platz, bevor sie sich umdrehte und ihn den engen Flur entlangführte. In der Küche setzte er sich an den Ofen, und sie schob mit dem Fuß die Rolle wieder an die Tür.

Dann schlurfte sie zu ihrem Sessel und ließ sich hineinsinken, um sogleich von den wartenden Tüchern und Schals eingehüllt zu werden.

»Sie sind wieder da.«

»Ja.«

»Was wollen Sie?«

»Was ich letztes Mal auch wollte.«

»Und was wäre das? Ich bin eine alte Frau und habe kein gutes Gedächtnis mehr.« Die Intelligenz in ihren Augen strafte ihre Aussagen Lügen.

»Ich möchte gern etwas über Ihre Schwester wissen.«

Ohne erst zu fragen, welche er meinte, sagte sie: »Was wollen Sie wissen?«

»Ich möchte Sie nicht an Ihren Kummer erinnern, Signora, aber ich muß mehr über Wellauer wissen, damit ich verstehen kann, warum er gestorben ist.«

»Und ob er es verdient hat zu sterben?«

»Signora, wir alle verdienen es zu sterben, aber niemand sollte für uns entscheiden dürfen, wann.«

»Ach, du liebe Güte.« Sie lachte trocken. »Sie sind ja ein richtiger Jesuit, was? Und wer hat entschieden, wann meine Schwester sterben sollte? Und wie?« So plötzlich ihr Ärger aufgeflammt war, erstarb er wieder, und sie fragte: »Was wollen Sie wissen?«

»Ich weiß von Ihrer Beziehung zu ihm. Ich weiß, daß er als Vater des Kindes galt, das Ihre Schwester erwartete. Und ich weiß, daß sie 1939 in Rom gestorben ist.«

»Sie ist nicht einfach gestorben. Sie ist verblutet«, sagte sie in einem Ton, so düster wie der Tod. »Sie ist in dem Hotelzimmer verblutet, in das er sie nach der Abtreibung gebracht und in dem er sie nicht besucht hat.« Der Schmerz des Alters kämpfte in ihrer Stimme mit dem Schmerz der Erinnerung. »Als man sie fand, war sie schon einen Tag tot, vielleicht auch zwei. Und es dauerte noch einen Tag, bevor ich davon erfuhr. Ich stand unter Hausarrest, aber Freunde kamen und erzählten es mir. Ich bin aus dem Haus gegangen. Ich mußte erst einen Polizisten schlagen, ihn niederschlagen und ins Gesicht treten, um hinauszukommen. Aber ich bin gegangen. Und keiner, keiner von denen, die gesehen haben, wie ich ihn trat, keiner hat ihm geholfen.

Ich bin mit meinen Freunden hingegangen. Zum Hotel. Alles Nötige war schon getan, und wir haben sie noch am selben Tag beerdigt. Kein Priester kam, wegen der Art ihres Todes, also haben wir sie einfach beerdigt. Das Grab war sehr klein.« Ihre Stimme verebbte, von der Macht der Erinnerung fortgespült.

Er hatte das schon oft erlebt und war darum klug genug, sich ruhig zu verhalten. Sie hatte angefangen zu erzählen und würde nicht aufhören können, bis sie alles gesagt und sich davon befreit hatte. Er wartete geduldig, ging mit ihr in die Vergangenheit zurück.

»Wir haben sie ganz in Weiß gekleidet. Und dann haben wir sie in diesem kleinen Grab beerdigt. In diesem winzigen Loch. Nach der Beerdigung bin ich in meine Wohnung zurückgegangen, und sie haben mich verhaftet. Aber da ich sowieso schon verhaftet war, spielte es keine Rolle. Ich habe mich nach dem Polizisten erkundigt, und man hat mir gesagt, daß er nicht weiter verletzt sei. Ich habe mich bei ihm entschuldigt, als ich ihn später wiedersah. Nach dem Krieg, als die Alliierten in der Stadt waren, hat er sich einen Monat in meinem Keller versteckt, bis seine Mutter ihn holte. Ich hatte keinen Grund, ihn zu verabscheuen oder ihm etwas antun zu wollen.«

»Wie ist es dazu gekommen?«

Sie sah ihn verwirrt an, diesmal verstand sie wirklich nicht.

»Ihre Schwester und Wellauer?«

Sie fuhr sich über die Lippen und blickte auf ihre verkrüppelten Hände zwischen den Schals. »Ich habe sie bekannt gemacht. Er hatte gehört, wie meine Laufbahn angefangen hatte, und als sie nach Deutschland kamen, um mich singen zu hören, bat er mich, sie ihm vorzustellen, Clara und die kleine Camilla.«

»Waren Sie zu dem Zeitpunkt mit ihm zusammen?«

»Meinen Sie, ob er mein Liebhaber war?«

»Ja.«

»Das war er. Es begann, fast unmittelbar nachdem ich hinkam, um dort zu singen.«

»Und seine Affäre mit Ihrer Schwester?« fragte er.

Ihr Kopf flog zurück, als hätte er sie geohrfeigt. Sie beugte sich vor, und Brunetti dachte schon, sie wolle nach ihm schlagen. Statt dessen spuckte sie. Ein dünnes, wäßriges Tröpfchen landete auf seinem Oberschenkel und versickerte langsam im Stoff seiner Hose. Er war zu verblüfft, um es wegzuwischen.

»Verdammtes Pack. Ihr seid alle gleich. Immer noch alle gleich«, schrie sie mit wütender, krächzender Stimme. »Ihr seht etwas und findet den Dreck, den ihr sucht.« Ihre Stimme wurde lauter, und sie wiederholte höhnisch seine Worte: »Seine Affäre mit meiner Schwester. Seine Affäre.« Sie beugte sich näher zu ihm, die Augen haßerfüllt zusammengekniffen, und flüsterte: »Meine Schwester war zwölf. Zwölf Jahre alt. Wir haben sie in ihrem Kommunionkleid begraben, so klein war sie noch. Sie war ein Kind.

Er hat sie vergewaltigt, Signor Commissario. Er hatte keine Affäre mit meiner kleinen Schwester. Er hat sie vergewaltigt. Beim ersten Mal, und all die anderen Male, hat er ihr gedroht, er würde mir erzählen, was sie für ein schlechtes Mädchen sei. Und dann, als sie schwanger war, hat er uns beide nach Rom zurückgeschickt. Und ich wußte nichts davon. Denn er war immer noch mein Liebhaber. Mit mir ins Bett gehen, und dann meine kleine Schwester vergewaltigen. Verstehen Sie jetzt, Commissario, warum ich froh bin, daß er tot ist, und warum ich sage, daß er es verdient hat?« Ihr Gesicht war verzerrt von der Wut, die sie ein halbes Jahrhundert mit sich herumgetragen hatte.

»Wollen Sie alles wissen, Commissario, ja?«

Brunetti nickte, verstand.

»Er kam nach Rom zurück, um jene Aufführung von *Norma* zu dirigieren. Und sie sagte ihm, daß sie schwanger sei. Uns hatte sie aus lauter Angst nichts davon erzählt. Angst, wir würden ihr sagen, was sie für ein schlechtes Mädchen sei. Er arrangierte also die Abtreibung und brachte sie hin und anschließend in das Hotel. Und da hat er sie allein gelassen, und sie ist verblutet. Und als sie starb, war sie immer noch erst zwölf.«

Er sah ihre Hand aus dem Wust der Schals und Tücher hervorkommen, sah sie zu ihm emporfahren. Er nahm nur den Kopf ein wenig zurück, und der Schlag verfehlte ihn. Das machte sie so wütend, daß sie mit ihrer verkrüppelten Hand auf die hölzerne Armlehne ihres Sessels hieb und vor Schmerz aufschrie.

Sie stemmte sich aus ihrem Sessel hoch, und die Schals und Decken glitten zu Boden. »Verschwinde aus meinem Haus, du Schwein. Du Schwein.«

Brunetti sprang von ihr weg, stolperte über ein Stuhlbein und taumelte vor ihr her durch den Flur. Sie hatte noch immer den Arm erhoben, und er floh vor diesem wilden Zorn. Sie hielt keuchend inne, während er an den Riegeln rüttelte und sie zurückschob. Im Hof draußen hörte er sie immer noch kreischen, wütend auf ihn, auf Wellauer, auf die ganze Welt. Sie knallte die Tür zu und verriegelte sie, aber sie wütete weiter. Er stand fröstelnd im Nebel, erschüttert von der Wut, die er in ihr entfacht hatte. Er zwang sich, tief durchzuatmen und den Moment zu vergessen, als er wirklich Angst vor der Frau gehabt hatte, Angst vor der enormen Wucht der Erinnerung, die sie aus ihrem Sessel gerissen und dazu getrieben hatte, auf ihn loszugehen.

24

Er mußte fast eine halbe Stunde auf das Boot warten, und als Nummer fünf endlich angetuckert kam, war er gründlich durchgefroren. Der Nebel hatte sich nicht gelichtet, so saß er auf der Rückfahrt über die Lagune nach Zattere fröstelnd in der nur mäßig warmen Kabine und starrte auf das feuchte Weiß, das um die beschlagenen Fenster waberte. In der Questura angelangt, ging er die Treppe hinauf in sein Büro, ohne Notiz von den paar Leuten zu nehmen, die ihn grüßten. Er machte die Tür hinter sich zu, behielt aber den Mantel an und wartete, daß die Kälte aus seinem Körper wich. Bilder drängten sich ihm auf. Er sah die alte Frau wie eine wilde Furie kreischend den feuchten Flur entlanghumpeln; er sah die drei Mädchen zum kunstvollen Dreieck formiert, er sah die jüngste tot in ihrem Kommunionkleidchen. Und alles war ihm klar, das ganze Muster, das ganze Schema.

Er zog endlich den Mantel aus und warf ihn über eine Stuhllehne. Dann wühlte er in den Papierstapeln herum, die sich auf seinem Schreibtisch angesammelt hatten, schob Akten und Mappen beiseite, bis er den grünen Aktendeckel mit dem Autopsiebericht gefunden hatte.

Auf der zweiten Seite stand, wonach er suchte: Rizzardi beschrieb die kleinen Wunden an Arm und Gesäß. Er bezeichnete sie als »Spuren subkutaner Blutung, Ursache unbekannt«.

Keiner der beiden Ärzte hatte im Gespräch mit Brunetti

erwähnt, daß er Wellauer eine Spritze gegeben habe. Aber wenn man mit einer Ärztin verheiratet war, mußte man einer Spritze wegen wohl kaum einen Termin bei einem anderen Arzt haben. Ebenso war Brunetti sicher, daß er auch keinen Termin vereinbaren mußte, um mit dieser Ärztin zu sprechen.

Er suchte noch einmal in dem Papierwust herum, fand den Bericht der deutschen Polizei und las darin, bis er auf eine Stelle stieß, die sein Gedächtnis geplagt hatte. Elisabeth Wellauers erster Mann, Alexandras Vater, lehrte nicht nur an der Universität Heidelberg, sondern war auch Leiter des pharmakologischen Instituts. Sie hatte ihn auf dem Weg nach Venedig besucht.

»Ja?« sagte Elisabeth Wellauer, als sie ihm die Tür aufmachte.

»Ich muß mich schon wieder für eine Störung entschuldigen, Signora, aber ich habe neue Informationen und würde Ihnen dazu gern einige Fragen stellen.«

»Worum geht es?« fragte sie, ohne Anstalten zu machen, die Tür auch nur einen Zentimeter weiter zu öffnen.

»Um die Ergebnisse der Autopsie an Ihrem Mann«, erklärte er in der Gewißheit, sich dadurch Zutritt zu verschaffen. Mit einer abrupten, ungraziösen Bewegung zog sie die Tür auf und trat beiseite. Schweigend ging sie voraus in das Zimmer, in dem sie sich schon zweimal gegenübergesessen hatten, und deutete auf den Sessel, den er inzwischen langsam als seinen betrachtete. Er wartete, während sie sich eine Zigarette anzündete, eine für sie so typische Geste, daß er kaum mehr darauf achtete.

»Nach der Autopsie« – begann er ohne Umschweife – »sagte mir der Pathologe, er habe Spuren subkutaner Blutung am Körper Ihres Mannes festgestellt, die von Injektionen stammen könnten. Das steht auch in seinem Bericht.« Er wartete einen Moment, um ihr Gelegenheit zu einer Erklärung zu geben. Als keine kam, fuhr er fort: »Dr. Rizzardi meinte, es hätte alles mögliche sein können: Drogen, Vitamine, Antibiotika. Er sagte, so wie die Einstichstellen lagen, habe Ihr Mann sich diese Injektionen nicht selbst geben können – er war doch Rechtshänder, oder?«

»Ja.«

»Die Stellen am Arm waren auch rechts, also konnte er sich nicht selbst gespritzt haben.« Er gestattete sich eine winzige Pause. »Falls es Injektionen waren.« Wieder eine Pause. »Signora, haben Sie Ihrem Mann diese Spritzen gegeben?«

Sie antwortete nicht, also wiederholte er die Frage: »Haben Sie Ihrem Mann diese Injektionen gegeben, Signora?« Keine Reaktion. »Signora, verstehen Sie meine Frage? Haben Sie Ihrem Mann diese Spritzen gegeben?«

»Es waren Vitaminspritzen«, sagte sie endlich.

»Was für welche?«

»B-12.«

»Woher hatten Sie das Mittel? Von Ihrem Exmann?«

Die Frage überraschte sie offensichtlich. Sie schüttelte heftig den Kopf. »Nein, er hat nichts damit zu tun. Ich habe das Rezept ausgestellt, als wir noch in Berlin waren. Helmut klagte über Müdigkeit, und ich schlug ihm vor, es mit einer B-12-Spritzenkur zu versuchen. Er hatte das früher schon gemacht, und es hatte ihm geholfen.«

»Wann haben Sie mit den Injektionen angefangen, Signora?«

»Ich weiß es nicht mehr genau. Vor sechs Wochen etwa.«

»Wurde es besser?«

»Was?«

»Mit Ihrem Mann. Haben die Spritzen sein Befinden verbessert? Hatten sie die Wirkung, die Sie sich erhofften?«

Sie sah ihn scharf an bei dieser zweiten Frage, antwortete aber gelassen. »Nein, sie schienen ihm nicht zu helfen. Darum habe ich nach sechs oder sieben beschlossen, die Behandlung abzubrechen.«

»Haben Sie das beschlossen, Signora, oder Ihr Mann?«

»Was ist da für ein Unterschied? Es hat nicht geholfen, also hat er sie nicht mehr bekommen.«

»Ich glaube, es ist ein großer Unterschied, wer entschieden hat, die Behandlung nicht fortzusetzen, Signora. Und ich glaube, Sie wissen das.«

»Dann war er es wohl, der entschieden hat.«

»Wo haben Sie das Rezept eingereicht? Hier in Italien?«

»Nein, ich habe ja hier keine Zulassung. In Berlin, vor unserer Abfahrt.«

»Aha. Der Apotheker müßte es also überprüfen können.«

»Ja, wahrscheinlich schon. Aber ich weiß nicht mehr, wo ich es geholt habe.«

»Wollen Sie damit sagen, daß Sie ein Rezept ausgestellt haben und es einfach in irgendeiner beliebigen Apotheke eingereicht haben?«

»Ja.«

»Wie lange haben Sie in Berlin gewohnt, Signora?«

»Zehn Jahre. Aber was hat das damit zu tun?«

»Es kommt mir eigenartig vor, daß ein Arzt zehn Jahre in einer Stadt lebt und keine Stammapotheke hat. Oder daß der Maestro nicht eine hatte, wo er immer hinging.«

Ihre Antwort ließ einen Moment zu lange auf sich warten. »Das hatte er. Wir beide. Aber an dem Tag, als ich das Rezept ausschrieb, war ich nicht zu Hause und bin in die erstbeste Apotheke gegangen, die gerade am Weg lag.«

»Sie wissen aber sicher noch, wo das war. So lange ist es ja noch nicht her.«

Sie blickte aus dem Fenster, konzentrierte sich und versuchte sich zu erinnern. Schließlich wandte sie sich ihm zu und sagte: »Es tut mir leid, aber ich weiß es nicht mehr.«

»Das ist nicht weiter schlimm, Signora«, meinte er leichthin, »die Berliner Polizei wird das sicher für uns herausfinden.« Sie sah auf, überrascht, vielleicht auch mehr als das. »Und ich bin sicher, sie werden auch feststellen, worum es sich gehandelt hat, um welche Art von« – er hielt nur ganz kurz inne, bevor er das letzte Wort aussprach – »Vitamin.«

Obwohl ihre Zigarette noch brennend im Aschenbecher lag, griff sie nach dem Päckchen, änderte aber dann ihre Bewegung und schob die Schachtel mit einem Finger im Kreis herum, jedesmal genau eine Vierteldrehung. »Sollen wir langsam damit aufhören?« fragte sie mit ausdrucksloser Stimme. »Ich mochte solche Spiele noch nie, und Ihre Stärke sind sie auch nicht gerade.«

Er hatte im Laufe der Jahre unzählige Male miterlebt, wie Menschen an den Punkt kamen, an dem sie nicht mehr weiterkonnten, den Punkt, an dem sie, wie widerstrebend auch immer, die Wahrheit sagten. Wie eine belagerte Stadt: zuerst fielen die äußeren Verteidigungsstellungen, dann kam der erste Rückzug, das erste Zugeständnis an den nahenden Feind. Es hing vom Verteidiger ab, ob der Kampf schnell oder langsam weiterging, an diesem oder jenem Schutzwall ins Stocken geriet; vielleicht gab es einen Gegenangriff, vielleicht auch nicht. Aber die erste Reaktion war immer dieselbe: der fast erleichterte Verzicht auf die Lüge, der am Ende der Wahrheit das Tor öffnete.

»Es waren keine Vitaminspritzen. Das wissen Sie, nicht wahr?« fragte sie.

Er nickte.

»Und wissen Sie, was es war?«

»Nein, nicht genau. Aber ich glaube, es war ein Antibiotikum. Welches, weiß ich nicht, aber das ist wohl nicht so wichtig.«

»Nein, es ist nicht wichtig.« Sie sah mit einem winzigen Lächeln zu ihm auf, dessen Traurigkeit an ihren Augen abzulesen war. »Netilmicina. Ich glaube, unter diesem Namen wird es hier in Italien verkauft. Das Rezept habe ich in der Ritter-Apotheke abgegeben, drei Querstraßen vom Eingang zum Zoo. Nicht schwer zu finden.«

»Was haben Sie Ihrem Mann gesagt?«

»Was ich Ihnen gesagt habe, B-12.«

»Wie viele haben Sie ihm gegeben?«

»Sechs, jeweils im Abstand von sechs Tagen.«

»Wie lange hat es gedauert, bis er die Wirkung spürte?«

»Ein paar Wochen. Wir haben nicht viel miteinander gesprochen damals, aber als seine Ärztin hat er mich noch konsultiert, erst seiner Müdigkeit wegen und dann wegen des Gehörs.«

»Und was haben Sie ihm gesagt?«

»Ich gab ihm sein Alter zu bedenken, und dann sagte ich, daß es eine vorübergehende Nebenwirkung des Vitamins sein könnte. Das war dumm von mir. Ich habe medizinische Fachliteratur im Haus, und er hätte jederzeit nachprüfen können, ob meine Angaben stimmten.«

»Hat er es getan?«

»Nein. Er vertraute mir. Ich war ja seine Ärztin.«

»Wie hat er es dann erfahren? Oder wodurch ist ihm der Verdacht gekommen?«

»Er ist zu Erich gegangen deswegen. Sie wissen das, sonst wären Sie nicht gekommen, um diese Fragen zu stellen. Und als wir hier in Venedig waren, hat er plötzlich diese Hörbrille getragen, daher wußte ich, daß er bei einem anderen Arzt gewesen sein mußte. Als ich ihm die nächste Spritze geben wollte, lehnte er ab. Da wußte er natürlich schon Bescheid, aber wie er darauf gekommen ist, weiß ich nicht. Durch den anderen Arzt?« fragte sie.

Er nickte wieder.

Sie lächelte wieder ihr trauriges Lächeln.

»Und dann, Signora?«

»Wir waren während der Behandlung nach Venedig gekommen. Ich habe ihm tatsächlich hier in diesem Zimmer die letzte Spritze gegeben. Vielleicht hat er es da schon gewußt und wollte nur nicht glauben, was er wußte.« Sie schloß die Augen und rieb mit den Händen darüber. »Eine sehr komplizierte Frage, ab wann er alles wußte.«

»Und wann war Ihnen schließlich klar, daß er es wußte?«

»Das muß vor etwa zwei Wochen gewesen sein.

Einerseits überrascht es mich, daß er so lange dazu gebraucht hat, aber wir liebten uns eben so sehr.« Sie sah zu ihm hinüber, als sie das sagte. »Er wußte, wie sehr ich ihn liebte, und konnte nicht glauben, daß ich ihm so etwas antun würde.« Sie lächelte schmerzlich bei diesen Worten. »Als ich damit begonnen hatte, gab es Zeiten, da konnte ich es selbst nicht glauben, wenn ich daran dachte, wie sehr ich ihn liebte.«

»Wann ist Ihnen klargeworden, daß er wußte, was Sie ihm gespritzt hatten?«

»Eines Abends saß ich hier und las. Ich war an dem Tag nicht wie sonst mit zur Probe gegangen. Das Zuhören tat zu weh, all die falschen Töne, die Einsätze, die zu früh oder zu spät kamen, und das Bewußtsein, daß ich dafür verantwortlich war, so eindeutig, als hätte ich ihm den Stab aus der Hand genommen und würde ihn wie wild in der Luft herumschwenken.« Sie hielt inne, als lauschte sie der dissonanten Musik in jenen Proben.

»Ich habe also gelesen oder versucht zu lesen, und da hörte ich –« Beim Klang des Wortes sah sie auf und sagte, wie ein Schauspieler, der im vollen Theater ein »*Beiseite*« einstreut: »Mein Gott, man kann das Wort kaum umgehen, nicht?« und glitt wieder zurück in ihre Rolle. »Er kam früh, war früh aus dem Theater zurückgekommen. Ich hörte, wie er durch den Flur kam und die Tür aufmachte. Er war noch im Mantel und hatte die Partitur von *La Traviata* unter dem Arm. Es war eine seiner Lieblingsopern. Er dirigierte sie sehr gern. Er kam also herein und stand da, dort drüben«, sie deutete in die Leere, wo jetzt niemand stand. »Er sah mich an und fragte: ›Das hast *du* getan, nicht wahr?‹« Sie blickte immer noch zur Tür, als erwartete sie, diese Worte noch einmal zu hören.

»Haben Sie ihm geantwortet?«

»Das war ich ihm wohl schuldig, nicht?« meinte sie ruhig und sachlich. »Ja, ich habe ihm gesagt, daß ich es war.«

»Wie reagierte er darauf?«

»Er ging. Nicht aus dem Haus, nur aus dem Zimmer. Und dann haben wir es so eingerichtet, daß wir uns bis zum Premierenabend nicht sahen.«

»Hat er Ihnen irgendwie gedroht? Wollte er die Polizei einschalten? Sie bestrafen?«

Sie schien aufrichtig erstaunt über die Frage. »Was hätte das geändert? Wenn Sie mit dem Arzt gesprochen haben, dann wissen Sie, daß der Schaden irreversibel ist. Die Polizei hätte nichts tun können, niemand konnte etwas tun, um ihm das Gehör wiederzugeben. Und er konnte mich nicht bestrafen.« Sie hielt inne, bis sie sich eine Zigarette angezündet hatte. »Außer durch das, was er getan hat«, sagte sie dann.

»Und was war das?« fragte Brunetti.

Ihre Antwort war eine offene Zurechtweisung. »Wenn Sie soviel wissen, wie es den Anschein hat, dann wissen Sie ja wohl auch das.«

Er erwiderte ihren Blick mit möglichst ausdrucksloser Miene. »Ich habe noch zwei Fragen, Signora. Die erste stelle ich wirklich aus Unwissenheit. Die zweite ist einfacher, und ich glaube, die Antwort schon zu kennen.«

»Dann fangen Sie mit der zweiten an«, sagte sie.

»Sie betrifft Ihren Mann. Warum sollte er versuchen, Sie auf diese Weise zu bestrafen?«

»Meinen Sie, indem er es so hinstellte, als ob ich ihn umgebracht hätte?«

»Ja.«

Er beobachtete, wie sie versuchte zu antworten, sah, wie sie die Worte formte und wieder fallenließ, vergaß. Endlich sagte sie leise: »Er sah sich als über dem Gesetz stehend, über dem Gesetz, das wir anderen zu befolgen haben. Ich glaube, er dachte, sein Genie gebe ihm diese Macht, dieses Recht. Und weiß Gott, wir haben ihn alle darin bestärkt. Wir haben einen Gott der Musik aus ihm gemacht, sind vor ihm auf die Knie gefallen und haben ihn angebetet.« Sie hielt inne und sah zu ihm hinüber. »Tut mir leid, das ist keine Antwort auf Ihre Frage. Sie wollten wissen, ob er fähig gewesen wäre, mir die Schuld in die Schuhe zu schieben. Aber –« sagte sie und streckte ihm wie um Verständnis werbend die Hände entgegen, »ich war ja die Schuldige. Er hatte also ein Recht, mir das anzutun. Es wäre weniger schrecklich gewesen, wenn ich den Menschen umgebracht hätte; das hätte den Gott unangetastet gelassen.« Sie brach ab, aber Brunetti sagte nichts.

»Ich versuche es Ihnen aus seiner Sicht zu erzählen. Ich kannte ihn so gut, ich wußte, wie er fühlte, was er dachte.« Wieder hielt sie inne, dann nahm sie ihren Versuch, ihm die Sache verständlich zu machen, erneut auf. »Etwas Seltsames ist mir aufgegangen, nachdem er tot war und ich langsam merkte, wie sorgsam er alles geplant hatte, indem er mich hinter die Bühne bat und mich in seine Garderobe ließ. Ich fand – und finde immer noch –, daß er das Recht hatte, zu tun, was er tat, mich zu bestrafen. Er war gewissermaßen seine Musik. Und sie habe ich statt seiner getötet. Er war tot. Er war schon tot, bevor er starb. Ich hatte seinen Geist getötet. Ich sah es bei den Proben, wenn er über diese Brille schaute und versuchte, mit diesem nutzlosen Hörgerät zu hören, was mit der Musik geschah. Und er konnte nichts hören. Er konnte nichts hören.« Sie schüttelte den Kopf über etwas, das sie nicht verstand. »Er mußte mich nicht mehr bestrafen, Signor Brunetti. Das war schon geschehen. Ich habe meine Hölle hinter mir.«

Sie faltete die Hände auf dem Schoß und sprach weiter: »Am Premierenabend hat er mir gesagt, was er vorhatte.« Als sie Brunettis Überraschung sah, erklärte sie: »Nein, er hat es nicht gesagt, nicht direkt, nicht in Worten. Ich habe es zu dem Zeitpunkt nicht verstanden.«

»War das, als Sie hinter die Bühne gegangen sind?« fragte Brunetti.

»Ja.«

»Was hat sich da abgespielt?«

»Zuerst sagte er gar nichts, als er mich an der Tür stehen sah, blickte nur zu mir auf. Aber dann muß er hinter mir im Korridor etwas gesehen haben. Vielleicht dachte er, es wollte jemand zu ihm.« Sie ließ müde den Kopf sinken. »Ich weiß es nicht. Was er sagte, klang einstudiert: Das, was Tosca sagt, als sie Cavaradossis Leiche sieht: ›Finire così? Così!‹ Ich verstand es in dem Moment nicht – ›So zu enden? So!‹ –, aber ich hätte es verstehen müssen. Sie sagt es, kurz bevor sie sich umbringt, aber ich verstand es nicht. Nicht in dem Moment.« Brunetti sah erstaunt, wie ein fast amüsiertes Grinsen über ihr Gesicht huschte. »Das war so typisch für ihn, im letzten Augenblick noch dramatisch zu sein. Oder eher melodramatisch. Später habe ich mich gewundert, daß er seine letzten Worte aus einer Oper von Puccini wählte.« Sie sah auf, wieder ernst. »Hoffentlich klingt das jetzt nicht seltsam. Aber ich dachte, er würde lieber mit einem Zitat aus einer Mozart-Oper in Erinnerung bleiben. Oder Wagner.« Er sah sie gegen die aufsteigende Hysterie ankämpfen und stand auf, ging zu einem Schränkchen zwischen den beiden Fenstern und goß ihr etwas Cognac in ein kleines Glas. Er blieb einen Augenblick stehen, das Glas in der Hand, und schaute hinüber zum Glockenturm von San Marco. Dann drehte er sich um, ging zu ihr und gab es ihr.

Sie nahm es wie in Trance und nippte daran. Er ging ans Fenster zurück und betrachtete erneut den Glockenturm. Als er sicher war, daß er noch genauso aussah wie immer, trat er zurück und nahm seinen Platz ihr gegenüber wieder ein.

»Sagen Sie mir, warum Sie es getan haben, Signora?«

Ihre Verwunderung war echt. »Wenn Sie so klug waren, herauszufinden, wie ich es getan habe, dann wissen Sie doch sicher auch warum.«

Er schüttelte den Kopf. »Ich möchte nicht sagen, was ich denke, denn wenn ich mich irre, entehre ich damit den Mann.« Schon beim Sprechen merkte er, daß auch seine Worte verdächtig nach dem Libretto einer Puccini-Oper klangen.

»Das heißt, Sie verstehen es, nicht wahr?« fragte sie und beugte sich vor, um das fast volle Glas neben die Zigarettenschachtel zu stellen.

»Ihre Tochter, Signora?«

Sie biß sich auf die Oberlippe und nickte kaum wahrnehmbar. Als sie die Lippe losließ, sah er die weißen Stellen, die ihre Zähne hinterlassen hatten. Sie streckte eine Hand nach den Zigaretten aus, zog sie wieder zurück, hielt sie mit der anderen fest und sagte so leise, daß er sich vorbeugen mußte, um sie zu verstehen: »Ich hatte keine Ahnung.« Dabei schüttelte sie den Kopf angesichts der Widerwärtigkeit. »Alex ist kein musikalisches Kind. Zu Beginn unserer Bekanntschaft wußte sie nicht einmal, wer er war. Als ich ihr sagte, daß ich ihn heiraten wollte, schien sie interessiert. Und als ich ihr dann erzählte, daß er einen Bauernhof und Pferde besaß, war sie sehr interessiert. Sie hatte nur ein Interesse: Pferde. Wie die Heldin in einem englischen Kinderbuch. Pferde und Bücher über Pferde.

Sie war elf, als wir geheiratet haben. Die beiden verstanden sich gut. Nachdem sie erfahren hatte, wer er war – ich nehme an, ihre Klassenkameraden haben es ihr gesagt –, hat sie sich, glaube ich, ein bißchen vor ihm gefürchtet, aber das ging vorbei. Helmut konnte sehr gut mit Kindern umgehen.« Sie hielt abrupt inne und verzog angesichts der grotesken Ironie ihrer Worte das Gesicht.

»Und dann. Und dann. Und dann«, wiederholte sie, unfähig, sich aus den Furchen der Erinnerung zu befreien. »Im Sommer dieses Jahres mußte ich nach Budapest. Meiner Mutter ging es nicht gut. Helmut versicherte mir, ich könne beruhigt fahren. Ich nahm ein Taxi und fuhr zum Flughafen. Aber der Flugverkehr war eingestellt worden. Warum, weiß ich nicht mehr. Ein Streik. Oder Schwierigkeiten mit dem Zoll.« Sie blickte auf. »Es spielt keine Rolle, warum der Flughafen geschlossen war, oder?«

»Nein, Signora.«

»Man hielt uns über eine Stunde hin, dann hieß es, bis

zum nächsten Vormittag seien alle Flüge gestrichen. Also nahm ich mir wieder ein Taxi und fuhr nach Hause. Es war noch nicht sehr spät, nicht einmal Mitternacht, darum rief ich gar nicht erst an, um zu sagen, daß ich käme. Ich fuhr heim und schloß die Haustür auf. Es brannte nirgends Licht, und ich ging nach oben. Alex hatte schon immer einen unruhigen Schlaf, darum wollte ich als erstes nach ihr sehen. Nach ihr sehen.« Sie blickte zu ihm hinüber, ihr Gesicht war ausdruckslos.

»Als ich oben an der Treppe war, hörte ich sie. Ich dachte, sie hätte einen Alptraum. Es war kein Schreien, nur ein Geräusch. Wie von einem Tier. Nur dieses Geräusch. Nur das. Ich ging in ihr Zimmer. Er war da. Bei ihr.

Es ist eigenartig«, sagte sie ganz ruhig, als hätte sie eine rätselhafte Geschichte vor ihm ausgebreitet und wollte nun seine Meinung dazu wissen, »aber ich kann mich nicht mehr erinnern, was dann geschah. Nein, nein, ich weiß schon noch, daß er gegangen ist, aber ich weiß nicht mehr, was ich zu ihm gesagt habe, oder er zu mir. Ich bin in dieser Nacht bei Alex geblieben.

Später, ein paar Tage später, erklärte er, Alex habe schlecht geträumt.« Sie lachte angewidert und ungläubig. »Das war alles, was er dazu gesagt hat. Wir haben nie darüber gesprochen. Ich habe Alex zu ihren Großeltern geschickt. In die Schule dort. Und wir haben nie darüber gesprochen. Ach, wie modern wir doch waren, wie zivilisiert. Natürlich haben wir aufgehört, miteinander zu schlafen und zusammenzusein. Und Alex war weg.«

»Wissen die Großeltern, was geschehen ist?«

Ein rasches Kopfschütteln. »Nein, ich habe ihnen gesagt,

was ich allen gesagt habe, daß ich sie nicht aus der Schule nehmen wollte, als wir nach Venedig gingen.«

»Wann haben Sie sich entschlossen zu tun, was Sie getan haben?« wollte Brunetti wissen.

Sie hob die Schultern. »Ich weiß es nicht. Eines Tages war der Gedanke einfach da. Das einzige, was ihm wirklich wichtig war, das einzige, was er wirklich liebte, war seine Musik, also beschloß ich, ihm das wegzunehmen. Damals erschien es mir gerecht.«

»Und heute?«

Sie dachte lange nach, bevor sie antwortete: »Ja, es scheint mir immer noch gerecht. Alles, was passiert ist, kommt mir gerecht vor. Aber darum geht es ja nicht, oder?«

Brunetti wußte nicht mehr, worum es überhaupt noch ging. In all dem lag kein Sinn, keine Botschaft und keine Lehre. Es bestand nur noch aus menschlicher Schlechtigkeit und dem schrecklichen Unheil, das daraus erwächst.

Ihre Stimme klang plötzlich sehr müde. »Was geschieht jetzt?«

»Das weiß ich auch nicht«, antwortete er aufrichtig. »Haben Sie eine Ahnung, woher er das Zyankali hatte?«

Sie zuckte die Achseln, als fände sie die Frage unwichtig. »Da gibt es viele Möglichkeiten«, meinte sie. »Er hat einen Freund, der Chemiker ist, oder er könnte es auch von einem seiner früheren Freunde haben.« Als sie Brunettis verständnisloses Gesicht sah, erklärte sie: »Aus dem Krieg. Er hatte viele einflußreiche Freunde damals, und viele sind heute wieder einflußreich.«

»Dann sind die Gerüchte über ihn wahr?«

»Ich weiß es nicht. Vor unserer Heirat hat er einmal gesagt, es seien alles Lügen, und ich habe ihm geglaubt. Inzwischen glaube ich es nicht mehr.« Das klang verbittert, aber dann zwang sie sich, ihren ursprünglichen Gedanken zu Ende zu führen. »Ich weiß nicht, woher er es hat, aber er hätte es sich problemlos beschaffen können.« Ihr trauriges Lächeln war wieder da. »Ich hatte natürlich Zugang. Und das wußte er.«

»Zugang? Wie?«

»Wir sind nicht zusammen hergefahren. Wir wollten nicht gemeinsam reisen. Ich habe zwei Tage in Heidelberg Station gemacht, um meinen Exmann zu besuchen.« Der Pharmakologe war, wie Brunetti wußte.

»Wußte der Maestro davon?«

Sie nickte. »Mein erster Mann und ich sind Freunde geblieben und haben noch gemeinsames Vermögen.«

»Haben Sie ihm von dem Vorgefallenen erzählt?«

»Natürlich nicht«, sagte sie und hob dabei zum ersten Mal die Stimme.

»Wo haben Sie sich getroffen?«

»In der Universität. Ich bin in seinem Labor gewesen. Er arbeitet an einem neuen Medikament, das die Auswirkungen der Parkinsonschen Krankheit lindern soll. Er hat mich in seinem Labor herumgeführt, und danach sind wir zusammen essen gegangen.«

»Wußte der Maestro davon?«

»Ich weiß es nicht. Wahrscheinlich habe ich es ihm erzählt. Wir fanden nur mit Mühe Gesprächsstoff. Und dies war ein neutrales Thema, über das wir sicher froh waren.«

»Und über die andere Sache haben Sie wirklich nie mehr ein Wort verloren?«

Sie schluckte. Sie wußte natürlich, was er mit der ›anderen Sache‹ meinte. »Nein.«

»Haben Sie je über die Zukunft gesprochen? Was Sie tun wollten?«

»Nein, nicht direkt.«

»Was heißt das?«

»Eines Tages, als ich gerade hereinkam und er zur Probe gehen wollte, sagte er: ›Warte nur, bis die *Traviata* vorbei ist.‹ Damit meinte er wohl, daß wir dann entscheiden könnten, was zu tun sei. Aber ich hatte mich schon entschlossen, ihn zu verlassen. Ich hatte mich bei zwei Krankenhäusern beworben, einem in Budapest und einem in Augsburg, und ich hatte mit meinem ersten Mann gesprochen, ob er mir eventuell behilflich sein könnte, eine Stelle in einem Krankenhaus zu finden.«

Wie man es auch betrachtete, sie saß in der Falle, dachte Brunetti. Es gab Beweise, daß sie schon eine eigene Zukunft geplant hatte, noch bevor Wellauer gestorben war. Und nun war sie Witwe und sagenhaft reich. Und selbst wenn die Sache mit ihrer Tochter bekannt würde, gäbe es Beweise dafür, daß sie auf dem Weg nach Venedig mit dem Vater des Mädchens gesprochen hatte, einem Mann, der auf jeden Fall an das Gift herankam, das den Maestro getötet hatte.

Kein italienischer Richter würde eine Frau für das verurteilen, was sie getan hatte, nicht, wenn sie die Sache mit ihrer Tochter erklärte. Angesichts der Beweise, die Brunetti hatte – Signora Santinas Aussage über ihre Schwester, die Gespräche mit den Ärzten, sogar der Selbstmord seiner zweiten Frau zu der Zeit, als ihre Tochter zwölf war –, würde kein Gericht in Italien sie unter Mordanklage stellen. Aber alles hing von der Aussage des Mädchens ab, dieses großen Mädchens, Alex, das Pferde liebte und noch ein Kind war.

Brunetti wußte, daß diese Frau eine solche Aussage niemals zulassen würde, ungeachtet aller Folgen. Außerdem wußte er, daß auch er es nicht zulassen würde.

Und ohne die Aussage der Tochter? Die offensichtliche Abkühlung zwischen ihnen, ihr leichter Zugang zu dem Gift, ihre Anwesenheit in seiner Garderobe an jenem Abend, die so ganz aus dem Rahmen fiel, das alles hatte den Anschein der Wahrheit. Wenn sie nur angeklagt wurde, ihm die Spritzen gegeben zu haben, die sein Gehör zerstörten, würde die Mordanklage hinfällig, aber das konnte nur klappen, wenn der Name ihrer Tochter fiel. Und das war unmöglich, wie er wußte.

»Hat Ihr Mann vor seinem Tod, bevor all das geschah«, sagte Brunetti, wobei er es ihr überließ, sich auf ›all das‹ einen Reim zu machen, »irgendwann einmal über sein Alter gesprochen? Hatte er Angst vor dem körperlichen Verfall?«

Sie überlegte eine Weile, offensichtlich erstaunt darüber, wie er auf diese Frage kam. »Ja«, sagte sie dann, »wir haben darüber gesprochen. Nicht oft, aber ein- oder zweimal. Einmal, als wir alle mehr als genug getrunken hatten, haben wir mit Erich und Hedwig darüber gesprochen.«

»Und was hat er da gesagt?«

»Es war Erich, wenn ich mich recht erinnere. Er sagte, wenn er jemals nicht mehr arbeiten könnte – nicht nur nicht mehr operieren, sondern, na ja, nicht mehr er selbst wäre, kein Arzt mehr sein könnte –, dann werde er als Arzt wissen, wie dem ein Ende zu machen sei.

Es war schon spät, und wir waren alle sehr müde, das hat vielleicht dazu beigetragen, daß dieses Gespräch ernster war, als es sonst gewesen wäre. Jedenfalls hatte Erich das gesagt, und Helmut meinte, er verstehe ihn sehr gut und würde genau dasselbe tun.«

»Würde sich Dr. Steinbrunner an dieses Gespräch erinnern?«

»Ich glaube schon. Es war ja erst in diesem Sommer. Wir feierten unseren zweiten Hochzeitstag.«

»Hat Ihr Mann sich jemals deutlicher geäußert?« Bevor sie antworten konnte, vervollständigte er seine Frage: »Wenn andere dabei waren?«

»Sie meinen, vor Zeugen?«

Er nickte.

»Nein, nicht daß ich wüßte. Aber in jener Nacht war das Gespräch so ernst, daß wir alle wußten, was gemeint war.«

»Glauben Sie, daß Ihre Freunde es genauso in Erinnerung haben? Daß sie es auch so sehen?«

»Ja, das glaube ich schon. Sie sind nicht mit mir einverstanden, jedenfalls nicht als Frau für Helmut.« Als sie das ausgesprochen hatte, sah sie ihn plötzlich mit schreckgeweiteten Augen an. »Meinen Sie, die wußten es?«

Brunetti schüttelte den Kopf, hoffte sie beruhigen zu können, nein, sie hätten nichts gewußt, sie könnten so etwas über ihn nicht gewußt und dazu geschwiegen haben. Aber er hatte keinen Grund, das zu glauben. Er ließ das

Thema lieber fallen und fragte: »Können Sie sich an andere Gelegenheiten erinnern, bei denen Ihr Mann so etwas erwähnt hat?«

»In den Briefen, die er mir vor unserer Hochzeit geschrieben hat.«

»Wie hat er sich da geäußert?«

»Es war mehr scherzhaft. Er versuchte, den Altersunterschied zwischen uns herunterzuspielen. Er schrieb, ich würde nie einen gebrechlichen, hilflosen alten Mann am Hals haben, er werde schon dafür sorgen, daß es dazu nie komme.«

»Haben Sie diese Briefe noch?«

Sie senkte den Kopf und sagte leise: »Ja, ich habe noch alles von ihm, alle Briefe, die er mir geschrieben hat.«

»Ich verstehe immer noch nicht, wie Sie es tun konnten«, sagte er, nicht schockiert oder wütend, nur einfach erstaunt.

»Ich weiß es auch nicht mehr. Ich habe so viel darüber gegrübelt, daß ich wahrscheinlich neue Gründe erfunden habe, neue Rechtfertigungen. Um ihn zu bestrafen? Oder vielleicht wollte ich ihn so schwach machen, daß er völlig von mir abhängig würde. Oder vielleicht habe ich auch gewußt, daß es ihn zu dem zwingen würde, was er dann getan hat. Ich weiß es schlicht nicht mehr, und ich glaube nicht, daß ich je verstehen werde, warum.« Er dachte, sie sei fertig, aber sie fügte mit eisiger Stimme hinzu: »Aber ich bin froh, daß ich es getan habe, und ich würde es wieder tun.«

Brunetti wandte den Blick von ihr ab. Er war kein Anwalt und wußte nicht genau, wie man ihr Verbrechen bezeichnen würde. Körperverletzung? Diebstahl? Wenn man das

Gehör eines Menschen stiehlt, was nimmt man ihm dann? Und ist es ein schlimmeres Verbrechen, wenn dem Opfer sein Gehör wichtiger ist als anderen Menschen das ihre?

»Signora, glauben Sie, er hat Sie hinter die Bühne gebeten, damit es aussieht, als hätten Sie ihn umgebracht?«

»Das kann ich nicht sagen, möglich wäre es. Er glaubte an Gerechtigkeit. Aber wenn er es wollte, hätte er dafür sorgen können, daß es viel schlechter für mich aussähe. Ich habe inzwischen viel darüber nachgedacht. Vielleicht hat er es dabei belassen, damit ich nie ganz sicher sein sollte, welche Absicht er hatte. So wäre er dann nicht schuldig an dem, was auch immer deswegen mit mir geschieht.« Sie lächelte schwach. »Er war ein sehr komplizierter Mensch.«

Brunetti beugte sich vor und legte ihr die Hand auf den Arm. »Signora, bitte hören Sie jetzt einmal ganz genau zu.« Er dachte an Chiara, entschied sich und sprach weiter. »Wir haben darüber gesprochen, wie Ihr Mann Ihnen seine Ängste wegen seiner zunehmenden Taubheit anvertraut hat.«

Erschrocken wollte sie protestieren: »Aber...«

Er unterbrach sie, bevor sie weiterreden konnte. »Wie er Ihnen von seiner Taubheit erzählt hat, wie er sie fürchtete. Daß er in Deutschland bei seinem Freund Erich gewesen sei und dann bei einem anderen Arzt in Padua, und beide ihm sagten, daß er taub werde. Daß dies sein Verhalten hier erklärt, seine offensichtliche Depression. Und daß Sie mir gesagt haben, Sie fürchteten, er habe sich umgebracht, als ihm klar wurde, daß seine Karriere vorbei war, daß er als Musiker keine Zukunft mehr hatte.« Seine Stimme klang so müde, wie er sich fühlte.

Als sie widersprechen wollte, sagte er nur: »Signora, die

einzige, die wegen der Wahrheit leiden würde, ist die einzig Unschuldige.«

Diese Wahrheit brachte sie zum Schweigen. Nach einer Pause meinte sie: »Wie mache ich das alles?«

Er hatte nicht die geringste Ahnung, was er ihr raten sollte. Er hatte noch nie einem Verbrecher geholfen, ein Alibi zu erfinden oder Beweise für sein Verbrechen in Abrede zu stellen. »Das Wichtigste ist, daß Sie mir von seiner Taubheit erzählt haben. Daraus ergibt sich alles andere.« Sie sah ihn an, noch immer erstaunt, und er redete mit ihr wie mit einem begriffsstutzigen Kind, das eine Lektion nicht begreifen wollte. »Das haben Sie mir bei unserem zweiten Zusammentreffen gesagt, an dem Morgen, als ich hier in der Wohnung war. Sie haben mir erzählt, daß er ernsthafte Probleme mit dem Gehör hatte und seinen Freund Erich deswegen aufgesucht hätte.« Sie wollte wieder protestieren, und er hätte sie für ihre Begriffsstutzigkeit schütteln mögen. »Außerdem hat er Ihnen gesagt, daß er noch bei einem anderen Arzt war. Das alles wird in meinem Bericht über unser Gespräch stehen.«

»Warum tun Sie das?« fragte sie endlich.

Er tat die Frage mit einer Handbewegung ab.

»Warum tun Sie das?« fragte sie noch einmal.

»Weil Sie ihn nicht umgebracht haben.«

»Und das andere? Was ich ihm angetan habe?«

»Es gibt keine Möglichkeit, Sie dafür zu bestrafen, ohne Ihre Tochter noch mehr zu strafen.«

Angesichts dieser Wahrheit zuckte sie schmerzlich zusammen. »Was muß ich noch tun?« fragte sie, jetzt gehorsam.

»Das weiß ich noch nicht so genau. Denken Sie vorerst nur daran, daß wir bei meinem ersten Besuch darüber gesprochen haben.«

Sie wollte etwas sagen, hielt aber dann inne.

»Was ist?« wollte er wissen.

»Nichts, nichts.«

Er stand abrupt auf. Ihm war nicht wohl dabei, hier zu sitzen und ein Komplott zu schmieden. »Das wäre dann alles. Wahrscheinlich werden Sie bei der Verhandlung aussagen müssen, sollte es dazu kommen.«

»Werden Sie da sein?«

»Ja. Bis dahin habe ich meinen Bericht geschrieben und meine Meinung abgegeben.«

»Und wie wird die sein?«

»Es wird die Wahrheit sein, Signora.«

Ihre Stimme klang ruhig. »Ich weiß nicht mehr, was die Wahrheit ist.«

»Ich werde dem *procuratore* sagen, nach meinen Ermittlungen habe Ihr Mann Selbstmord verübt, als er merkte, daß er taub wurde. Genau so, wie es war.«

»Ja«, echote sie. »Genau so, wie es war.«

Dann ließ er sie allein in dem Zimmer zurück, in dem sie ihrem Mann die letzte Spritze gegeben hatte.

25

Am nächsten Morgen legte Brunetti wie befohlen um acht seinen Bericht auf den Schreibtisch von Vice-Questore Patta, wo er liegenblieb, bis sein Vorgesetzter kurz nach elf in seinem Büro erschien. Als dieser sich, nachdem er drei Privatgespräche geführt und den Wirtschaftsteil der Zeitung gelesen hatte, schließlich dazu durchrang, den Bericht zu lesen, fand er ihn ebenso interessant wie erhellend.

»Die Ergebnisse meiner Ermittlungen lassen mich zu dem Schluß kommen, daß Maestro Helmut Wellauer sich infolge seiner zunehmenden Schwerhörigkeit das Leben genommen hat.

1. In den letzten Monaten hatte sich sein Gehör in einem Maße verschlechtert, daß er über weniger als 40 % des normalen Hörvermögens verfügte. (Siehe beiliegende Gesprächsprotokolle mit den Doctores Steinbrunner und Treponti sowie ebenfalls beiliegende medizinische Berichte.)

2. Dieser Gehörverlust führte dazu, daß er zunehmend seinen Beruf als Dirigent nicht mehr ausüben konnte. (Siehe anliegende Gesprächsprotokolle mit Professore Rezzonico und Signor Traverso.)

3. Der Maestro befand sich in einer depressiven Stimmungslage. (Siehe anliegende Gesprächsprotokolle mit Signora Wellauer und Signorina Breddes.)

4. Er hatte Zugang zu dem benutzten Gift. (Siehe an-

liegende Gesprächsprotokolle mit Signora Wellauer und
Dr. Steinbrunner.)

5. Es war bekannt, daß er die Vorstellung vom Freitod
vertrat, falls er ein Stadium erreichen sollte, in dem er als
Musiker nicht mehr einsatzfähig wäre. (Siehe anliegen-
des Protokoll des Telefongesprächs mit Dr. Steinbrunner.
Privatkorrespondenz aus Deutschland wird nachge-
reicht.)

Aufgrund des überwältigenden Gewichtes dieser In-
formationen sowie der Tatsache, daß Verdächtige, die ein
Motiv oder eine Gelegenheit zu einem Verbrechen ge-
habt haben könnten, eindeutig auszuschließen sind, kann
ich nur den Schluß ziehen, daß der Maestro den Suizid als
Alternative zur Taubheit vorgezogen hat.

Hochachtungsvoll
Guido Brunetti
Commissario della Polizia

»Ich hatte natürlich von Anfang an diesen Verdacht«, sagte
Patta zu Brunetti, nachdem letzterer der Aufforderung
seines Vorgesetzten gefolgt war, in dessen Büro den Fall zu
besprechen. »Aber ich wollte nicht gleich zu Anfang etwas
sagen und so Ihre Ermittlungen beeinflussen.«

»Das war sehr großzügig von Ihnen, Signore«, sagte Bru-
netti. »Und sehr klug.« Er studierte die Fassade von San
Lorenzo, von der er einen Teil hinter der Schulter seines
Vorgesetzten sehen konnte.

»Es war einfach undenkbar, daß jemand, der Musik
liebte, so etwas hätte tun können.« Ganz offensichtlich
zählte Patta sich dazu. »Seine Frau sagt hier ...«, begann er,

indem er den Blick auf den Bericht heftete. Diesmal studierte Brunetti die kleine diamantbesetzte Krawattennadel in Form einer Rose, die Patta in seiner roten Krawatte trug. »...daß er sichtlich verstört war.« Dieses Zitat überzeugte Brunetti, daß Patta den Bericht wirklich gelesen hatte, ein Ereignis von unübertroffener Seltenheit. »Und so empörend das Benehmen dieser beiden Frauen auch ist«, fuhr Patta mit einer kleinen Geste des Ekels über etwas fort, was gar nicht im Bericht stand, »ist es doch unwahrscheinlich, daß eine von ihnen das psychologische Profil eines Mörders hat.« Was immer das heißen sollte.

»Und die Witwe – unmöglich – auch wenn sie Ausländerin ist.« Dann gab Patta, obwohl Brunetti nicht danach gefragt hatte, die Erklärung zu dieser Bemerkung. »Keine Frau, die Mutter ist, könnte etwas so Kaltblütiges tun. Sie haben einen Instinkt, der solche Dinge verhindert.« Er lächelte über sein brillantes Einfühlungsvermögen, und Brunetti, entzückt, das zu hören, lächelte auch.

»Ich esse heute mit dem Bürgermeister zu Mittag«, sagte Patta mit einer einstudierten Nebensächlichkeit, die diese Tatsache zu den Alltäglichkeiten verwies, »und ich werde ihm die Ergebnisse unserer Ermittlungen darlegen.« Als Brunetti diesen Plural hörte, zweifelte er nicht daran, daß die Ermittlungen bis zum Mittagessen wieder im Singular erscheinen würden, allerdings nicht in der dritten Person.

»Ist das alles?« fragte er höflich.

Patta blickte von dem Bericht auf, den er offenbar auswendig lernen wollte. »Ja, ja. Das ist alles.«

»Und der *procuratore*? Wollen Sie ihn auch informieren?« fragte Brunetti in der Hoffnung, daß Patta auch darauf bestehen und bei seiner Empfehlung an den leitenden Staatsanwalt das Gewicht seines Amtes zugunsten einer Nichtverfolgung in die Waagschale werfen würde.

»Ja, dafür sorge ich auch.« Brunetti beobachtete, wie Patta überlegte, ob er den Staatsanwalt zum Essen mit dem Bürgermeister einladen sollte, den Gedanken aber wieder verwarf. »Ich kümmere mich darum, wenn ich vom Essen mit dem hohen Herrn zurück bin.« Das, überlegte Brunetti, gab ihm Gelegenheit zu gleich zwei Auftritten.

Brunetti stand auf. »Ich gehe dann in mein Büro.«

»Ja, ja«, murmelte Patta abwesend, noch immer in den Bericht vertieft.

»Ach, Commissario«, sagte er da hinter ihm.

»Ja?« antwortete Brunetti, während er sich umdrehte und lächeln mußte, als er die Bedingungen für seine heutige Wette aufstellte.

»Vielen Dank für Ihre Hilfe.«

»Nichts zu danken«, sagte er und dachte, daß ein Dutzend rote Rosen ausreichen würde.

Sieben Monate später bekam Brunetti einen Brief in die Questura geschickt. Die Briefmarken fielen ihm als erstes ins Auge, zwei lila Rechtecke mit einem Flechtwerk aus zierlichen Schriftzeichen an den Seiten. Darunter stand: »People's Republic of China«. Er kannte niemanden in China.

Auf dem Umschlag stand kein Absender. Er riß ihn auf, und heraus fiel das Polaroidfoto einer juwelenbesetzten Krone. Ein Größenverhältnis war nicht festzustellen, aber wenn das Stück für einen menschlichen Kopf entworfen war, mußten die Edelsteine um das Juwel in der Mitte etwa so groß wie Taubeneier sein. Rubine? Ihm fiel kein anderer Edelstein ein, der so an Blut erinnerte. Der in der Mitte, massiv und rechteckig geschnitten, konnte nur ein Diamant sein.

Er drehte das Foto um und las: »Hier ist ein Stück der Schönheit, zu der ich zurückgekehrt bin.« Darunter: »B. Lynch.« Keine weitere Mitteilung. Sonst war nichts in dem Umschlag.

Donna Leon
im Diogenes Verlag

Venezianisches Finale
Commissario Brunettis erster Fall

Roman. Aus dem Amerikanischen von
Monika Elwenspoek

Skandal in Venedigs Opernhaus ›La Fenice‹: In der
Pause vor dem letzten Akt der ›Traviata‹ wird der
deutsche Stardirigent Helmut Wellauer tot aufgefun-
den. In seiner Garderobe riecht es unverkennbar nach
Bittermandel – Zyankali. Ein großer Verlust für die
Musikwelt und ein heikler Fall für Commissario
Guido Brunetti. Dessen Ermittlungen bringen Dinge
an den Tag, wonach einige Leute allen Grund gehabt
hätten, den Maestro unter die Erde zu bringen. Der
Commissario entdeckt nach und nach einen wahren
Teufelskreis aus Ressentiments, Verworfenheit und
Rache. Sein Empfinden für Recht und Unrecht wird
auf eine harte Probe gestellt.

»Mit ihrem ersten, preisgekrönten Kriminalroman
Venezianisches Finale weckt die aus New Jersey kom-
mende Wahlitalienerin Donna Leon großen Appetit
nach mehr aus ihrer Feder. Die Verfasserin krönt ihre
Detailkenntnisse und ihre geistreichen Italien-Ein-
blicke wie en passant mit dem Gespür und der klugen
Lakonie amerikanischer Crime-Ladies.«
Wiesbadener Tagblatt

Endstation Venedig
Commissario Brunettis zweiter Fall

Roman. Deutsch von Monika Elwenspoek

Ein neuer Fall für Commissario Brunetti: Die auf-
gedunsene Leiche eines kräftigen jungen Mannes
schwimmt in einem stinkenden Kanal in Venedig.
Und zum Himmel stinken auch die Machenschaften,

die sich hinter diesem Tod verbergen: Mafia, amerikanisches Militär und der italienische Machtapparat sind
gleichermaßen verwickelt. Ja gibt es Verbindungen
zur Drogenszene? Einen Giftmüllskandal?
Eine harte Nuß für Brunetti, der sich nicht unter-
kriegen läßt: Venedig durchstreifend und seine Con-
nections nutzend, ermittelt er ebenso sympathisch wie
unkonventionell.

»Aus Brunetti könnte mit der Zeit ein Nachfolger für
Simenons Maigret werden.« *Radio Bremen*

Venezianische Scharade
Commissario Brunettis dritter Fall
Roman. Deutsch von Monika Elwenspoek

Eigentlich wollte Brunetti ja mit seiner Familie in die
Berge fahren, statt den brütendheißen August in Venedig zu verbringen. Doch dann wird beim Schlachthof
vor Mestre die Leiche eines Mannes in Frauenkleidern
gefunden. Ein Transvestit? Wird Streitigkeiten mit seinen Freiern gehabt haben – so die allgemeine Meinung,
auch bei Teilen der Polizei. Brunetti jedoch schaut
genauer hin. Stammt der Tote überhaupt aus der
Transvestitenszene? Der Commissario lernt bei seinen
Ermittlungen in einem Milieu, das auch den meisten
Lesern weniger bekannt sein dürfte und darum nur um
so spannender ist, weniger schnell zu urteilen, als die
ach so ehrenwerten Normalbürger es tun.

»Weitermachen, Guido Brunetti, und weiterschrei-
ben, Donna Leon!« *NDR, Hamburg*

Vendetta
Commissario Brunettis vierter Fall
Roman. Deutsch von Monika Elwenspoek

Wer telefoniert von einer Bar aus in Venedigs Industrie-
vorort Mestre mit Osteuropa, Ecuador und Thailand?
Und warum finden sich ein paar der angewählten

Nummern ohne Namen in den Adreßbüchern von zwei Männern, die binnen einer Woche sterben? Fragen, die niemand stellen würde, wären nicht acht rumänische Frauen verunglückt, die nach Italien eingeschmuggelt werden sollten. Kurz darauf wird die Leiche eines Anwalts entdeckt, der in Kreisen einflußreicher Banker und Industrieller verkehrte.

Gerne stehen dem Commissario Tochter Chiara, Richter Beniamin und die Sekretärin seines Chefs zur Seite, wenn es darum geht, Machenschaften auf die Schliche zu kommen und Tätern das Handwerk zu legen, die sich an unschuldigen Opfern vergreifen.

»*Vendetta* ist ein ebenso faszinierender wie letztlich erschreckender Fall für den mutigen und warmherzigen Guido Brunetti.«
Publishers Weekly, New York

Acqua alta
Commissario Brunettis fünfter Fall
Roman. Deutsch von Monika Elwenspoek

Als die amerikanische Archäologin Brett Lynch im Flur ihrer Wohnung in Venedig von zwei Männern zusammengeschlagen wird, regt sich außer Brunetti kaum jemand auf. Schließlich ist Lynch nicht nur Ausländerin, sondern auch noch mit einer Operndiva liiert. Als zwei Tage später jedoch der renommierte Museumsdirektor Dottor Semenzato ermordet aufgefunden wird, ist ganz Venedig entsetzt. Brunetti hält das Zusammentreffen der Angriffe auf Semenzato und Brett Lynch nicht für zufällig, waren doch beide mit derselben Sache beschäftigt: einer gefeierten Ausstellung chinesischer Kunst. Der Commissario ermittelt – und nicht nur die Spannung steigt, sondern auch der Wasserpegel in Venedig. Eine packende Geschichte über die geheime Verbindung zwischen hehrer Kunst und nackter Korruption.

»Von Venedig eingenommen, doch ohne seine prag-
matische Klarsicht zu verlieren, ist Brunetti genau der
richtige Polizist für diese Stadt. Möge er noch lange
durch ihre Calli streifen – oder auch waten.«
The Sunday Times, London

Sanft entschlafen
Commissario Brunettis sechster Fall
Roman. Deutsch von Monika Elwenspoek

Commissario Brunetti hat nicht viel zu tun, als sein
Chef im Urlaub ist und die Lagunenstadt erst allmählich aus dem Winterschlaf erwacht. Doch da beginnen
die Machenschaften der Kirche sein Berufs- und
Privatleben zu überschatten: Suor Immacolata, die
schöne Sizilianerin und aufopfernde Pflegerin von
Brunettis Mutter, ist nach dem unerwarteten Tod von
fünf Patienten aus ihrem Orden ausgetreten. Sie hegt
einen schrecklichen Verdacht. Brunetti zieht in Kir-
chen und Krankenhäusern Erkundungen ein, sucht
die Erben der Verstorbenen auf, findet sich jedoch als-
bald in einem Spiegelkabinett aus Irrwitz, Glauben
und Scheinheiligkeit wieder.

Nobiltà
Commissario Brunettis siebter Fall
Roman. Deutsch von Monika Elwenspoek

*Brunetti hatte Entführung schon immer als das scheuß-
lichste aller Verbrechen angesehen, nicht nur, weil er
zwei Kinder hatte, sondern weil es eine Schande für
die Menschheit war, wenn ein willkürlicher Preis auf
ein Leben gesetzt wurde.*
Als der Sohn der Adelsfamilie Lorenzoni entführt
wurde, hätte sein Vater liebend gerne das Lösegeld bezahlt. Doch die Entführer und ihre Geisel verschwanden spurlos. Der Fund eines Skeletts in einem abgele-

genen Dolomitendorf hätte der Schlußstrich unter dem aufsehenerregenden Entführungsfall sein können. Doch Brunetti will es dabei nicht belassen.

»*Nobiltà* beweist erneut, daß Donna Leon literarisch von Venedig Besitz ergriffen hat. Der Roman zeigt sie auf dem Höhepunkt ihres Könnens.«
The Independent on Sunday, London

In Sachen Signora Brunetti
Der achte Fall
Roman. Deutsch von Monika Elwenspoek

Als Paola Brunetti einen Stein ins Schaufenster eines Reisebüros am Campo Manin wirft, um gegen Sextourismus in der dritten Welt zu protestieren, gerät nicht nur der Inhaber des Ladens, Mitri, in Schwierigkeiten, sondern auch ihr eigener Mann. Wie kann der Commissario für Gerechtigkeit sorgen, wenn seine Frau das Recht selbst in die Hand nimmt?
Die Presse stürzt sich auf die kriminelle Gattin des Commissario. Paolas eigentliches Anliegen gerät dabei in den Hintergrund: Selbst Mutter zweier Kinder, wollte sie mit ihrer Tat auf Mißstände aufmerksam machen, vor denen die Öffentlichkeit sonst nur zu gerne die Augen verschließt. Aber hat sie die Folgen für Brunetti – demgegenüber sie natürlich ebenso loyal sein möchte wie ihrem eigenen Gewissen gegenüber – wirklich bedacht?

»Höchst interessant, wie die Beziehung zwischen Brunetti und Paola vertieft und in all ihren Schattierungen gezeigt wird.«
Evening Standard, London

»Wenn es um den Sextourismus geht, dann haben wir Frauen das Recht, Gesetze zu brechen.«
Donna Leon

Latin Lover
Von Männern und Frauen
Deutsch von Monika Elwenspoek

Bestseller-Autorin und Commissario-Brunetti-Schöpferin Donna Leon einmal anders: In den Kolumnen und Zeitungsartikeln für *Emma, Vogue* und die *Weltwoche* wirft sie Fragen auf und geht sie in der ihr eigenen direkten Art an, ohne die Angst, als politically incorrect zu gelten.

»Donna Leons Stärke sind sensible, ungeheuer farbige Sozialporträts, Nahaufnahmen einer in Teilen verkrusteten, mitleidlosen Gesellschaft.«
Der Spiegel, Hamburg

Eine Amerikanerin in Venedig
Geschichten aus dem Alltag
Deutsch von Monika Elwenspoek

Kolumnen und Zeitungsartikel, geschrieben für *Die Weltwoche*, *Material* und das *Zeit-Magazin*.

Wir befinden uns in der Wohnung von Donna Leon. Nicht nur vom Fenster aus, auch durch die Wände hindurch nimmt sie ihre Nachbarn wahr; meistens jedoch tauscht sie sich direkt mit ihnen aus. Dabei wird sie nicht nur in die Geheimnisse der italienischen Küche und in das Familienleben eingeweiht, sondern sie wird auch Zeugin vieler italienischer Mißstände, gegen die sie ankämpft, als wäre sie Commissario Brunetti in Person.